# ディープ・シンキング

## 知のトップランナー25人が語るAIと人類の未来

ジョン・ブロックマン 編
日暮雅通 訳

青土社

ディープ・シンキング

目次

# ディープ・シンキング

知のトップランナー25人が語るAIと人類の未来

アインシュタイン、
ガートルード・シュタイン、
ウィトゲンシュタイン、
そしてフランケンシュタインへ

# はじめに　ＡＩへの期待と危険性について

ＡＩ（人工知能）は、今日的なストーリーである。ＡＩ以外のすべてのストーリーの背後にあるストーリー、と言ってもいい。それは最後の審判におけるキリストの再臨であり、同時に世界の終末における最終戦争《ハルマゲドン》でもある――善いＡＩ対邪悪なＡＩの。この本は、たくさんの重要な思索家たちとのあいだで、ＡＩの世界とそれを超えた世界の両方において、ＡＩとは何か、ＡＩのもつ意味は何かという点について熱心に交わした議論から生まれた。〈ポッシブル・マインド〔本書の原題〕・プロジェクト〉と名づけられたこの議論の始まりは、二〇一六年九月にコネティカット州ワシントンのグレイス・メイフラワー・インでおこなった、本書寄稿者の一部とのミーティングであった。

最初のミーティングですぐにわかったのは、今現在ＡＩを取り巻くさまざまなカルチャーにおける興奮と恐れは、ノーバート・ウィーナーの〝サイバネティックス〟に関するアイデアが浸透した一九六〇年代に、アーティストたちが新しいテクノロジーについての自分の考えを作品に取り込みはじめたときと、同じような面をもっているということだった。私は、そうしたアイデアのもつインパクトを間近に感じた証人のひとりであり、その後の生きる道があのときに決定されたと言っても過言ではない。一九七〇年代初期にデジタル時代が到来すると、人々がウィーナーについて口にすることはなくなっていった。だがこんにちでは、彼のサイバネティックス思想があまりにも広い分野に採用されてきたため、もはやそうした呼称が必要ないほどになっているといえる。サイバネティックスはいたるところに存在し、まだまだ可能性をもつものであり、新たに始めるにふさわしい場所なのだ。

## 新しいテクノロジー＝新しい知見《パーセプション》

サイバネティックスは、ＡＩが出現する以前から存在した。ノーバート・ウィーナーが一九四八年のテクストで展開した、機械的な自己調節制御というアイデアだ。私自身がそのアイデアに多大な影響を受けた時期は、一九六六年にさかのぼる。その年、作曲家のジョン・ケージが私とそのほか四、五人のアートに携わる若者たちを、何度も食事会に招いてくれた。ケージが関心を寄せるウィーナー、クロード・シャノン、マーシャル・マクルーハンのアイデア――これらはどれもみな、当時の私の活動拠点、ニューヨークのアート界で流行だったが、それを中心にした、メディア、通信、アート、音楽、哲学をめぐる連続セミナーだった。ケージは特に、電子テクノロジーを生んだことによって、私たちは中枢神経系を、つまり知性《マインド》を外在化することになったという、マクルーハンのアイデアをとりあげた。今や「たったひとつの、私たちみんながシェアするマインドしかない」と考えなくてはならない、というのだ。

私はフィルムメーカーズ・シネマテークで、前衛映画の監督・制作者ジョナス・メカスが主催するニュー・シネマ１（エクスパンデッド・シネマ・フェスティバルともいう）のプログラム・マネージャーとして働いていたのだが、その仕事仲間のアーティストたちも、そのアイデアの本質に深い関心を寄せはじめた。ビジュアルアーティストのクルス・オルデンバーグ〔スウェーデン生まれの美術家。食品・台所用品などの巨大な原色張りぼて作品で有名〕や、ロバート・ラウシェンバーグ〔抽象表現主義後世代の画家。のちのポップアートに影響を与えた〕、アンディ・ウォーホル〔画家・映画監督。六〇年代ポップアートを代表する〕、ロバート・ホイットマン、キネティックアーティストのシャーロット・モーマンとナム・ジュン・パイク〔韓国生まれのビデオ作家・パフォーマー〕、ハプニングアーティストのアラン・カプロー〔ハプニングという視覚的表現行為を指す用語のもとを作成した前衛画家〕とキャロリー・シュニーマン、ダンサーのトリシャ・ブラウン、映画制作者のスタン・ヴァンダービーク、エド・エムシュウィラー、クッチャー兄弟、前衛劇作家のケン・デューイ、詩人のゲルド・スターンとUSCOグループ、ミニマルアート音楽家のラ・モンテ・ヤングとテリー・ライリー〔現代音楽作曲家・キーボード奏者〕といった顔ぶれのほか、ウォーホルを通じてベルベット・アンダーグラウンド〔前衛的ロックグループ〕も参加していた。ウィーナーを読んでいる者も多く、彼のサイバネティックス思想がまだまだ可能性をもっていた。そういう食事会の席で、あるときケージがブリーフケースに手を伸ばして、『サイバネティックス』（池原止戈夫他訳、岩波書店、一九六二年）を一冊取り出したかと思うと、私に手渡して、「君にやろう」と言ったのだった。

フェスティバル期間中、ウィーナーの同僚だったハーバード大学大学院の生物物理学学部長、アーサー・K・ソロモンから、思いがけない電話があった。ウィーナーは前年に他界していたが、MITとハーバード大学でソロモンやウィーナーと親しかった仲間たちが「ニューヨーク・タイムズ」でエクスパンデッド・シネマ・フェスティバルを知り、ウィーナーの研究とのつながりに興味をそそられたというのだ。電話は、アーティストを何人か連れてケンブリッジまで、ソロモンのほかMITの感覚情報伝達研究者ウォルター・ローゼンブリス、ハーバード大学の応用数学者アントニー・オッティンガー、ストロボを発明したMITの工学者ハロルド・〝ドク〟・エジャートンらのグループにも、会いにこないかという誘いだった。

それまでにも私がかかわったことのある〝アートとサイエンスの出会い〟糸にはよくある話で、このときの二日間のイベントは予想どおり実を結ばなかった――その場かぎりの交流に終わったのだ。だが、そのすべては私の血となり肉となり、おもしろいもので結果的に貴重な出来事となった。たとえば、そのとき私たちは〝かの有名な〟コンピューターを見せてもらった。あのころはまだ、コンピューターが珍しかったし、ともかく私たちは誰ひとり見たことがなかった。MITのキャンパスにある大空間へ案内されていくと、真ん中のフロアから浮いたところにガラス張りの〝冷蔵室〟があって、白衣にスカーフ、手袋を装着した専門家たちが、巨大なマシンから出てくるパンチカードをせっせとまとめていた。顔を近づけると、私の吐く息で冷蔵室の窓が白く曇る。それを手でぬぐって、コンピューターという代物を初めて見た。私はそのとりこになった。

のちの一九六七年秋、私はメンロパークへ出かけてステュアート・ブランドと過ごした。ブランドとの出会いは一九六五年、彼がニューヨークでUSCOグループの取り巻きメンバーだったときのことだ。そのときの彼は、数学者である妻のロイスとともに「全地球カタログ」の創刊号を準備中だった。ロイスが仲間と一緒に「全地球カタログ」の重い版下台紙と格闘しているのを横目に、ステュアートと私は二日のあいだのかたすみに座り込んで、前の年にケージからもらった、あのペーパーバック版『サイバネティックス』を読んでは、アンダーラインを引いたり注釈を書き込んだりして、ウィーナーのアイデアを論じ合ったものだ。

このとき生まれた一連のアイデアにインスパイアされて、呪文か何かのようにひとつのテーマが発現しはじめ、その先の私の活動が決定づけられた。そのテーマが「新しいテクノロジー＝新しい知見《パーセプション》」である。情報理論家のマーシャル・マクルーハン、建築デザイナーのバックミンスター・フラー、未来派芸術家のジョン・マクヘイル、文化人類学者のエドワード・T・〝ネッド〟・ホールやエドマンド・カーペンターとのやりとりに刺激を受けた私は、情報理論、サイバネティックス、システム理論といった分野の文献を読みあさるようになった。マクルーハンからは、私たちはツールをつくりだし、その使い方を通して自分自身を形成していくという、生物学者J・Z・ヤングの『人間はどこまで機械か――脳と意識の生理学』（岡本彰祐訳、白楊社、一九六八年）を読むようにも勧められた。ほかにも、ウォレン・ウィーヴァーとクロード・シャノンによる一九四九年の論文、「コミュニケーションの数学理論における最近の提言」（Recent Contributions to the Mathematical Theory of Communication）を勧めてくれた。その書き出しはこうだ。「コミュニケーションという語をここでは広義に用いて、ある知性《マインド》が別の知性《マインド》に作用する手続き《プロシージャ》まで、すべて含めることとする。書き言葉、話し言葉はもちろんのこと、音楽、絵画や写真、演劇、舞踏劇なども、それどころか人間のふるまいはすべて、コミュニケーションとする」

それから二〇年とたたずして、私たちが脳をコンピューター扱いするようになろうとは、誰が考えただろう？　それからまた二〇年ほどで、コンピューターがインターネットに組み込まれていくとともに、脳は一台のコンピューターではなくコンピューター・ネットワークだと気づくようになろうとは。アナログのフィードバック回路でマシンを制御する専門家だったウィーナーにはまず思いもよらなかったし、アーティストたちにもわからなかった。少なくとも私自身は考え及ばなかった。

## 「我々は自分たちを鞭うつ御者にキスすることをやめなければならない」

『サイバネティックス』刊行の二年後、一九五〇年に、ノーバート・ウィーナーは『人間機械論』（池原止戈夫訳、みすず書房、一九五四年）を出版する。論をさらに掘り下げた同書で、やたらな商業利用その他、新しい制御テクノロジーのもたらす不測の結果に対して、ウィーナーは懸念を表明した。私はこの『人間機械論』を読んでいなかったのだが、二〇一六年春になって、自分の書棚で『サイバネティックス』の隣に鎮座していた初版本をふと手にした。衝撃だったのは、現在進行中の事態を一九五〇年に予測していた、ウィーナーの先見の明である。この初版がベストセラーになった——そしてもちろん活発な議論を招いた——にもかかわらず、仲間たちからの圧力を受けたウィーナーは、一九五四年に当たりをやわらかくした改訂版を世に送り出した。もとの版の結びの章、「束縛の諸様相」が、改定版にはなくなっているのがすぐ目につく。

科学史家のジョージ・ダイソンは、忘れられて久しいこの初版で、ウィーナーは「統治機械の原理に依存する恐るべき新ファシズム」の可能性を予測しているのだと指摘する。

マルクス主義者やイエズス会士（「すべてのカトリック教義は実際本質的には全体主義的宗教である」）から、ＦＢＩ（「我国の軍人たちと我国の実業界の大御所たちは、ロシア人の宣伝技術を見て、それがすぐれたものであることを知った」）、そして財政支援により「アメリカ資本主義と実業家の第五の自由とを、全世界に冠たるものとする」金融業者まで、彼の批判を受けないエリートはいない。科学者にしても……教会に対するのと同様の詮索を受けている。「実際、大研究所の所長たちは全く僧正たちによく似ており、世の中のあらゆる筋の有力者たちと結びつき、高慢と権力欲という肉欲の罪を招く危険をいだいている」

だがウィーナーのこの嘆きは、うまく伝わらなかった。ダイソンによると――

当時こうした警告が考慮されなかったのは、ウィーナーがデジタル・コンピューティングを見誤っていたからではなく、彼が原稿を完成させた一九四九年秋にもっと大きな脅威が差し迫っていたからだ。ウィーナーはデジタル・コンピューティングに反対だったのではなく、核兵器に強く反対し、デジタル・コンピューターで原子爆弾の何千倍ものパワーをもつ水素爆弾の開発を進めようという一派に加わるのを、拒んだのだった。

『人間機械論』のオリジナルはもう絶版となっているので、六八年前に書かれたときよりも、こんにちなおのこと重要なウィーナーの熱烈な訴えが、私たちには届かない。「自分たちを鞭うつ御者にキスすることをやめなければならない」のだ。

## 知性、思考、知能

こんにちサイバネティックスについてあまり聞くことがなくなった理由のうち、大きなものは二つある。第一に、『人間機械論』は当時も重要な本だと考えられていたが、新しいテクノロジーの商業化に興味を示すジョン・フォン・ノイマンやクロード・シャノンら、ウィーナーの同僚の多くが抱いていた野心とは逆方向のものだった。第二に、コンピューターのパイオニア、ジョン・マッカーシーがウィーナーを嫌い、ウィーナーの発案した〝サイバネティックス〟という用語を使おうとしなかった。マッカーシーはその代わりに〝人工知能《アーティフィシャル・インテリジェンス》（ＡＩ）〟という用語をつくって、その分野の創始者となった。

一九八〇年代、人工知能にベイズの定理によるベイジアン・ネットワークスという新しいアプローチを導入したジューディア・パールは、私にこう説明してくれた。

ウィーナーがつくりだしたのは、いつの日か私たちが知能をもつマシンをつくるようになるという興奮状態だった。彼はコンピューター科学者ではなかった。フィードバックを語り、コミュニケーションを語り、アナログを語った。研究を進めるのに使ったメタファーは、自分が専門とするフィードバック回路だった。一九六〇年代初めにデジタル時代が幕を開けるころ、みんなは意味のあるコンピューターのメタファーとして、プログラミングだのコードだの、コンピューテーション機能、短期メモリ、長期メモリだのの話をしたがるようになった。ウィーナーはそこに加わらず、彼のアイデアとともに成長した新しい世代に手を伸ばさなかった。彼のメタファーは古びて、時代遅れになった。いかにも人間の想像力をかきたてそうな新たな手段が、すでに使えるようになっていた。一九七〇年代になると、もうウィーナーは話題にのぼらなくなった。

ウィーナーのビジョンに決定的に欠けていたのは、知性、思考、知能という認識に関する要素だ。一九四二年にはもう、のちにメイシー・カンファレンスと呼ばれるようになる複雑系の制御に関する一連の基礎的学際会議で、認識に関する要素を対話に取り入れようと一流研究者たちが論じ合っていた。フォン・ノイマン、シャノン、ウィーナーが制御システムや観測システムのコミュニケーションに気をもんでいたころ、ウォレン・マクロウは知性について研究していた。彼は文化人類学者のグレゴリー・ベイトソンやマーガレット・ミードに頼って、社会科学者たちとのつながりをつくった。特にベイトソンは、パターンとプロセス、つまり〝接続するパターン〟について語ることが増えていく。彼は、生物と生物の生きる環境を切り離さずに、ひとつの回路と考える、新しい種類のシステム生態学《エコロジー》を求めた。一九七〇年代初めには、観測システムのサイバネティックス――第一次サイバネティックス――から、観測するシステムのサイバネティックス――第二次サイバネティックス――つまり「サイバネティックスのサイバネティックス」へと移行した。一九五〇年代なかばにメーシー・カンファレンスに参加し、新しいムーヴメントの先頭に立ったハインツ・フォン・フォースターの造語だ。

サイバネティックスは消えるどころか、ありとあらゆるものに取り込まれて代謝するようになったため、単独の、はっきりした新分野としては目に映らなくなった。相変わらず存在しながら、ぱっと見には隠れているのだ。

## 「シュタイン尽くし」

そのころ私自身がこういった問題について書いていたものが、AUMカンファレンスと呼ばれるものの共催者だったハインツ・フォン・フォースターはじめ、ジョン・リリーやアラン・ワッツら、第二次サイバネティックス・グループの興味を引いた。AUMはthe American University of Mastersの略称で、カンファレンスは一九七三年、ビッグサー〔カリフォルニア州中西部モントレーの南、太平洋に面したリゾート地〕で開催された。哲学者や心理学者、科学者が集まって、英国の数学者G・スペンサー゠ブラウンが『形式の法則』（大澤真幸・宮台真司訳、朝日出版社、一九八七年）のなかで示したアイデアと自分の仕事との関連で、ひとりひとりが何かレクチャーすることになっていた。招待されたとき――かなり直前の招待だったのだが――私はちょっと戸惑いを覚えた。彼らは、私が*Afterwords*という本に書いたアイデアに非常に興味をもったからだという。だが、私はそのチャンスに乗ることにした。基調講演をするのが、ほかならぬリチャード・ファインマンだったのが、大きな理由だ。私は物理学者と時間を過ごすのが好きだ。彼らは宇宙、すなわちこの世のすべてのことについて、考えているのだから。しかも、ファインマンほどはっきりものを言える物理学者はいないという評判だった。矢も楯もたまらず、私は招待を受けた。私は科学者でないし、壇上に登って何かの〝レクチャー〟をしようなどと考えたこともなかった。ましてや、世界でも最も人の関心を引く人たちの前で、あいまいな数学理論を操るなんて。ビッグサーに着いて初めて、私は招待が直前だったことの理由を知った。「ファインマンの講演はいつからですか？」と私は受付で聞いた。「おや、アラン・ワッツから聞いていないんですか？　リチャードは倒れて病院にいましてね。あなたは彼の代理なんです。で、基調講演のタイトルはなんですか？」

私は二、三日行方をくらまそうとした。逃げたと知ったアラン・ワッツが、その晩、夜中の三時に私の部屋のドアをノックした。開けてみると、彼は修道士のローブを羽織り、顔が半分隠れるほどフードを垂らしている。こちらに伸ばした両手を見ると、片手にランタンを提げ、もう片方にはスコッチのマグナムボトルをもっていた。「ジョン」彼は英国貴族のような強いアクセントで、低く言った。「君はにせ者だ。そして、」と彼は続けた。「私もにせ者だ。だがな、ジョン。私はほんとうのにせ者なんだよ！」

次の日、私は講演をおこなった、タイトルは「アインシュタイン、ガートルード・シュタイン、ウィトゲンシュタイン、そしてフランケンシュタイン」だ。アインシュタインは、二〇世紀の物理学に革命を起こした。ガートルード・シュタインは、不確定で一貫性のない宇宙という考えで自分の仕事を一体化した初めての著作家。言葉はキャラクターも行動も表さない。「薔薇は薔薇であり、薔薇である」。そして、「宇宙は宇宙であり、宇宙である」。ウィトゲンシュタインの場合は、言葉による限界としての世界だ。

「私の言葉の限界は私の世界の限界を意味する」。観測する者とされる者のあいだの区別の消滅。フランケンシュタインは、サイバネティックス、ＡＩ、ロボティクス、そして本書のすべての寄稿者。

レクチャーは予期せぬ結果を生んだ。ＡＵＭカンファレンスには「ニューヨーク・タイムズ」のベストセラーリストで一位をとったような作家が何人か来ていたのだが、誰もリテラリー・エージェントを使っていなかった。しかも全員が、ニューヨークの出版社がほとんど知らないようなジャンルの本を書いていた。そこで、コロンビア大学のビジネススクールでＭＢＡを取得し、いくつかビジネスで成功した経験がある私が、彼らのエージェントをすることになってしまったのだった。最初はグレゴリー・ベイトソンとジョン・リリーから始め、すぐに出版社に売り込めた。その額が気に入ってはずみがつき、私はリテラリー・エージェント業を始めたのだった。

結局、リチャード・ファインマンと会うことはなかった。

## ＡＩの長い冬

この新たな職業のおかげで、私はほとんどのＡＩパイオニアたちと親しく接し、その後何十年か、彼らと一緒に熱狂の波に乗り、その後失望の谷に落ちた。一九八〇年代初め、日本政府は国を挙げてＡＩ開発に乗り出した。彼らはそれを第五世代コンピューターと呼び、巨大な並列コンピューターをつくることで〝フォン・ノイマンのボトルネック〟を解消してコンピューター・アーキテクチャーを根本的に変えることが、彼らのゴールだった。そうすることで、日本経済を活性化させ、この分野で支配的な立場を得ようとしたのだ。一九八三年、日本の第五世代コンピューター・コンソーシアムの代表者が、ニューヨーク科学アカデミーの会長だったハインツ・ペイゲルスが主催する会議のため、ニューヨークにやってきた。私のついたテーブルには、第一世代のリーダーであるマーヴィン・ミンスキーとジョン・マッカーシー、第二世代のエドワード・ファイゲンバウムとロジャー・シャンク、それに米国スーパーコンピューター・コンソーシアムの会長であるジョゼフ・トラウブがいた。

一九八一年、私はハインツの助力により、〈リアリティ・クラブ〉という、Edge.org の前身を創設し、初期の学際的なミーティングをニューヨーク科学アカデミーの会議室で開いていた。その頃ハインツは、『理性の夢――コンピューターと複雑性の科学の隆盛』（*The Dreams of Reason: The Computer and the Rise of the Science of Complexity*）という著書にとりかかっていた。彼自身が、一九九〇年代の科学に関する研究用の議題だとする本だ。

この〈リアリティ・クラブ〉のミーティングを通じて私は、コンピューターサイエンスに革命を起こそうとしている、二人の若い研究者と知り合いになった。ひとりは、一九七〇年代後半のMITで、大規模な並列処理コンピューターを可能にするアルゴリズムを開発した、ダニー・ヒリス。一九八三年、彼の会社であるシンキング・マシン社は、並列処理アーキテクチャーにより世界最速のスーパーコンピューターをつくりあげた。彼の〝コネクション・マシン〟は、人間の知性のはたらきをかなりよく反映している。もうひとりはロックフェラー大学のセス・ロイドだ。量子コンピューテーションと量子コミュニケーションの分野で独創的な仕事に着手しており、量子コンピューターにとって初の実現可能な技術を提案していた。

で、日本人たちは？……彼らのAI分野への侵略は失敗し、その後の二〇年間、経済発展の活力をなくしてしまうことになる。だが、アメリカの指導的な科学者たちは、このプログラムを真剣に考えていた。当時のコンピューター科学で最先端にいたファイゲンバウムは、パメラ・マコーダックと組んでこのテーマの本、『第五世代コンピューター――日本の挑戦』（木村繁訳、阪急コミュニケーションズ、一九八三年）を書き、一九八三年に出版した。このプロジェクトにわれわれがつけたコードネームは、「来るぞ、来るぞ！」。だが結局ＡＩの到来はなく、行ってしまった。

この時点から、私はＡＩ研究のほぼ全域にわたる研究者たちと仕事をした。ロドニー・ブルックス、ハンス・モラベック、ジョン・アーチボルト・ホイーラー、ブノワ・マンデルブロ、ジョン・ヘンリー・ホランド、クリス・ラングトン、Ｊ・ドイン・ファーマー、ジェフリー・ウェスト、スチュアート・ラッセル、イーロン・マスク、ニック・ボストロム、マーティン・リース、エリーザー・ユドコウスキーといった面々である。

## 進行中の新たな動的システム

コネティカット州ワシントンでの最初のミーティングからこんにちまで、私はロンドンとマサチューセッツ州ケンブリッジで数多くの夕食会と討論会をアレンジしてきた。ロンドンのシティホールにおける公開イベントもあった。その参加者は優秀な科学者や科学史家、コミュニケーション理論の研究者であり、そのすべてが、自身の仕事としてＡＩ問題を真剣に考えてきている。

今回私は、幅広い分野の人たちに、ウィーナーのことに触れようと触れまいと、それは各人にまかせるということで、寄稿を依頼した。その結果、二五人がエッセイを書いてくれた。つまり、本書は私の本ではなく、私たちの本なのだ。私たちとは、セス・ロイド、ジューディア・パール、スチュワート・ラッセル、ジョージ・ダイソン、ダニエル・Ｃ・デネット、ロドニー・ブルックス、フランク・ウィルチェック、マックス・テグマーク、ジャン・タリン、スティーヴン・ピンカー、デイヴィッド・ドイッチュ、トム・グリフィス、アンカ・ドラガン、クリス・アンダーソン、デイヴィッド・カイザー、ニール・ガーシェンフェルド、W・ダニエル・ヒリス、ヴェンキ・ラマクリシュナン、アレックス・〝サンディ〟・ペントランド、ハンス・ウルリッヒ・オブリスト、アリソン・ゴプニック、ピーター・ギャリソン、ジョージ・M・チャーチ、キャロライン・A・ジョーンズ、そしてスティーヴン・ウルフラムである。

私は〈ポッシブル・マインド・プロジェクト〉を〝進行中の新たな動的システム〟ととらえている。見識のある思索家たちのコミュニティによるプレゼンテーションであり、自分たちが互いにコミュニケートしているのと同様に、自分たちの経験と学識を披露して、デジタルAIの話を一般に広げようとしているのだと。その目的は、さまざまな考えを示して、この急速に出現しつつある分野に関する理解を深める助けになるということである。

寄稿者には、以下のことについて考えてほしいと依頼した。

a. ウォレス・スティーヴンズによる禅問答のような詩「ブラックバードを見るための13の方法」(Thirteen Ways of Looking at a Blackbird)。本人いわく「警句やアイデアでなく、感情の集まりを意図した」とのこと。〝遠近法主義〟の実習であり、短く分離したセクションから成るが、それぞれが何らかのかたちでムクドリモドキ《ブラックバード》のことをうたっている。この詩は彼自身のイマジネーションの産物であり、彼が何を気にしているかに関わってくる。

b. 盲目の男たちと象の寓話。AIは象と同様、ひとりの人間ではその全体像がわからないし、二人でかかっても同じことにしかならないという事実。

われわれとしては、この本に何を望むのか？　スチュアート・ブランドは、かつてこう言った。「パイオニア的な発想に戻って考えるのは、永遠に役に立つことだ。しかも、そのテーマについて何十年、何百年と考えるような、遠くまでの見通しを得られる。同時代の議論はすべて、その時代に縛られてしまい、遠くまで見通すことはできない」

ダニエル・ヒリスは、ＡＩ関係者に、自分たちの思考がウィーナーの本によってあらかじめ決定されていたことを実感してほしいと考えている。「そのロードマップにそって実行してきたのに、気づいていないんだ」

ダニエル・Ｃ・デネットは、「ウィーナーには、宴会で幽霊として出てきてほしいね。ハイブリッドな精神力の源であり、かたまってしまったマインドセットを崩すようなアイデアの源なんだと考えてほしい」

ニール・ガーシェンフェルドはこう言う。「〝ビッグファイブ〟を動かしてる連中に対する、内密《ステルス》の治療教育は、あの本から得られる最大のことだ」

ウィーナーを知る者として生き残っているわずかな者のひとり、フリーマン・ダイソンは、こういう述べている。「『人間機械論』は、これまで書かれたなかでも最高の部類に入る本だ。ウィーナーの書いたことは、ほぼすべてが正しい。君たちのような優秀な人たちがこの本をどう利用するか、楽しみだ」

## ＡＩナラティブの進化

時代とともに物事は変わる――だが、今は同じ状態にある。今、ＡＩはあらゆるところに存在する。インターネットがあり、スマートフォンがある。市場を支配する企業――「私たちを打つ鞭」――の創業者たちは、六億五〇〇〇万ドル、九億ドル、一三億ドルといった純資産をもっている。イーロン・マスクやニック・ボストロム、マーティン・リース、エリーザー・ユドコウスキー、それに故スティーヴン・ホーキングなど、世間の注目を集める人たちは、AIに関する暗鬱な警告を発しており、その結果、優勢に立とうとして〝善いAI〟の宣伝が始まっている。しかしわれわれは、ひとつの種として、管理されない自己改善型のAIが現実になったとき、コントロールできるのだろうか？『人間機械論』におけるウィーナーの警告は、今まさに現実のものとなり、AI革命の最前線にいる研究者たちがあらためてその警告を振り返る必要性があると言えよう。ダイソンの言葉をもう一度引用しておく。

ウィーナーは〝ガジェット崇拝者〟に対してどんどん魅力を感じなくなっていた。彼らはその自分本位なところが、「合理的な好奇心を超え、それ自体が罪深い、自動化への動機となっている」からだ。彼は、機械が人間のようになることが危険なのではなく、人間が機械のように扱われるようになることが危険なのだと、わかっていた。「未来の世界は、われわれの知性の限界に対する闘いが、さらに要求されるようになる」と、彼は一九六四年、死ぬ一年前の著書『科学と神』（鎮目恭夫訳、みすず書房、一九六五年）に書いている。「ロボット奴隷の用意する寝心地のいいハンモックに寝そべることもできずに」

そろそろ、AIのメイン・コミュニティにいる先導役を選び、意見を異にする人たちも集めて、それぞれの声でAIに関する議論をすべきときがやってきたのではないだろうか。

その意味で、本書に載せたエッセイはこの分野でまさに必要とされるものだと思う。

二〇一九年、ニューヨークにて

ジョン・ブロックマン

# 第1章　間違っていながら、これまでになく現実味がある

セス・ロイド

理論物理学者。MIT機械工学部教授およびサンタフェ大学外部教授。著書に『宇宙をプログラムする宇宙――いかにして「計算する宇宙」は複雑な世界を創ったか?』（水谷淳訳、早川書房、二〇〇七年）がある。

セス・ロイドとの出会いは一九八〇年代、至るところで考え方が新しくなった時代だった。有機的組織づくりという原則が重要視され、数学や物理学のプロセスをコンピューター処理の観点でとらえ、パラレル・ネットワークが強調されたころだ。非線形力学が重要視され、カオス理論、コネクショニズム、ニューラル・ネットワーク、並行分散処理といた新しい知見が出現した。それと同時期にコンピューター技術が進歩して、知識《ナリッジ》に対する新しい考え方がもたらされた。

セスは量子機械工学者を自認する。重ね合わせや量子もつれなど、量子論のエキゾチックな属性を利用して、従来のコンピュータでは一生かけても解けないような問題を解決しようという彼の量子コンピューティング分野の業績は、世界が認めるところだ。

以下のエッセイで彼は、ノーバート・ウィーナーの予言めいた洞察から、テクノロジーが人類に取って代わると私たちに信じ込ませようとする〝特異点《シンギュラリティ》〟の予測まで、情報の歴史をたどる。最近のディープ・ラーニングというプログラミング法を過大評価しないセス

は、もっと穏当な期待にとどめておくべきだと言う。ＡＩの進歩は著しいにもかかわらず、ロボットは「まだ自分で靴紐だって結べない」からだ。

彼の友人でロックフェラー大学教授だった理論物理学者の故ハインツ・ペイゲルスを抜きに、セスを語ろうとするのは難しい。大学院生だったセスとペイゲルス教授は、互いの考えに深く影響を及ぼし合ったのだ。

一九八八年の夏、私はアスペン物理学センターにハインツとセスを訪ねた。複雑系に関する二人の共同研究が当時の「サイエンティフィック・アメリカン」誌で特集されているが、二人とも熱意にあふれていたときだ。そのほんの二週間後、ハインツは急死した。ハイキングでセスとピラミッド・ピークを下山中の不慮の事故だった。このときも二人の話題は、量子コンピューティングだったという。

ノーバート・ウィーナーは、大きな反響を呼んだ一九四八年の著書『サイバネティックス』を一般向けに書き改め、一九五〇年に『人間機械論』という、機械がどんどん計算能力をあげて強力になっていく世界における人間と機械の相互作用研究として発表した。驚くほど先見の明があるとともに、とんでもなく誤った書でもある。冷戦の絶頂期に書かれた同書には、全体主義の組織や社会という危険、あるいは当の全体主義そのものである武器で全体主義と戦おうとしている民主主義の危機を思い出させるような、薄ら寒いところがあった。

ウィーナーは『サイバネティックス』で、フィードバックによる制御の過程を科学的に詳しく調べている。古代ギリシャの“helmsman”（操舵手）に由来する“Cybernetics”（サイバネティックス）は、英語の

"governor"（舵手、統治者）と基本的に語源を同じくする語で、ジェイムズ・ワットは蒸気機関の機能を変換する革新的フィードバック制御装置を"governor"（調整器）と呼んだ。制御という問題にすっかり没頭していたウィーナーは、世界を、センサーとシグナルと、エンジンなどの作動装置《アクチュエーター》が錯綜する信号や情報をやりとりして相互作用する、複雑につながったフィードバック・ループの組み合わせととらえたのだ。『サイバネティックス』はエンジニアリングに応用されてめざましい影響と効果を及ぼし、ロケット、ロボット、自動組み立てラインや多くの精密工学技術を生み、いわば現代産業社会の基盤をつくった。

ところが、サイバネティックスという発想をさらに広げようと意気込んだウィーナーは、『人間機械論』で、〈マクスウェルの悪魔〉、人間の言語、脳、昆虫の変態、法体制、政治における技術革新の役割、宗教といったさまざまな話題にまでその考えの応用範囲を広げた。サイバネティックスをそこまで広げて応用するのは、明白と言えるほどの失敗だった。一九四〇年代後半から六〇年代前半にかけて盛んにもてはやされたサイバネティックスだが（二〇〇〇〜二〇〇一年のドットコム・クラッシュに至るコンピューターおよび通信技術の活気と負けず劣らずだった）、衛星や電話交換システムを世に送り出しこそすれ、社会組織や全体としての社会にもたらした有用な進展は、たとえあったとしてもごくわずかだった。

とはいえ、七〇年近くたった今、『人間機械論』には当時よりもわれわれ人間の学ぶべきものが多い。同書の最も注目すべき特徴はおそらく、マン・マシン・インタラクションに関する、今なおかなり現実味のある話題を数々とりあげていることだろう。同書は悲観的な論調で、二〇世紀後半に訪れようとしている難局について、いくつかの予測をしているのだが、その多くが二一世紀後半についてこんにち予測されていることとほぼ変わらない。

たとえば、ウィーナーは一九五〇年当時、近い将来のある時点で人間がサイバネティックス人工知能に社会のコントロールを譲り渡し、人類は荒廃に向かうだろうと予見している。ウィーナーの予言によると、製造業がオートメーション化されることによって生産性が大幅に向上するとともに、大勢の労働者が職を追われるというが、続く数十年、まさにそのとおりのことが現実となった。社会が職にあぶれた働き手に生産的な仕事を見つけられなければ暴動が起こりかねないと、ウィーナーは警告した。

だが、決定的なテクノロジーの発展をウィーナーは予見しそこなっていた。一九五〇年代の科学技術者はおしなべてそうだったが、彼もコンピューター革命など予測できなかったのだ。一九五〇年代当時何十万ドルもしたコンピューターの価格が、やがて数万ドル程度に下がっていくだろうとは考えていたが、制御の進化に続いてコンピューターパワーが爆発的に急増するとは、ウィーナーも同輩たちも予想していなかった。テクノロジーの世界で革新や自己組織化が、トップから押しつけられるのではなくボトムから沸き起こるようになろうとは、思いも寄らなかったのだ。

(政治上、学術上、宗教上の)悪しき全体主義に目を奪われていたウィーナーは、世界をとことん悲観的にとらえた。早急に進路を修正しなければとんでもない事態が待ち受けていると、彼は著書で警告している。その刊行から半世紀あまりを経た現在、人間と機械の世界は格段に複雑で豊かなものとなり、彼の予想もはるかに及ばぬほど多様な政治、社会、科学システムを包含している。だが、たとえば地球規模の全体主義体制による全インターネット支配などといった、判断を誤れば起きてしまうことへの警告は、一九五〇年代と変わらず現状の差し迫った問題だ。

## ウィーナーが正しかったこと

ウィーナーの数理学上の代表的業績は、信号解析やノイズ現象といった問題を中心にしたものだ。第二次世界大戦中には、過去のふるまいから航空機の今後の軌道を推定するモデルをつくり、対空火器照準技術を開発した。『サイバネティックス』および『人間機械論』でウィーナーは、パイロットである人間の癖や習慣も過去のふるまいのうちであるので、機械化された装置は人間のふるまいを予測できると記している。チューリング・テストで、計算機が質問に対して人間のものと区別のつかない応答をすることもありうると提唱したアラン・チューリングのように、ウィーナーは人間のふるまいを数理学的記述によってとらえるという考えに魅せられていた。一九四〇年代には制御とフィードバック・ループについての知識を生命体の神経筋フィードバックに応用し、その功績によってMITに導かれたウォレン・マカロックとウォルター・ピッツが、そこで先駆的な人工ニューラル・ネットワークの研究をすることになった。

ウィーナーの識見の中核にあったのは、情報という観点で世界を理解するということだった。生物、脳、人間社会といった複雑系は、サブシステム間で信号がやりとりされて、複雑だが安定した結果が生じるフィードバック・ループの組み合わせからなっている。フィードバック・ループが不調をきたせば、システムは不安定になる。複雑な生物のシステムがどう機能するのか、彼は説得力のある理論を組み立てた。今ではそれが広く一般的に認められている。

情報が複雑系のふるまいを制御する中心であるというウィーナーの見方は、当時としては驚くべきものだった。ただ、自動車にも冷蔵庫にもマイクロプロセッサーが埋め込まれ、人間社会がコンピューター中心に回り、携帯電話がインターネットにつながるこのごろでは、情報、コンピューター利用、通信の重要性を強調したところで今さらといった感がある。しかしウィーナーの時代には、初めてデジタル・コンピューターが登場したばかりであり、科学技術者の視界にインターネットの影も形もなかった。

複雑系を設計するというばかりか、あらゆる複雑系は信号と計算のサイクルを中心に回るというウィーナーの着想には大きな影響力があり、複雑な人工システムの開発に、はかりしれない貢献をすることとなった。たとえば、ミサイル制御のための開発手法が、のちに二〇世紀最高の工学的偉業であるサターンV型月ロケットの建造に生かされた。なかでもウィーナーがサイバネティックスという概念を脳やコンピューター認識に応用したことは、そのまま現在の神経回路網に基づくディープ・ラーニング回路や人工知能自体の先駆けとなったのだ。ただし、そうした分野は今、彼が想像したのとは異なる展開を見せていて、その今後の発展によって、人間と機械の両方を人間がどう利用するかに左右されることだろう。

## ウィーナーが間違っていたこと

ウィーナーの着想が的をはずしたのは、はっきり言って、サイバネティックスの考え方を人間にまで広げたところだ。彼が言語、法律、人間社会について思い巡らせるのをしばらく棚上げにして、一九五〇年に彼がすぐにも実現すると思っていた、瑣末だが潜在的有用性のあるイノベーションを見てみよう。義足（人工補装具）の装着者が自身の神経信号によって装具と直接通信し、義足から圧力や位置の情報を受け取って次の動きを指示できればずいぶん効果的だろうと、ウィーナーは書いている。だが、それはウィーナーが思っていたよりはるかに難しい問題だと判明する。それから七〇年たった今も、まだ神経フィードバックを組み込んだ義足はごく初期の段階にとどまっている。ウィーナーの着想はすばらしかった。ただ、神経信号と機械的電気機器をインターフェースで接続するという問題の難易度が高いだけだ。

それよりも重要なのは、ウィーナーが（一九五〇年にはほかのたいてい誰でも）デジタル・コンピューターの潜在能力をひどく見くびっていたことだ。前述したように、ウィーナーの数理学上の貢献は信号およびノイズの解析にあり、彼の解析手法は連続的に変化、つまりアナログの信号に適用される。戦時中のデジタル・コンピューター開発に参加してはいたものの、半導体回路の導入と累進的小型化によってパワーが爆発的に増大するとは、ウィーナーには予見できなかった。ただし、ウィーナーの落ち度とは言えない。トランジスターはまだ発明されていなかったし、彼が精通していたデジタル・コンピューターの真空管技術は不細工で信頼性が低いうえ、どんどん大きくなっていく装置についていけなかったのだ。一九四八年版『サイバネティックス』の補遺で彼は、チェスをプレイするコンピューターの出現を期待し、コンピューターに二、三手先が読めるようになると予測している。半世紀のうちにコンピューターがチェスの世界チャンピオンを負かすようになると知れば、さぞかし驚いただろう。

## テクノロジーの過大評価とシンギュラリティの実存的危険性

ウィーナーが著書を執筆しているころ、テクノロジーを買いかぶりすぎたことによる一大事例が起きようとしていた。一九五〇年代、ハーバート・サイモン、ジョン・マッカーシー、マーヴィン・ミンスキーといった研究者たちが、人工知能開発の最初の取り組みに乗り出し、単純なタスクを遂行するコンピューターをプログラミングしたり、初歩的なロボットを組み立てたりしはじめたのだ。当初の上首尾に気をよくしたサイモンは、「二〇年以内に、機械は人間にできるどんな仕事でもできるようになる」と断言したが、その予測はみごとにはずれた。パワフルになっていくにつれて、コンピューターは膨大な数にのぼる次の手の選択肢を系統的に生成・評価し、チェスには強くなっていった。しかし、予測されていたAIの大部分、たとえばお手伝いロボットなどは、実現しなかった。ディープ・ブルーがチェスでガルリ・カスパロフに勝った一九九七年、いちばんパワフルなロボット掃除機の〈ルンバ〉でも、でたらめに動き回って掃除してはソファの下にはまってキーキーと音をたてるのがせいぜいだったのだ。

テクノロジーの先行きは本当に予測がつかない。なにしろ、テクノロジーは改良に改良を重ねることで進歩し、障害によって足踏みしては革新によって乗り越えていくのだから。多くの障害といくつかの革新を予想することはできるだろうが、それ以上は無理だ。私自身、実験主義者たちとともに量子コンピューター製作に取り組むなかで、簡単に進めると思っていたテクノロジーの段階が越えられなかったり、かと思えば不可能だと思い込んでいたタスクがすんなりできてしまったりすることがよくあった。やってみるまでわからないのだ。

一九五〇年代、ウィーナーとの会話にも触発されて、ジョン・フォン・ノイマンが〝テクノロジーの特異点《シンギュラリティ》〟という概念をもちだした。テクノロジーは指数関数的に進歩しがちで、ある程度の時間を隔ててパワーや感度が倍増することも珍しくない。たとえば、一九五〇年以降、コンピューター・テクノロジーはざっと二〇年ごとにパワーが倍々になってきた。これはムーアの法則として報告されている。フォン・ノイマンは観測されたテクノロジー進歩のペースから推定して、「テクノロジーの進歩は理解できないほど急速かつ複雑になっていき」、そう遠くない将来、人間の能力を追い越すだろうと予測した。それどころか、仮にコンピューターのパワーそのものが――ビットやビット・フリップで表される能力が――今後も今のようなペースで増大していくとすると、コンピューターが人間の脳と同等になるのは二〇年ないし四〇年以内のどこかだろうというのだ（人間の脳の情報処理能力をどの程度と見積もるかによる）。

ＡＩについて当初の楽観的な予測がはずれたことから、テクノロジーのシンギュラリティという話も何十年かのあいだ勢いをそがれていたが、二〇〇五年にレイ・カーツワイルの『ポスト・ヒューマン誕生――コンピュータが人類の知性を超えるとき』（井上健他訳、ＮＨＫ出版、二〇〇七年）が出版されると、テクノロジー進歩はスーパーインテリジェンスへ向かうという考え方が再び勢いづいた。それを信じる人々のなかには、カーツワイルをはじめ、シンギュラリティを好機とみなす者もいる。脳をスーパーインテリジェンスにマージさせれば、人間は永遠に生きられる、と。スティーヴン・ホーキングやイーロン・マスクなど、スーパーインテリジェンスが悪意をもつようになることを心配し、人間の文明に対する現存で最大の脅威とみなす者もいる。一方で、本書の寄稿者の一部のように、そんなのは大げさな話だという考え方もある。

ウィーナーのライフワークと、そしてその結果を予測しそこなったことは、テクノロジーのシンギュラリティが差し迫っているという考え方と密接に関係する。神経科学に取り組んだウィーナーは、マカロックとピッツの初期の研究を支援し、現在のすばらしく効果的なディープ・ラーニング手法の片鱗を見せた。過去一〇年、特にここ五年ほどのあいだに、ディープ・ラーニングの技術はとうとう、ウィーナーが好んでゲシュタルト（経験の統一的全体）と呼んでいたものを見せた。たとえば、斜めに傾いて楕円形のように見えていても、円は円と認識する能力である。制御に関する彼の研究は神経筋フィードバックの研究と組み合わさって、ロボティクスの発展に重要な役割を果たし、そこから神経を基にしたマン・マシン・インターフェースという着想が生まれた。それにしても、彼のテクノロジー予測にはいくつかの誤りがあったことからして、テクノロジーのシンギュラリティという概念をわれわれは多少疑って受け取るべきではないだろうか。テクノロジー予測がだいたいにおいて困難であり、スーパーインテリジェンスの発展に特有の問題があることからも、情報処理のパワーと有効性をともに過大評価しないよう、戒めとすべきだろう。

## シンギュラリティ懐疑派の主張

指数関数的増大は、永遠に続くわけではない。原子核は指数関数的に分裂して爆発するが、それも核燃料が尽きるまでのことだ。それと同じで、ムーアの法則に言う指数関数的進歩も、基礎物理学の課す限界へ突き進みはじめている。コンピューターのクロックのスピードは一五年前に、チップが溶けはじめるという単純な理由で、数ギガヘルツという限界に達した。トランジスタの小型化ももう、トンネル電流や漏れ電流による量子力学上の問題にぶちあたった。ムーアの法則どおり指数関数的増大を見せているメモリや処理能力のさまざまな進歩も、やがて行き詰まるだろう。それでも、あと二〇年もすれば充分、コンピューターの情報処理能力そのものは脳と同等になるだろう——ともかくビット数や毎秒のビット・フリップ数といった単なるデータ上では。

　人間の脳は、何百万年にもわたる自然選択の成り行きで複雑なつくりになっている。ウィーナーの時代、脳の構造については初歩的で単純なことしか解明されていなかった。以来、感度のいい器具や撮像技術によって、人間の脳はウィーナーが思いも寄らなかったほど変化に富む構造と複雑な機能をもつことがだんだんわかってきた。私は最近、現代神経科学の先駆者、トマソ・ポッジオに、処理能力の急増著しいコンピューターがもうすぐ人間の脳の機能と張り合うようになるだろうかと聞いてみた。「まさか」というのが彼の答えだった。

　最新のディープ・ラーニングやニューロモーフィック・コンピューティングは、人間の知能のある一面を再現するのが非常にうまい。大脳皮質がつかさどる、パターンの処理や認識だ。そういう進歩があってこそ、コンピューターがチェスばかりか碁でも世界チャンピオンを負かすというめざましい偉業が成ったわけだが、ここまでの進歩でも、部屋を片づけるコンピューター化されたロボットの実現には遠く及ばないのだ。（ロボットが人間のように臨機応変に動けるようになるには、まだまだだ。〝robots falling down〟で検索すればわかるが、ロボットたちは組み立てラインで精密な溶接作業をするのは得意だが、まだ自分で靴の紐さえ結べない）。

情報処理能力だけがあるからといって、高度な情報処理ができるわけではない。コンピューターのパワーが指数関数的に進歩してきた一方で、コンピューターを操作するプログラムのほうはまるで進歩しないことも多かった。処理能力が上がればソフトウェア開発会社はとりあえず〝便利な〟機能を追加し、たいていはそれでソフトウェアがかえって使いにくくなる。Microsoft の Word は一九九五年に全盛期を迎え、どんどん追加されていく機能の重みでじわじわと沈んでいった。ムーアの法則の速度が落ちはじめれば、ソフトウェア開発者たちは性能、速度、機能性のどれを選ぶかという難問に直面することだろう。

シンギュラリティを信じる人々が主に危惧するのは、コンピューターが自身のソフトウェア設計に関わるようになって、たちまちのうちに超人的コンピューター能力を自力で達成することだ。しかし、機械学習が証明することは反対方向を向いている。能力が上がって学習できるようになれば、人間と同じようにますますたくさんのことを学習するようになる――いろいろな例から、たいていは人間や機械の教師の監督下で。コンピューターの教育は、ティーンエイジャーの教育に負けず劣らず、厳しくて時間のかかるものだ。したがって、ディープ・ラーニングに基づくシステムは人間らしくないどころか、どんどん人間らしくなっていく。システムが学習させられるのは、人間〝よりうまくやる〟のではなく人間〝を補足する〟スキルだ。コンピューター学習システムは、人間には識別不可能なパターンをつきとめることができるが、逆もまた同様。世界最強のチェス・プレイヤーはコンピューターでも人間でもなく、コンピューターと力を合わせる人間ということだ。サイバースペースには当然ながら有害なプログラムが存在し、それらはまずマルウェアというかたちをとる。悪意ある無分別もはなはだしいウイルスであって、スーパーインテリジェンスを目指すものではない。

## ウィーナーはいずこへ

ウィーナーによると、テクノロジーの指数関数的進歩というのは比較的新しい現象であって、いいことずくめとはかぎらない。核兵器も核弾頭を搭載した新型ミサイルも、彼は人類自滅への一歩だとみなしている。地球の天然資源を見境なく開発することを、『不思議の国のアリス』に出てくるマッド・ティー・パーティにたとえてもいる。ある地域の環境を荒らして、次から次へと環境荒らしをしていくことでしか進歩できないのだ。コンピューターや神経化学システムの発展に関するウィーナーの楽観主義も、ソ連など権威主義政体による開発や、米国のような民主主義政体までもが権威主義の脅威に直面して権威主義的になっていく傾向に関する悲観主義の前には、影が薄くなるほどだ。

『人間機械論』における「人間らしい人間利用」の現状を、ウィーナーならどう考えるだろうか？　彼はコンピューター・パワーとインターネットに驚愕するだろう。自分がひと役買った初期のニューラルネットからパワフルなディープ・ラーニング・システムが生まれ、求めていた知覚能力を発揮していることを喜ぶことだろう。そのコンピューター化されたゲシュタルトの最も顕著な例が、ワールド・ワイド・ウェブ上で子猫の写真を認識する能力ということには、さほど感心しないかもしれないが。彼ならばマシンの知能を脅威とみなすのではなく、それ自体でひとつの現象であり、人間の知能とは別の、人間の知能と共進化するものだとみなすのではないだろうか。

われらが時代のマッド・ティー・パーティ、地球温暖化にも動じることなく、ウィーナーなら代替エネルギーのテクノロジーが指数関数的に進歩していることを称賛し、サイバネティックスの専門知識を応用して、そういうテクノロジーを将来有望なスマート配電網に組み入れるために必要となる複雑なフィードバック・ループのセットを開発することだろう。それでいて、気候変動への対策は科学技術的問題であると同時に政治的問題でもあるわけだから、文明を脅かしているこの問題を手遅れにならないうちに解決する可能性についてはきっと悲観するだろう。ウィーナーは強引な売り込みが――何よりも政治的な売り込みが――大嫌いだったが、いつの世にも強引な売り込みをする人々はいるものだと認めてもいた。

ウィーナーがどんなに恐ろしい世界に生きていたか、忘れてしまうのはたやすい。米国とソ連は軍拡競争に血道を上げ、大陸間弾道ミサイルが運ぶ核弾頭に搭載する水素爆弾をつくっていた。そのミサイルを誘導するナビゲーション・システムには、ウィーナー自身の貢献があったことには、愕然とする。ウィーナーが世を去ったとき、私は四歳だった。一九六四年当時、私の通う保育園でも、核攻撃に備えて、机の下にもぐって身を守る訓練があった。ウィーナー自身の時代における「人間らしい人間利用」を思えば、彼が現在の状況を目にしたとして、まず何よりも人類がまだ生きていることに安堵するのではないだろうか。

# 第2章　不透明学習《オペーク・ラーニング》の限界

ジューディア・パール
UCLAのコンピューター・サイエンス教授で、認知システム研究所の所長。最新の著書は（ディナ・マッケンジーと共著）、*The Book of Why: the New Science of Cause and Effect*（二〇一八年）。

一九八〇年代、ジューディア・パールは人工知能にベイズの定理によるベイジアン・ネットワークという新しいアプローチを導入した。この確率ベースのマシンモデルでは――複雑かつ不確実な世界で――次々と新しくなる観測値《エビデンス》に照らして絶えず考えを修正していく〝エビデンス・エンジン〟としてマシンを機能させることができる。

それから数年後、ジューディアのベイジアン・ネットワークスにより、従来のようなAIに対するルール・ベースのアプローチは完全に影が薄くなった。だが、大量のデータをじっくり見ることによってコンピューターが独学で賢くなっていくという、ディープ・ラーニングが出現して、ジューディアはためらいを覚えた。その手法には透明性が欠けていたからだ。

マイケル・I・ジョーダンやジェフリー・ヒントンら同僚たちによるディープ・ラーニングが、すばらしい業績であることは認めつつも、そういった種類の不透明《オパシティ》さに彼は不安を感じた。ディープ・ラーニング・システムの理論的な限界の解明に乗り出した彼は、根本的な障壁が存在するため、どうしても人間的な知能を獲得できないと指摘する。ベイジアン・ネットワークのコンピューターによる成果を上げようとするうち、ジューディアは、単純な図式モデルとデータの組み合わせが因果関係を表したり推定したりするのにも使えることに気づいた。人工知能の領域をはるか超えたところに根付いた、重要な発見だった。彼は最新の著書で、一般人向けに因果推論を説明している。人間に対してどう思考すべきかを説く入門書と言っていいだろう。

因果律に対するジューディアの理にかなった数理的アプローチは、思想の領域へ深くはたらきかけるものでもある。すでに、データ集約的な保険学や社会学をはじめ、事実上あらゆる研究分野にそのアプローチが役立っている。

もともと物理学者の私は、サイバネティックスに並々ならぬ関心があった。それはチューリング・マシンの力をフルに活用するものではなかったものの、おそらく従来型の制御理論と情報理論に基づいているからか、透明性には非常にすぐれていた。ディープ・ラーニング方式のマシン学習には、そういう透明性が失われつつある。それは基本的に、長々とした入出力が連鎖する中間層で重みの調整をする、曲線を近似する処理に過ぎないのだ。

そうしたやり方は「うまくいくが、なぜうまくいくのかわからない」と言うユーザーが多いことを、私は知っている。大規模データのなかに放っておきさえすれば、ディープ・ラーニングが勝手に活動し、自分で自分を修理したり最適化したりして、たいていの場合は正しい結果を出す。しかし、うまくいかなかったときには、何がまずかったのか、どこを直せばいいのかという手がかりがない。とりわけ欠陥がプログラムにあるのか手法があるのかがわからない。そういう環境では、さまざまなことがすでに変化してしまっているからだ。私たちは別種の透明性を目指したほうがいいだろう。

透明性などあまり必要ではないという意見もある。私たちは人間の脳の神経構造を理解していないが、それでも脳はうまく働いている。だからこそ自分の知識不十分を大目に見て、人間のヘルパーを大いに都合よく使っているではないか。それと同じことで、ディープ・ラーニング・システムに勝手をさせて、どういう仕組みになっているのかわからない知能をつくればいい、というのだ。私もその意見をある程度は受け入れる。私自身は不透明なのが気に入らないので、ディープ・ラーニングに自分の時間を費やすつもりはないが、ディープ・ラーニングが知能構成の一端を担うものだとは承知している。透明性のないシステムにもすばらしい仕事ができる。私たちの脳がそれを証明しているのだ。

だが、この主張には限界がある。人間の脳の仕組みについて理解が足りないのを大目に見られるのは、脳の仕組みが不変であるからだ。また、脳のおかげで私たちはほかの人間と情報を伝え合い、他者から学んだり他者に教えたり、自分自身の言語で他者を刺激したりすることができるからだ。もしロボットがみなアルファ碁のように不透明だったなら、私たちはロボットと意味のある会話をすることはできないだろうし、それは残念なことだ。タスクなり操作環境なりにわずかでも変更を加えるたびに、ロボットを再教育する必要があるだろう。

そこで私は、不透明な学習機械で実験するのではなく、その理論的な限界を解明し、どうしたら限界を乗り越えられるか考察しようとしているところだ。それは科学者が世界をどう考えるかを支配すると同時に直観やつまらない例がたくさんある。因果推論の課題として取り組んでいるので、分析の進み具合を監視できる。この文脈で私たちはすでに、基本的な障壁がいくつか存在することを発見した。その障壁を突破しないかぎり、本物の人間のような知能にはどうしても行き着かない。その障壁のマップづくりが、障壁に頭をぶつけることに劣らず重要ではないかと思う。

現在の機械学習システムはほとんど統計的な、モデルの見えないモードばかりで作動しているが、そのモードはいろいろな意味で関数を点群データにあてはめることと似ている。そういうシステムに「もし～ならどうなるか？」という問題（起こりうる事態）について推論することはできない。ゆえに、強いAIの――つまり人間に匹敵するレベルの推論力や言語能力をもつ人工知能の――基礎とはなりえない。学習機械が人間レベルの知能を達成するには、指標となる現実の青写真やモデルが――私たちが知らない街で車を運転するとき道案内してくれる道路地図のようなものが――必要なのだ。

もっと具体的に言うと、現在の学習マシンは、環境から受け取る知覚入力の流れにパラメータを最適化することによって性能を向上させる。ダーウィン説の進化を進めていく自然選択という過程にも似た、時間のかかるプロセスだ。自然淘汰では、ワシやヘビなどの種が抜きん出た資力を発達させるのに何百万年もかかった。ところが、ヒトがわずか一〇〇〇年で眼鏡や望遠鏡をつくれるようになった超進化的プロセスは、それでは説明できない。ほかの種になくてヒトにはあるものが、自分の環境を頭の中に描き出す力（想像力）だった。心象を思いのままに操り、計画や学習のためにほかにもありうる仮定的環境を想像するのだ。

イスラエルのユヴァル・ノア・ハラリや英国のスティーヴン・ミズンなど、ホモ・サピエンス史研究者たちの意見がおおむね一致しているところでは、私たちの祖先が約四〇〇〇〇年前に世界の支配権を握るほどの能力をもつに至った決定的要素は、環境の心象を生み出しては保存し、その心象から情報を引き出し、想像という知的行動によってこじつけ、最終的には「もし～ならどうなるか？」に類する問題の答えを出す能力だった。介入問題「もし私がこれこれのことをしたらどうなるか?」や、回顧的、反事実的問題「もし私が違う行動をとっていたらどうだったか?」などである。そういった問題の答えを出せる、現在稼働中の学習マシンはない。あまつさえ、たいていの学習機械はそういった問題の答えを引き出せるような心象をもたない。

因果的推理に関して、モデルの見えない曲線を近似する、つまり統計的推論では、近似する過程がどんなに高度であろうとも、できることがほとんどないとわかる。また私たちは、そういった限界を系統だてる理論的枠組も見いだした。限界は階層をなしている。

第一のレベルにあるのが、統計的推論だ。それは、ある事象を見て、別のことに対する考えがどう変わるかしか教えてくれない。たとえば、症状から病気について何がわかるだろうか?

第二のレベルは第一のレベルを論理的に含意するが、その逆は言えない。「もし私たちが価格を上げるとどうなるか?」、「あなたが私を笑わせるとどうなるか?」といった、行動に関するレベルだ。第二レベルの階層には、第一レベルでは得られない、介入についての情報が必要になる。その情報を図式モデルに符号化することができるが、そこからどの変数が別のことに反応するかだけはわかる。

第三レベルは反事実の階層だ。「反事実」は論理学用語であり、「もしその物体の重さが二倍だったら?」とか「もし私が違うやり方をしていたら?」、「頭痛が治ったのはアスピリンを飲んだからか、昼寝をしたからか?」などを反事実的条件文という。反事実がいちばん上のレベルなのは、たとえありとあらゆる行動の結果を予測できたとしても演繹できないという意味でだ。変数がどう反応して別の変数を変化させるかわかるようにするためには、可変要因というかたちの、別の要因が必要になる。

因果的推論の研究から生まれた最高の業績のひとつは、階層の上から二つ、介入問題と反事実問題をともにアルゴリズム化したことだろう。つまり、私たちの科学的知識をひとつのモデル（質的なものとなるだろう）に符号化すれば、アルゴリズムが現れるので、そのモデルを調べて、介入問題であれ反事実問題であれ、特定の疑問を入手可能なデータから評価できるかどうかを、また、できるとしたらどう評価するかを判断する。この能力によって学者たちの研究方法が劇的に変わり、特にデータ集約的な社会学や疫学にとっては、因果的モデルが第二の言語となった。そういう学問分野で、用いる言語が変わったことは因果律革命と考えられている。ハーバード大学の社会学者ゲイリー・キングの言葉を借りれば、「因果的推論についてはここ数十年で、記録された歴史についてくまなく学んだあらゆることの総体的結果より多くのことが学ばれた」

こうした機械学習の成果を熟慮したうえでＡＩの将来を推定しようとして、私は自問する。因果的推論の領域で発見された根本的な障壁を、私たちは認識しているだろうか？　あるレベルの階層から別のレベルへ進むのを阻む理論的障害を、うまく回避するべく備えているだろうか？

マシン学習は、私たちがデータから確率へたどり着くためのツールだと思う。ただし、本物の理解へ至るには、まだ確率からさらに階段を二段上らなくてはならない――しかも大きな二段を。一段目が行動の結果を予測すること、二段目が反事実的想像だ。その最後の二段を上らなければ、現実を理解したとは言えない。

哲学者のスティーヴン・トゥールミンは、一九六一年の洞察に満ちた著書『学問への洞察眼と理解力――人間学的な科学目標の探究』（水野益継訳、琉球大学教育学部紀要、一九九九年）の中で、古代ギリシャとバビロニアの学問上の拮抗関係を解明するカギになるのは、透明性と不透明性との対比だと述べている。トゥールミンによると、バビロニアの天文学者はブラックボックス的予言をする占星術師でもあり、天体観測の正確さや精密さにおいて好敵手ギリシャの天文学者たちをはるかにしのいでいた。とはいえ、学問としてはギリシャの天文学者たちの、比喩的想像力をどんどん働かせる（火でいっぱいの丸い筒に小さな穴があいていて、天空の火が星に見えるだの、球体の地球がカメの背中に載っているだのという）独創的推論戦略が有利にはたらいた。エラトステネス（紀元前二七六～一九四年）が、地球の周長を算出するという古代世界で最大級に独創的な実験をしたのも、バビロニア式の事実からの推定ではなく、そういう荒削りなモデル化戦略に押されたからだ。バビロニアのデータあてはめ方式では決して思いつかない実験だろう。

モデルの見えないアプローチだと、強いＡＩが遂行できる認知タスクに限界が内在することになる。私の出した大まかな結論としては、人間レベルのＡＩはモデルの見えない学習マシンだけをもとにしては出現しえない。データと手法を表象的に協同させる必要がある。

データ科学はデータの解釈を促進してこその学問であり、データを現実に結びつけるという意味での二体問題だ。データ単独では、どんなに〝ビッグ〟になろうと、どんなに巧みに操作しようと、科学とは言えない。不透明な学習システムが向かう先はバビロンなのではないだろうか。アテナイではなさそうだ。

# 第3章　機械に書き込まれる目的

## スチュワート・ラッセル

カリフォルニア大学バークリー校のコンピューター・サイエンス教授で、スミス＝ザデー工学部長。著著に『エージェントアプローチ　人工知能』（ピーター・ノーヴィグと共著、古川康一訳、共立出版、二〇〇八年）がある。

スチュワート・ラッセルは、イーロン・マスクやスティーヴン・ホーキング、マックス・テグマークほか大勢とともに、超人間レベルの（あるいは人間レベルだろうと）知能創造に潜在する危険性に注意を払うべきだと主張してきた。汎用人工知能（AGI）にプログラミングされた目的が、必ずしも私たち自身の目的に沿うとはかぎらない、と。

彼の初期の研究は、扱うことが可能な知能を形式的に定義する〝限定最適化〟という概念を理解することだった。「大ざっぱに言うと、最終的決定の質がなるべく早く向上することを期してコンピューター操作をする」という、論理的メタ推論の技法を発展させたのだ。彼にはまた、確率論と一階述語論理の統合についての研究――包括的核実験禁止条約のための新しい、はるかに効果的な監視システムという成果をあげた――や、長期にわたる意思決定という問題についての研究もある（後者の研究テーマで発表するときの演題はたいてい「人生――指し手が二〇兆あるプレイに勝つには」だ）。

破壊的マイクロドローンなど、大量破壊兵器ともなりかねない自立型兵器の開発が続いていることを、彼は大いに懸念している。彼が世界の主要なＡＩ研究者四〇人とともにオバマ大統領への親書を起草したことから、学識経験者をまじえた国家安全保障会議が実現した。

現在彼は、いわゆる「有益であると証明可能な」ＡＩを中心に研究中だ。プログラミングする人間の目標について「明示的不確実性が組み込まれたシステム」によって、ＡＩの安全性を確保したいと思っている。ＡＩ研究の現状にかなり急進的な再編成をもたらしそうなアプローチだ。

ステュワートはまた、ここ二〇年あまりのあいだに彼のコンピューター・サイエンスの講義を受けた誰からも重要視されている。英語圏に五〇〇万超の読者がいる〝決定版〟ＡＩ教本の共著者だ。

現在にこそ通用するノーバート・ウィーナーの著書『人間機械論』にとりあげられているさまざまな論点のなかで、ＡＩ研究者にとって最も重要なのは、人類がみずからの命運を支配する力をマシンに引き渡す可能性である。

あまり遠くない将来、機械《マシン》が地球上の制御《コントロール》に影響を及ぼすようになると考え、エリート集団の人間たちの用いる機械や機械的制御システムによって人類の大多数が「歯車やレバーやロッド」の地位におとしめられる未来を想像している。さらに詳しく見ていくと、高い能力をもつ機械に対して目的を正確に指示する難しさを、こう指摘している。

われわれは、子どものころ読んだ神話やおとぎ話のなかで、比較的単純明白な人生の真理をいくつか学んだ。例えば、壺の中に悪魔がいたらそのままにしておいた方がいいとか、自分の妻のためにあまり何回も天に願をかける漁夫は結局はもとのもくあみになるとか、もし三つの願いをかなえてやるといわれたら何を願うかよくよく気をつけなければならぬとかいうようなことである。

危険はいやというほどはっきりしている。

もしわれわれが、前以てそういう機械の行動の法則を調べ、その行動が我々に受けいれられる原理にのっとって行なわれることを十分確かめることをせずに、われわれの行動をその機械に決定させるなら、それは恐ろしいことである。他方、学習能力があってその習得したことに基づき決定を行なうことができる壺の悪魔のような機械は、われわれがなすべきであった通りの決定や、われわれが受けいれられるような決定をするように強制されていることは決してない。

一〇年後、アーサー・サミュエルの学習するチェッカーゲーム・プログラムが、つくり手よりもうまくプレイするようになったと知ったウィーナーは、「サイエンス」誌に「自動制御《オートメーション》の倫理的技術的影響」(Some Moral and Technical Consequences of Automation)という小論を発表した。こちらのメッセージはさらにわかりやすい。

目的を達成するために、操作に効率よく干渉できない機械的エージェンシーを利用するならば……機械に書き込まれる目的が私たちの本当に望むとおりの目的であることをしっかり確かめたほうがいい。

私見だが、イーロン・マスク、ビル・ゲイツ、スティーヴン・ホーキング、ニック・ボストロムらオブザーバーたちが近年引き合いに出した、知能の高すぎるＡＩの実存的危険というのは、これが典拠になっていると思う。

## 機械に目的を書き込む

ＡＩ研究が目指すのは、知的《インテリジェント》なふるまいの基礎をなす原理を解明し、その原理を組み込んだマシンに知的なふるまいをさせることだ。一九六〇年代、七〇年代に一般的だった知能の理論的概念は、特定の目標達成を保証するような行動計画を論理的に導くなどといった、論理的推理能力があることだった。最近になって、期待される有用性を理解し、それを最大化するために動く〝合理的エージェント〟という考え方のあたりで合意ができてきた。論理的プランニング、ロボティクス、自然言語理解といった下位分野《サブフィールド》は全体的パラダイムの特例にあたる。ＡＩは確率論を取り入れて不確実性に対処し、有用度理論で目標を定義し、統計的学習によってマシンが新たな状況に適応できるようにしてきた。こうした発展によって、制御理論、経済学、オペレーションズリサーチ、統計学など、類似する概念の上に成り立つほかの学問分野との強い結びつきが生まれた。

論理的プランニングでも合理的エージェントとしてのＡＩにおいても、機械が達成しようとする目標《オブジェクティブ》は――そのゴールや、有用な機能、あるいは報酬機能（強化学習の一環として）など、いずれのかたちにせよ――外因的に指定される。ウィーナーの言葉を借りるなら、「機械に書き込まれる目的」だ。

もちろん、ＡＩシステムは設計にゴールが内在する特定目的のものではなく、汎用目的であってしかるべきだ（つまり書き込まれた目的を受け入れて、それを達成することができる）というのがこの分野の信条のひとつである。たとえば、自動運転車なら、目的地がひとつに限られているのではなく、入力された目的地ならどこにでも行くべきだ。だが、車を「運転するという目的」という意味では、歩行者にぶつからないようにするなど、一定の目的があるわけだ。これは明示されず、車の操縦アルゴリズムに直接組み込まれる。現在のところ、歩行者は車に轢かれたくないのだと「知っている」自動運転車は存在しない。

明確に定義されたアルゴリズムに従って、機械にそのふるまいを最適化する目的を書き込むというのは、確実に機械の「行動が我々に受けいれられる原理にのっとって行なわれる」（ウィーナー、前出）ようにするための、りっぱなアプローチと思える。ところが、ウィーナーが警告するように、私たちは正しい目的を書き込まなくてはならない。ミダス王の悩みと呼んでもいいかもしれない。ミダス王はまさしく求めたとおりのものを手に入れた。つまり、王が手を触れたものは何もかも金に変わるようになったのだが、気づいたときには手遅れで、液体の金を飲み固体の金を食べるはめになってしまう。適切な目的を書き込むことを、専門用語で〈価値観の整合性《バリュー・アラインメント》〉という。それがうまくいかないと、うっかり私たち自身の思いに反する目的を機械に吹き込んでしまいかねないのだ。できるだけ早く癌の治療法を見つけるという仕事を課せられたＡＩシステムが、全人類をモルモットにして人体実験する方法を選ぶかもしれない。海洋の酸を取り除いてほしいと求められて、副作用として大気中の酸素をすっかり使い果たしてしまうかもしれない。それが最適化するシステムに一般的な特徴なのだ。目的に含まれない変数が、その目的を最適化するためにとんでもない値に設定されてしまうかもしれない。

残念ながら、ＡＩも目標の最適化を軸にするその他の学問（経済学、統計学、制御論、オペレーションズ・リサーチ）も、「私たちが本当に望む」目的をどうやってつきとめるのかについて、多くを語らない。ただ機械に目的が教え込まれたと想定するだけだ。今のようなAI研究の形態では、目的を達成する能力ばかりに目が向き、目的の設計《デザイン》が考慮されないのだ。

さらに、スティーヴ・オモアンドロが指摘した問題がある。インテリジェントな存在は自分自身の存在を守るように行動するというものだ。その傾向は自衛本能などといった生物学的観念とはまったく関係ない。死んでしまっては目的を達成できないというだけのことだ。オモアンドロの論に従うなら、スーパーインテリジェント・マシンに停止スイッチがあれば——あのアラン・チューリングも含めて何人かが一九五一年にBBCラジオ3の談話で、それが救済手段になるかもしれないと考えていた——機械はどうにかしてそのスイッチを無効にする措置を講じるだろう。[1] スーパーインテリジェント・マシンの行動は私たちに予測できないうえ、不完全にしか指定されていない目的が私たち自身の目的と矛盾するとしたら、私たちはその目的を達成するために自己の存在を守ろうとするスーパーインテリジェント・マシンには敵わない、という可能性に直面するのではないだろうか。

## 注意を払わない一〇〇〇とひとつの理由

こういった論調に対して、主としてAI界の研究者たちから異論が出ている。おそらくはスーパーインテリジェント・マシンに何ができるかという想像力の欠如とあいまって、自然と防衛的反応になるのだろう。誰も立ち止まって深く考察しようとしない。よくある意見をいくつか挙げてみよう。

### ＊心配は無用、スイッチを切ればいいだけのことだ[2]

スーパーインテリジェントＡＩによるリスクを検討するとき、往々にして門外漢がまず鵜呑みにすることが、これだ。正しい手を指しさえすればいいのだからと。まるでスーパーインテリジェントな存在がそんなことも考えつかないかのような言い方ではないか。ディープ・ブルーやアルファ碁に負けるリスクを無視できると言っているようなものだ。

## ＊人間レベルの、あるいは超人間レベルのＡＩなど実現不可能だ(3)

ＡＩ研究者がそう主張するのはおかしい。なにしろチューリング以来、彼らは哲学者や数学者のそういう主張をかわしつづけてきたのだ。何の裏づけもないこの主張は、もしスーパーインテリジェントＡＩが可能だとしたら大きなリスクがあるはずだ、と認めるものとも思える。全人類が乗ったバスの運転手が、「ええ、崖っぷちへ向かいます——それどころか、アクセルを踏んでます！　だけど大丈夫。それまで燃料がもちませんから」と言うようなものだ。この主張は、人間の創意に対する無謀な賭けである。私たちは過去にもそういう賭けをして負けたことがある。一九三三年九月一一日、高名な物理学者のアーネス

---

(1) Omohundro, "The Basic AI Drives," in *Proceedings of the First AGI Conference*, 171; and in P. Wang, B. Goertzel, and S. Franklin, ed., *Artificial General Intelligence* (Amsterdam, The Netherlands: IOS Press, 2008).

(2) たとえばＡＩ研究者のジェフ・ホーキンズによれば、「ヴァーチャルなインテリジェント・マシンもできるだろう。つまり、コンピューター・ネットワーク上にだけ存在し、そこだけで活動するマシンだ。胸が痛んでも、コンピューター・ネットワーク接続を切ることはいつでもできる」https://www.recode.net/2015/3/2/11559576/

(3) スタンフォード大学が作成したＡＩ一〇〇レポート「二〇三〇年における人工知能と生活」に、次のような記述がある。「映画のようにはいかず、超人的ロボットの仲間が現れるきざしは見えないし、現れる可能性すらないのかもしれない」。https://ai100.stanford.edu/2016-report.

ト・ラザフォードは、自信満々にこう言った。「原子の変換をエネルギー源にできるかもしれないなどと考えるのはばかげたことだ」。一九三三年九月一二日にはレオ・シラードが、中性子を引き金にした核分裂の連鎖反応を確認した。その数年後、シラードはコロンビア大学の研究室でこの反応を実証してみせた。彼はこう回想している。「スイッチを全部切って、帰宅した。その晩、この世界が悲嘆へ向かわせられるのではないかという迷いは私の頭をよぎらなかった」

## ＊そんな心配をするのはまだ早い

人類に深刻な影響を及ぼすかもしれない問題を心配するのにふさわしい時期は、その問題がいつごろもちあがるかだけでなく、そのリスクを回避する策を講じるのにどのくらい時間が必要かによっても決まる。たとえば、二〇六七年に大型の小惑星が地球に衝突するとわかったとして、私たちは「そんな心配をするのはまだ早い」と言うだろうか？　また、気候変動によって地球が今世紀末には壊滅的危機を迎えると予測されたら、それを防ごうと行動を起こすのはまだ早いだろうか？　とんでもない、もう手遅れかもしれないのだ。人間レベルのＡＩがいつごろ実現するかは予測しにくいが、核分裂がそうだったように、その時期は思いのほか早く到来するのかもしれない。この意見のバリエーションとしては、「火星の人口過密を心配するようなものだ」というアンドリュー・エンの発言がある。いかにもぴったりするたとえのように聞こえる。リスクはなんとでもできそうな遠い将来のことだし、そもそも火星に人間が大挙して移住するという試みさえありえなさそうでもある。しかし、このたとえは間違いだ。ＡＩシステムの飽くなき能力向上のためには、すでに膨大な科学技術リソースがつぎこまれている。もっとふさわしいたとえは、到着してから呼吸や飲食をどうするのか、まるで考えない火星移住計画というところだろう。

## ＊いずれにせよ、人間レベルのAIの出現は切迫してなどいない

たとえばＡＩ一〇〇レポートは、「大衆紙に書きたてられているような途方もない予測に反して、検討委員会では、ＡＩが人類の切迫した脅威だという不安に根拠はないと見ている」と断言している。この意見は、不安になる理由を取り違えているだけだ。切迫しているから不安なのではない。ニック・ボストロムも、二〇一四年の著書『スーパーインテリジェンス』にこう書いている。「本書は、人工知能の一大ブレークスルーが目前に迫る、あるいはそういう進展をいつごろ迎えそうかある程度の予測がつく、といったことを論じるものではない」

## ＊あなた、ラッダイトですね

チューリング、ウィーナー、ミンスキー、マスク、ゲイツといった、二〇世紀および二一世紀におけるテクノロジー進歩に大きく貢献した錚々たる顔ぶれを機械化反対者《ラッダイト》よばわりするのは、定義に無理があるというものだろう。(4) さらに言えば、その呼称は、抱いている不安の性質と不安を表明する目的を誤解したものだ。核分裂反応を制御する必要性を指摘したからといって、原子力工学者をラッダイトだと責めるのにも等しい。「アンチＡＩ」という言葉まで使われることもあるが、それも原子力工学者を「アンチ物理

(4) イーロン・マスク、スティーヴン・ホーキングら（もちろん筆者も）は、情報技術・イノベーション財団の二〇一五年ラッダイト・オブ・ザ・イヤー賞を受賞した。https://itif.org/publications/2016/01/19/artificial-intelligence-alarmists-win-itif%E2%80%99s-annual-Luddite-award.

学者」と呼ぶようなものだろう。ＡＩの恩恵がわかるからこそ、ＡＩのリスクを理解し、回避しようというのだ。たとえばボストロムは、ＡＩの制御に成功すれば、「人類のもつ無尽蔵の才能を活用して慈悲と歓喜をもたらすような文明の軌道」に結実するだろうと書いている。ちっとも悲観的ではない予測だ。

## ＊心配になるほどの知能を備えるマシンなら、適切かつ利他的な目的をもつだけの知能もあるはずだ(5)

この意見には、知能のすぐれている人ほど利他的な目的をもつ傾向にあるという前提がついてくることが多い。意見を述べている人の自己概念に結びついた見解なのだろう。この意見は、ヒュームの法則〔「～である」(is) という命題からは推論によって「～すべき」(ought) という命題は導き出せない、という原理〕や、Ｇ・Ｅ・ムーアの自然論的虚偽〔非倫理的な事実的前提から倫理的結論を導くことができるという仮説〕とも関連していて、知能を備えた結果として、なんらかの経緯により機械は自分が経験した世界をもとに、何が正しいかを理解するようになるというものだ。これは信じがたい。たとえば、チェス盤と駒を見ただけでチェックメイトというゴールを理解することはできないし、同じチェス盤と駒を使ってスーサイド・チェスだろうとほかのゲームだろうと考案できるだろう。言い方を変えてみよう。ボストロムの想像する世界では、ロボットによって地球がペーパークリップの海と化し、人類は滅亡に瀕する。人類にとっては悲劇的な結果だが、鉄を餌にするチオバシラス属のバクテリアには心躍る展開だ。そんなバクテリアを間違っていると言えるだろうか？　機械が人間から一定の目的を与えられるからといって、その目的に書き込まれていないことが人間にとって重要かどうかをマシンが自動的に理解するわけではないのだ。目的最優先は人間にとって問題となってくることだろうが、当然のことながら、機械はそれを問題だとは認識しない。

**＊知能とは多次元的なものだ。「ゆえに、『人間よりも賢い』という概念は無意味である」**[6]

これは、現代心理学の中心テーマのひとつ、IQは人間が程度もさまざまにもつ認知スキル全般を公正に評価するものではないという論だ。IQが人間の知能を計測するには大まかな値でしかないのは確かだが、現状のAIシステムにとってはそれもまったく無意味だ。なぜなら、さまざまな分野にまたがるマシンの能力には相関関係がない。チェスのできないGoogleの検索エンジンと、検索の問い合わせに答えられないディープ・ブルー、双方のIQをどうやって比べるというのか？

知能は多面的なものだから、スーパーインテリジェント・マシンのリスクを無視してかまわないという意見に、裏づけはない。「人間よりも賢い」という概念が無意味ならば、「ゴリラよりも賢い」というのも無意味だから、ゴリラは人間をまったく恐れなくていいということになる。明らかに筋が通らない。ある存在が多元的な知能のあらゆる次元にまたがって、もうひとつの存在よりすぐれているというのが論理的に可能であるばかりか、ある種がもうひとつの種にとって、たとえ前者が音楽や文学を解さなくとも、実存的脅威となるということも、またありうる。

---

（5）たとえばロドニー・ブルックスは、プログラムが「それによって問題をかかえる人間も出てくると理解せずに、人間社会を転覆させてまで、人間が設定したゴールを達成する方法を考案することができるほど賢く」なるのは不可能だと断言している。http://rodneybrooks.com/the-sevn-deadly-sins-of-predicting-the-future-of-ai.

（6）Kevin Kelly, "The Myth of a Superhuman AI," *Wired*, April 25, 2017.

ウィーナーの警告に、私たちは正面から取り組むことができるだろうか？　私たちの願いと矛盾しない目的をもち、そのふるまい方に安心していられるようなＡＩシステムをデザインできるだろうか？　一見したところ、見込みはなさそうに思える。私たちの目的を正確に書き込むことも、スーパーインテリジェントな存在が実行するかもしれない反直感的方法を残らず想像することも、とてもできそうにない。

スーパーインテリジェントなＡＩシステムを、まるで宇宙空間のブラックボックスのように扱うとしたら、それはもうまったく望みがない。私たちがとるべきアプローチは別にある。結果に確信をもとうとするなら、形式問題＋を定義して、*F*を解くＡＩシステムをデザインするのだ。システムがどんなに完璧に*F*を解こうとも、私たちがその解法に安心できるような特性をもつ適切な問題*F*を考え出すことができれば、おそらく有益と考えられるＡＩをつくりだせるはずだ。

ブラックボックス扱いをしないようにするには、どうしたらいいのか、例を挙げておこう。定期的に人間が機械に供給する報酬を、各期間に機械がどの程度うまくふるまったかに応じるスカラー値としておき、*F*は機械が得る報酬の合計期待値を最大化するという問題にする。この問題の最適解は、意外かもしれないが、うまくふるまうことではなく、人間をコントロールして最大限の報酬をよどみなく供給させることである。これをワイヤーヘディング問題という。人間自身、快楽中枢を電気的に刺激されれば、まったく同じ問題にはまりやすい。

うまくいくアプローチは、きっとある。人間は自分の好みの将来像を（たいていは暗黙のうちに）もっているものだと言っても、あながち間違ってはいないだろう。すなわち、十分な時間と無制限のビジュアル支援のもと、将来の生活をあらゆる側面から二通り示されて選べるとしたら、人間には好み（または無関心）が表現できるだろう。このように理想化するにあたっては、人間の心が好みの矛盾するサブシステムの集まりである可能性を無視する。もし矛盾があるなら、私たちの好みを最適に満足させる機械の能力が制限されるだろうが、壊滅的な結果を避ける機械のデザインに支障があるとは思えない。この場合、機械が解くことになる形式問題$F$は、最初はどんなものなのかはっきりしていない、人間が好む将来像を最大化すること。また、好みの将来像というのは隠れた変数でありながら、その基づくところには大量の根拠がある。つまり、その人間によるこれまでの選択すべてだ。このやり方で、ウィーナーの提起した問題を避ける。もちろん、機械は人間の好みについてだんだん学習を進めていくが、いつまでたっても確信を得ることはないだろう。

協調逆強化学習（cooperative inverse-reinforcement learning：ＣＩＲＬ）というフレームワークにすれば、定義がより正確になる。ＣＩＲＬ問題には、一方は人間、もう一方はロボットという二つのエージェントが必要だ。エージェントが二つなので、この問題は経済学者がゲームと呼ぶものになる。情報が不公平なゲームで、人間は報酬関数を知っているが、ロボットは知らない――それを最大化するのがロボットのジョブなのに。

単純な例を挙げてみよう。ハリエットという人間はペーパークリップとステープル（ホッチキスの針）を集めるのが好きで、彼女の報酬関数はそれらをいくつ集めたかによって決まるとする。彼女がペーパークリップ$p$個にステープル$s$個をもっているなら、彼女の満足度は$\theta p+(1-\theta)s$で、$\theta$は本来、ペーパークリップとステープルの交換レートである。もし$\theta$が1なら彼女はペーパークリップだけが好き、$\theta$が0ならステープルだけが好き、$\theta$が0.5ならどちらでもいいということになる。ペーパークリップとステープルをつくりだすのは、ロボットのロビーのジョブだ。ロビーはハリエットを満足させたいが、彼にはθの値がわからないので、それぞれ何個つくればいいのかよくわからない、というのがこのゲームのポイントになる。

ゲームはどんなふうに動くだろうか。θの真の値を0.49だとしよう。つまり、ハリエットはステープルのほうがペーパークリップよりもほんのちょっとだけ好きなのだ。そして、θについてロビーは、事前には画一的に考えると想定する。つまり、θが0から1のあいだのどの値である可能性も等しくあると彼は考える。そこでハリエットはちょっとしたデモンストレーションとして、ペーパークリップ二個かステープル二個、あるいは両方とも一個ずつかを差し出してみせる。すると、ロボットはペーパークリップ九〇個かステープル九〇個、あるいは両方とも五〇個ずつかをつくりだすのだ。ステープルのほうがペーパークリップよりも好きなハリエットは、ステープル二個を差し出せばいいと思うかもしれない。ところがそうすると、ロビーは合理的に反応してステープルを九〇個つくるだろうから、両方とも五〇個ずつ(トータル値50.0)の場合よりも望ましくない結果が出るのだ。この特殊なゲームの最適解は、ハリエットが両方とも一個ずつ差し出してロビーが両方とも五〇個ずつつくることなのである。このようにゲームを定義づけることによって、ハリエットはロビーに「教える」よう促される――ロビーがちゃんと注意を向けてくれているとわかりさえすればだが。

CIRLフレームワークなら、ロボットが停止スイッチを無効にするのをどうやって防ぐかという停止スイッチ問題も、公式化して解決できる。チューリングの眠りも安らかになるだろう。人間の好みについて確信がもてないロボットには、停止させられるほうがかえってためになる。人間が停止スイッチを押すのは、人間の好みに反することをロボットにさせないためだと、ロボットが理解するからだ。そうしてロボットは停止スイッチを保持するよう動機づけされ、人間の好みについて確信がもてないことが直接そういう動機づけとなる。(7)

この停止スイッチの例は、制御可能なエージェントをデザインするテンプレートを示唆するものであり、上述したような意味でおそらく有益と考えられるシステムの、ともかく一例ともなる。アプローチ全体としては、あるエージェントが、デザイナーにとって有益なふるまい方をするよう別のエージェントを奨励するという、経済学におけるメカニズム・デザイン問題に似ている。大きく違っているのは、別のエージェントを利するためのエージェントをつくろうとしているところだ。

このアプローチを実践できると考える理由はいくつかある。第一に、人間の行動(および、ほかの人間の反応)についての情報は、文字や映像のかたちでふんだんにある。その情報の宝庫をもとに人間の好みをモデル化する技術が、スーパーインテリジェントAIシステムがつくられるより、ずっと早く使えるようになりそうだ。第二に、ロボットが人間の好みを理解する、強力な実利的誘引が目と鼻の先にある。貧弱にデザインされた家事ロボットが、栄養価を上回る感情価値を解さずに猫肉の夕食をつくったら、家事ロボット産業はおしまいになるだろう。

それにしても、人間のふるまいから、内在する好みを学習するようロボットに期待するというのは、明らかに困難なアプローチだ。人間は不合理で矛盾だらけ、意志が弱く、計算どおりにならないので、必ずしも真の好みを表す行動をとるとはかぎらない。たとえば、二人の人間がチェスを指しているとしよう。

(7) Hadfield-Menell *et al.*, "The Off-Switch Game," https://arxiv.org/pdf/1611.08219.pdf 参照。

たいていは二人のうちひとりが負けるわけだが、好き好んで負けるのではないのだ。そこで、はるかにわかりやすい人間の認知モデルに支援されて初めて、ロボットは非合理的な人間のふるまいから学習することができる。さらには、現実的社会的制約があるため、同時にすべての好みを最大限に満足させることはできないところから、ロボットはぶつかり合う好みを調停することになる——哲学者や社会学者が何千年も昔から取り組んできたことだ。そして、ロボットは他者の苦しみを喜ぶ人間から何を学習するのだろうか？　ロボットの計算にそういう好みは省略されるのがいちばんだろう。

ＡＩの制御という問題に解決策を見つけるのは、重要なタスクだ。ボストロムの言葉を借りれば、「私たちの時代の最重要タスク」ではないだろうか。これまでのＡＩ研究はシステムの意思決定能力を向上させることに集中してきたが、この問題は意思決定のよしあしと同じではない。アルゴリズムがどれほど最大化にすぐれていようと、世界のモデルがどれほど正確だろうと、マシンの効用関数が人間の価値観とうまくつながれていなければ、普通の人間の視点ではとんでもなくばかげた意思決定になりかねない。

問題解決のために、目的とはかかわりなく知能だけを研究する分野から、人間にとって有益となりそうなシステムを研究する分野へと、ＡＩ自体の定義を変える必要がある。この問題に真剣に向き合えば、ＡＩやその目的、そして私たちのＡＩとの関係について新しい考え方が生まれてきそうだ。

# 第4章　第三の法則

**ジョージ・ダイソン**
科学技術史家。著書に『バイダルカ――The Kayak』（徳吉英一郎訳、情報センター出版局、一九九二年）、*Darwin Among the Machines*、*Project Orion*、『チューリングの大聖堂――コンピュータの創造とデジタル世界の到来』（吉田三知世訳、早川書房、二〇一三年）などがある。

ジョージ・ダイソンは二〇〇五年、Googleのエンジニアらの招きで同社を訪れた。ジョン・フォン・ノイマンが提案したデジタル・コンピューターの六〇周年を祝うためだ。この訪問のあと、彼は『チューリングの大聖堂』という本を書き、Googleの創業者が世界に向けて計画していたことを初めて世に知らしめた。「私たちは書物をすべて、人に読んでもらうためにスキャンしているのではありません」と、Googleのエンジニアのひとりはジョージに説明した。「AIに読んでもらうためにスキャンしているのです」。

ジョージはデジタルエイジに対抗するナラティブを提示する。彼がこれまでに関心を寄せてきたテーマは、アリュー族のカヤック開発、デジタル・コンピューティングとテレコミュニケーションの発展、デジタル・ユニバースの起源、巨大宇宙船で火星に行く技術などだ。そのキャリア（彼は高校を卒業していないが、ヴィクトリア大学から名誉博士号を授与された）は、彼が著した書物と同じくらい分類するのが難しい。

ジョージが好んで指摘するのは、微分解析機と同様、一度は絶滅したと思われていたアナログ・コンピューティングの復活だ。彼が指摘するのは、われわれはデジタルな要素を使うことがあるが、ある時点におけるアナログ・コンピューティングは、それを構築しているデジタル・コードを凌駕するはるかに複雑なシステムによって実行されているということだ。真のAI、つまり、第二次世界大戦後にデジタル・コンピューターがアナログ部品から出現したのと同じように、デジタル基盤から出現したアナログ制御システムを備えるAIは、私たちが考えるほど、はるか遠いものではないのかもしれないと彼は信じている。

ジョージはこのエッセイで、アナログ・コンピューテーションとデジタル・コンピューテーションの区別について考察し、アナログはいまだ健在だということを発見している。機械をプログラミングして、あらゆるものを制御しようとする試みに対する自然の答えは、プログラミングされていない、誰も制御することのない機械ということなのかもしれない。

コンピューティングの歴史は、いわば旧約聖書と新約聖書に分けることができる。つまり、電子デジタル・コンピューターとそれらが生みだしたコードが、地球全体に増殖する前と後ということだ。根本的な論理を説いた旧約聖書の預言者には、たとえばトマス・ホッブズやゴットフリート・ヴィルヘルム・ライプニッツなどがいる。新約聖書の預言者としては、アラン・チューリング、ジョン・フォン・ノイマン、クロード・シャノン、そしてノーバート・ウィーナーが挙げられる。彼らは機械について説いた。

アラン・チューリングは、機械が知能をもつには何が必要かと考えた。ジョン・フォン・ノイマンは、機械が自己複製するには何が必要かと考えた。クロード・シャノンは、どれほどのノイズが介入しようと、機械が信頼できる通信をおこなうには何が必要かと考えた。そしてノーバート・ウィーナーは、機械が制御できるようになるにはどれくらいの年月がかかるかと考えた。

人間の制御を超えた制御システムについてウィーナーが警鐘を鳴らしたのは、一九四九年のことだった。ちょうど、第一世代のプログラム内蔵式電子デジタル・コンピューターが導入されたころだ。そうしたシステムは、人間のプログラマーによる直接的な監視が必要だったので、ウィーナーの懸念は徐々に和らいだ。プログラマーが機械を制御している限り、問題はないと思われたのだ。以来、自律制御のリスクをめぐる議論は、デジタル・コード化された機械の能力と限界をめぐる議論に関連づけられたままになっている。その驚くべき能力にも関わらず、機械には真の意味での自律性がほとんど見つかっていないと考えるのは、危険な思い込みだ。デジタル・コンピューティングが、何か他のものにその座を奪われようとしているとしたらどうなるだろうか?

エレクトロニクスは過去一世紀のあいだに、二つの根本的な推移を経験した。ひとつはアナログからデジタルへ、もうひとつは真空管から半導体への推移だ。これらの推移が一緒に起こったということは、この二つに切っても切れない密接な関係があるということではない。最初のデジタル・コンピューテーションが真空管部品を使用して実行されたように、アナログ・コンピューテーションも半導体で実行できる。真空管は商業的には廃れてしまったが、アナログ・コンピューテーションはいまだ健在だ。

アナログ・コンピューティングとデジタル・コンピューティングに明確な区別はない。一般に、デジタル・コンピューティングは整数、バイナリ・シーケンス、決定性論理、そして離散増分としての理想時間を取り扱う一方で、アナログ・コンピューティングは実数、非決定性論理、および実世界で連続体として存在する時間などの連続関数を取り扱う。

たとえば、ある道路の中央を探さなければならないとしよう。なんらかの適切な増加単位を使って道幅を測定し、最も近い値まで中央値をデジタルに計算することができる。もしくは、一本のひもをアナログ・コンピューターとして使い、ひもに道幅をマッピングし、増加単位に関係なく、ひもがぴったり重なるように半分に折り返すことで中央を求めることもできる。

多くのシステムは、アナログとデジタルの両方の領域で稼働する。一本の木はさまざまな種類のインプットを連続関数として統合しているが、その木を切り倒すと、最初からずっと、年数がデジタルに数えられてきたことがわかるだろう。

アナログ・コンピューティングにおいて、複雑性はコードにあるのではなく、ネットワーク・トポロジーにある。情報は、個別のビット文字列上でおこなわれる論理的操作によってではなく、電圧や相対パルス周波数などの値の連続関数として処理される。デジタル・コンピューティングはエラーやあいまいさを許容しないため、進行中のすべての段階でエラー訂正に依存する。一方、アナログ・コンピューティングはエラーを許容し、エラーとの共生を許す。

自然はデジタル・コーディングを保存、複製、塩基配列の組み換えなどに利用するが、神経系での動作については、知能と制御をアナログ・コンピューティングに頼っている。あらゆる生細胞にある遺伝系は、いわばプログラム内蔵式コンピューターなのだ。だが、脳はそうではない。

デジタル・コンピューターは二種類のビット間の変換を実行する。すなわち、空間における差異を表すビットと、時間における差異を表すビットだ。情報、シーケンス、構造のこれら二つの形式間の変換は、コンピューターのプログラミングによって管理され、コンピューターが人間のプログラマーを必要とする限り、われわれが制御しつづけるということだ。

アナログ・コンピューターもまた、情報の二つの形式、すなわち、空間における構造と時間における動作とのあいだの変換も取り持つ。そこにはコードもプログラミングもない。なぜそうなのか、そして、どのようにそうなるのかについても私たちは完全には理解していないのだが、自然は、世界から吸収した情報を体系化する神経系として知られる、アナログ・コンピューターを発展させた。これらは学習することができる。そして、このアナログ・コンピューターが学習するもののひとつが、制御である。みずからの動作を制御することを学び、できる範囲で、みずからの環境を制御することを知るのだ。

コンピューター・サイエンスには、ニューラル・ネットワーク（神経回路網）の長い歴史があり、それはコンピューター・サイエンスが存在する前に遡るが、ほとんどの場合、これらのネットワークはデジタル・コンピューターによるニューラル・ネットワークのシミュレーションであり、自然界で進化したニューラル・ネットワークではなかった。これが変わりはじめているのだ。ボトムアップとしては、ドローン戦争、自律走行車、そして携帯電話という三つ巴の牽引役が、ニューラル・ネットワークのシミュレーションではなく、実際のニューラル・ネットワークをシリコン（およびその他の可能性のある代用品）のなかで直接実行する、神経形態学的マイクロプロセッサーの開発を促進している。トップダウンとしては、この時代で最大かつ最も成功している企業が、世界への浸透とその制御においてアナログ・コンピューテーションに目を向けはじめている。

われわれがデジタル・コンピューターの知能について議論している一方、アナログ・コンピューティングもデジタルに付随しておこなわれてきた。第二次世界大戦後、真空管などのアナログ部品がデジタル・コンピューターの構築という別の目的で利用されたのと、同じことだ。有限コードを実行する個別の決定性をもった有限状態プロセッサーが、いわば実世界における大規模な非決定性・非有限状態の後生動物〔原生動物以外のすべての動物〕を形成している。その結果生じるアナログ／デジタルのハイブリッド・システムは、ビットストリームを集合的に扱う。電子が個々にでなく真空管のなかの流れとして扱われるのと同じで、ビットは流れを生成する離散状態デバイスによって扱われる。ビットは新たな電子なのだ。アナログが復活したのであり、その本質は制御することなのだ。

商品の流れから交通の流れ、思考の流れにいたるまで、そのすべてを制御するこれらのシステムは、統計的に動作する。パルス周波数でコード化された情報は、ニューロンまたは脳のなかで処理されるからだ。知能の出現はホモ・サピエンスの関心を引きつけるが、私たちが憂慮すべきは制御の出現である。

今が一九五八年で、米国本土を空襲から守ろうとしていると仮定しよう。敵の航空機を識別するために必要なのは、コンピューターのネットワークと早期警戒用のレーダーサイトのほか、リアルタイムで更新されるあらゆる商用航空交通のマップだ。アメリカはこのようなシステムを構築し、これをＳＡＧＥ〔半自動式防空管制組織〕と名付けた。ＳＡＧＥが今度はSabre《セーバー》という、航空会社の旅行をリアルタイムで予約できる初の統合予約システムを生みだした。Sabreとその後任はまもなくすると、空席を示すマップだけでなく、旅客機がいつ、どこを飛ぶかということを分散型知能を利用して制御するようなシステムにもなった。

とはいっても、誰かが制御している制御室があるのではないか？　おそらくないだろう。たとえば、そのときの車の速度と場所を報告することと引き換えに、車にそのマップへのアクセス権を与えるといったシンプルな方法により、リアルタイムで高速道路の交通量をマッピングするシステムをつくるとしよう。

結果は、完全に分散化された制御システムとなる。システムそのもの以外、システムのモデルを制御するものは何ひとつないのだ。

　では、今が二一世紀の最初の一〇年で、リアルタイムで人間関係の複雑さを追跡しようとしていると想像しよう。小さな大学における社会生活であれば、中央データベースを構築して、それをつねに最新のものにしておくことはできるかもしれないが、規模がもっと大きくなると、その維持はとてつもないものになるだろう。ローカルでホストされている簡単な半自律型コードのフリーコピーを配布し、ソーシャルネットワークをそれ自体で更新できるようにしたほうがいいかもしれない。そのコードはデジタル・コンピューターによって実行されるが、システム全体で実行されるアナログ・コンピューティングは、基礎となるコードの複雑さをはるかにしのぐ。その結果として生じるパルス周波数でコード化されたソーシャルグラフのモデルが、ソーシャルグラフそのものになるのだ。これがキャンパス全体に、そして世界に広まっていく。

　人類に知られているすべてのものの意味を取り込むマシンを構築したいとしたら、どうだろうか? ムーアの法則が背後にあれば、世界中のすべての情報をデジタル化するのにそれほど時間はかからない。これまで印刷された書物のひとつひとつをスキャンし、これまで書かれた電子メールをすべて収集し、二四時間ごとに四九年分のビデオを集めながら、人々がどこで何をしているかをリアルタイムで追跡する。だが、その意味はどうやって取り込めばよいのだろうか?

　すべてがデジタルになった時代でさえ、これは、どれほど厳密な論理的感覚をもってしても定義することはできない。というのも、意味は人間にとって、元来論理的なものでないからだ。今できる最善の方法は、すべての可能な答えを集めたら、明確に定義された疑問を引き受け、すべてがどのようにつながっているかを示すパルス周波数加重マップを編纂することだ。気づかぬうちに、システムはものごとの意味を観察し、マッピングするだけでなく、意味そのものを構築することも始めるだろう。そしてゆくゆくは、意味を制御することになるだろう。交通マップが、誰も管理していないように見えるのに、交通の流れを制御しはじめているのと同じように。

人工知能には三つの法則がある。第一は、『頭脳への設計 知性と生命の起源』（山田坂仁他訳、宇野書店、一九六七年）の著者でサイバネティックス研究者のW・ロス・アシュビーにちなんで名付けられた〈アシュビーの必要多様性の法則〉として知られるもので、あらゆる効果的な制御システムは、それが制御するシステムと同等に複雑でなければならないというものだ。

第二の法則はジョン・フォン・ノイマンが明確化したもので、複雑なシステムの決定的特徴は、システムがそれ自体の最もシンプルな動作説明になっているということだ。生物の最もシンプルな完全モデルは、その生物そのものである。システムの動作をなんらかの形式的な記述にまとめようとすると、ものごとは簡単になるばかりか、さらに複雑になるのだ。

第三の法則は、簡単に理解できるシステムは知的に動作するに足るほど複雑にはならず、知的に動作するに足るほど複雑なシステムは、あまりに複雑になりすぎて理解できない、というものだ。

この第三の法則は、私たちが知能というものを理解するまでは、機械から生じる超人的知能を心配する必要などないと信じる人々の慰めにはなる。だが、この法則には抜け穴がある。理解しないまま何かを構築するということも、充分ありえるのだ。機能する脳をつくるために、脳がどう機能するかを一〇〇パーセント理解する必要はない。これは、プログラマーとその倫理アドバイザーがアルゴリズムをどれほど監視しても、埋めることのできない抜け穴だ。おそらく、「すぐれた」ＡＩというのは神話にすぎないのだろう。本当のＡＩと私たちとの関係は、つねに信仰の問題であって、信用の問題ではないのだ。

私たちは機械の知能をあまりに心配しすぎて、自己複製、コミュニケーション、制御といったことに充分な注意を向けていない。コンピューティングの次なる革命は、デジタル・プログラミングがもはや制御できないような、アナログ・システムの勃興が引き金になるかもしれない。あらゆるものを制御する機械を構築できると信じる人々に対する自然の反応は、彼ら自身を制御する機械をつくらせることだろう。

# 第5章　私たちに何ができるか？

## ダニエル・C・デネット

タフツ大学哲学教授で、同大学認知研究センター所長。著書に『解明される意識』（山口泰司訳、青土社、一九九七年）をはじめ、最新刊『心の進化を解明する――バクテリアからバッハへ』（木島泰三訳、青土社、二〇一八年）など多数。

ダニエル・デネットは、AIコミュニティにおける選り抜きの哲学者だ。おそらくは、指向性という概念と人間の意識モデルに関する認知科学の分野で最もよく知られており、超並列大脳皮質において意識の流れを実現する、コンピューターによるアーキテクチャの概略を説く。その妥協のない計算主義は、ジョン・サール、デイヴィッド・チャーマーズ、故ジェリー・フォーダーなど、意識の最も重要な側面（意図性と主観的クオリア〔指向性には観察できない意識の主観的な性質のこと。感覚質〕）はコンピューターでは代用できないと主張する哲学者らと、対立してきた。

二五年前、私は「AIの父」とも言われるマーヴィン・ミンスキーを訪問し、ダン〔ダニエル・デネット〕について尋ねた。「彼は現代社会で最もすぐれた哲学者であり、次世代のバートランド・ラッセルだ」とマーヴィンは言った。そして、従来の哲学者と異なり、ダンは神経科学、言語学、人工知能、コンピューター・サイエンス、そして心理学にも強い関心を抱いていると付け加えた。「彼は哲学者の役割を再定義・再形成しようとしている。もちろん、私の〈心の社会〉理論は理解していないようだが、完璧な人間というのは存在しないからね」

スーパーインテリジェントAIを構築しようとするAI研究者の取り組みに対して、ダンは執拗なまでに冷静な見解を示している。このエッセイで彼は、AIを人間そっくりの仲間としてではなく、ツールとしてみなし、扱うべきだということを、われわれに気づかせてくれるのだ。

ダンは、オックスフォードの大学院時代から情報理論に関心を抱いていた。事実、初期の頃は、ノーバート・ウィーナーのサイバネティックスに関する本を執筆したいという野心があると私にも話していた。科学的方法を採用する思想家としての彼の魅力は、間違えることを恐れないというその心構えだ。「情報とは何か?」（What Is Information?）と題された最近の論文で、彼はこんなことを言っている。「私は情報に味方する。だがそれは、いまだ改訂の途上だ。私はすでにその先を行っており、こうした問題に取り組む上で、よりよい方法があることに気づいている」。彼はおそらく、AI研究というテーマにおいて冷静さを失うことはないだろう。だが、彼は気づいているのだ。自分自身の考えが——誰の考えもそうあるべきなのと同じように——徐々に進化しているということを。

若すぎて、その良さを味わうことができない時期に名著を読むことの皮肉については、多くの人が思いを馳せてきた。すでに読んだ本の山に古典を積み重ね、これ以上影響を受けることを避けつつ、そこから、よくわかっていない思想をほんのいくつか拾い集めることは、ほとんど無策の策である。このことが特別な力で私の心に響いたのは、若い頃に出会ってから六〇年以上の年月を経て、『人間機械論』を再読したときだった。私たちはみな、若いときに読んだ本をもう一度読み直すという習慣を身につけるべきだ。そこから、自分自身のその後の「発見」や「発明」を明確に予見することができ、人生のさまざまな問題に直面して心が引き裂かれ、ぼろぼろになり、鍛えられ、補強されるまで無感覚にならざるをえなかった豊富な洞察と出会うことが多々あるからだ。

真空管がまだ電子機器の主要構成要素であり、実際に稼働しているコンピューターがわずかしかなかった時代に『人間機械論』を書いたノーバート・ウィーナーは、印象的な詳細をまじえながら、明らかな間違いもほとんどなく、現代の私たちが取り組んでいる未来を思い描いていた。アラン・チューリングが一九五〇年に哲学雑誌「マインド」に発表した有名な論文、「計算する機械と知性」(Computing Machinery and Intelligence)は、AIの発展を予見したもので、その意味ではウィーナーも同じだったが、ウィーナーはより広範かつ詳細にこれについて調べ、AIは多くの知的活動において人間を模倣する――そして人間に置き換わる――だけでなく、その過程で人間を変えるだろうという認識を示した。

われわれは、絶えず流れてゆく川からなる川のなかの渦巻きにほかならない。われわれは持続的に存在する物ではなく、自己持続的に存在するパターンである。(『人間機械論』)

これが書かれた時点では、ちょっとしたヘラクレイトス的な誇大表現として、何も考えずにやり過ごされていたかもしれない。それはそうだ、同じ川には二度と入れない。すべてのものは変化するのだから。だがそこには、ものの見方に革命を起こす種が潜んでいる。私たちはこんにち、複雑適応系、ストレンジ・アトラクター〔ある力学系がそこに向かって時間発展する集合のこと〕、拡張した心〔われわれの心は皮膚と頭蓋の境界を超えて環境にまで広がっているという考え方〕、ホメオスタシス、また心とメカニズム、精神と物質とのあいだの「説明のギャップ[1]」を消すことを約束する視点の変化について、どのように考えるべきかを知っている。このギャップは、のちのデカルト主義者、すなわち、われわれ——私たち自身——は情報を担う物質の自己持続的なパターンであって、〝持続的に存在する物〟ではないという考え方に耐えられない人々によって、今なお熱心に擁護されている。これらのパターンは驚くほど回復力があり、自己修復性があるが、同時に変幻自在で、日和見主義で、新しいものならどんなものでも手に入れて持続化のために利用しようとする自分勝手な搾取者でもある。そしてこうなると、ウィーナーも気づいていたように、ものごとがどう転ぶかわからなくなる。多くの魅力的な機会に恵まれているとき、私たちは喜んで少しだけ犠牲を払い、わずかながらの、取るに足らないとも言えるビジネスコストを受け入れて新しい力にアクセスしようとする。そしてあっという間に新しいツールに依存し、ツールを使わなくては成功することができなくなってしまう。選ぶべき手段が義務となるのだ。

昔から、進化の歴史には数多くの有名なエピソードがあった。ほとんどの哺乳動物は自身のビタミンCを合成することができるが、ほぼ果物だけの食事を選んできた霊長類は、この生まれつきの能力を失ってしまった。私たちは今、ビタミンCを強制的に摂取しているが、いとこの霊長類たちのような果食動物になることは義務づけられていない。必要なときにビタミンをつくり、摂取することのできるテクノロジーを選んできたからだ。私たちが人間と呼ぶ自己持続的なパターンは今、衣服や調理された食べ物、ビタミン、ワクチンの予防接種、クレジットカード、スマートフォン、インターネットに依存している。そして、今すぐにではないにしても近い将来は、ＡＩにも依存することになるだろう。

ウィーナーは、チューリングやその他の楽観主義者がおおかた見過ごしていた問題を予見していた。彼はこう言っている。

本当に危険なのはそのような機械が、それ自体では無力だが、一人の人間または一にぎりの人間によって、人類の他のすべてのメンバーを管理するのに利用されること、または政治の指導者たちが大衆を、機械そのものによって管理するのではなく、あたかも機械によって算出されたかのような狭くて人間の可能性を無視した政治的技術によって管理しようとすることである。(『人間機械論』)

ウィーナーの認識によれば、権力は主にアルゴリズムのなかにあり、アルゴリズムが動作するハードウェアのなかにあるのではない。しかし、こんにちのハードウェアは、ウィーナーの時代には途方もなく扱いづらいものに見えたかもしれないようなアルゴリズムを、実用的に可能にしている。〝狭くて人間の可能性を無視した〟このような〝技術〟について、私たちは何と言えばよいのだろうか? これらは、一部には明らかに善意のものとして、また一部には明らかに危険なものとして、そして多くはどこにでもある論争の中立的立場として、繰り返し導入されてきた。

このような論争をいくつか考えてみよう。MITのハイテク預言者としてウィーナーの後を継いだ、今は亡き私の友人、ジョー・ワイゼンバウムは、クレジットカードもまた、それにどんな利点があるとしても、政府や会社に個人の旅行、習慣、願望を追跡するための、安価で、ほとんど間違いのない方法を提供

(1) Joseph Levine, "Materialism and Qualia: The Explanatory Gap," Pacific Philosophical Quarterly 64 (1983): 354-61.

していると いう見方を好んだ。現金の匿名性は、麻薬の売人やその他の犯罪者でもない限り、ほとんどは正しく評価されておらず、それも今では消滅しようとしている。これにより、マネーロンダリングが未来におけるより難しい技術的課題となるかもしれないが、これと対峙するAIパターンのファインダーには、私たちを「管理しようとする」可能性のある「ひとにぎりの人間」に対して、私たちみなに透明性をもたせるという副次的効果があるのだ。

芸術に目を向けると、デジタル・オーディオとビデオ録画のイノベーションのおかげで、（極めて熱心なオーディオファンや映画通を除く、すべての人の観点からすれば）私たちはそれほどの犠牲を払わずにアナログ・フォーマットを手放し、その代わり、ほぼ完璧な忠実さでもって芸術作品を簡単に――あまりに簡単に？――再生している。ところが、そこには隠された巨大なコストがある。オーウェルの小説『一九八四年』の真理省が今、実践的に可能となったのだ。出会いの〝記録〟の、ほとんど検出できない偽造物をつくるAI技術が利用できるようになった今、過去一五〇年のあいだに私たちが当然とみなすようになった調査ツールは時代遅れのものになるだろう。私たちは単に、つかの間の〈写真による証拠の時代〉を捨て去り、それよりも前の世界、すなわち人間の記憶と信頼が黄金の判断基準を与えていた世界へ戻ろうとしているのだろうか、それとも、真理のせめぎ合いのなかで、防衛と攻撃の新しい技術を開発しようとしているのだろうか？（陪審員などに提出するまで「不正開封防止」システムに保管される、アナログの露光済みフィルムへの復帰を想像することはできるが、そうしたシステムに疑念を吹き込む方法を誰かが見つけだすまでに、どれほどの年月がかかるだろうか？　最近の経験から得られる不穏な教訓のひとつは、信頼性の評判を台無しにする作業は、その評判を守る作業よりはるかに安上がりだということである。ウィーナーは最も一般的にこの現象を捉えていた。「長い眼で見れば、われわれ自身の軍備をつくることと敵の軍備をつくることとの間に明確な区別はない」（『人間機械論』）と。情報時代は偽情報時代でもあるのだ。

それでは、私たちにできることは何だろうか？　私たちは、ウィーナーやワイゼンバウムその他、現代のテクノロジーへの病的愛好をまじめに批評する人々の、情熱的ながらも欠陥のある分析の助けを借りて、何を優先すべきかを考え直す必要がある。キーフレーズは、ウィーナーがあまり深く考えずに発したと思われる前出の言葉、すなわち、「そのような機械」は「それ自体では無力だ」というものだ。私が最近主張しているように、私たちがつくっているのはツールであって仲間ではないということで、違いを正しく評価しないと大きな危険を犯すことになるということだ。このことを、私たちは政治的・法的イノベーションでもって強調し、目立たせ、守る努力をするべきなのである。

おそらく、何が欠けているのかを見極める最善の方法は、アラン・チューリング自身が、かの有名な〈チューリング・テスト〉を体系化するなかで、まったく当然ともいえる想像力の欠如を経験していたことに着目することだろう。周知のように、このテストには彼の「模倣ゲーム」が採用されている。これは、質問者から見えず、口頭でのコミュニケーションもできない状態にある男性が、自分は女性だということを質問者に納得させ、また一方で、同じく質問者の視界からもコミュニケーションからも隔離されている女性が、自分は女性だということを質問者に納得させるというものだ。チューリングは、このゲームは他方の性がどのように考え、行動し、何を好み、何を無視する傾向があるかに関する豊富な知識を駆使して、男性（または男性のふりをしている女性）に厳しい挑戦を要求するものだという推論をした。確かに（チーン！[2]）、女性と思われたことで本物の女性に勝つことのできた男性は、知的エージェントだろう。チューリングが予見していなかったのは、この豊富な情報を理解しないまま、利用可能なかたちでこれを獲得するディープ・ラーニング（深層学習）ＡＩの力なのだ。チューリングは、女性はどんな行動をとり、どんなことを発言する傾向にあるかという、みずからの詳細な「理論」に基づいて巧妙に反応しようとする、抜け目のない、独創的な（したがって意識的な）エージェントを想定していた。端的にいえば、トップダウン式のインテリジェント・デザインということだ。彼はおそらく、模倣ゲームに勝つ男性はどうにかして女性になろうとしているとは考えていなかっただろう。このショーを先導しようとする男性の意識が、やはりそこには存在すると想定したのだ。チューリングの論点ともいうべきものに隠された前提は、意識と知性のあるエージェントだけが、模倣ゲームの勝利の戦略を考案し、制御することができるということだ。そしてだからこそ、チューリング（および私を含め、〈チューリング・テスト〉の熱心な擁護者である人々）にとって、人間と張り合う人間として通用する「コンピューティング・マシン」（計算機）は、人間とまったく同様に意識をもつことはないかもしれないが、にもかかわらず、ある種の意識的なエージェントでなければならないという主張は説得力があるのだ。これは擁護できる立場――唯一擁護できる立場――であるとは思うが、ディープ・ラーニングＡＩ（仲間ではなくツール）が示す見せかけの浅はかさを暴くために、質問者がいかに機知に富み、かつ巧妙でなければならないかということは理解しておかなければならない。

チューリングが予測していなかったのは、ビッグデータを通じて、何の考えもなくあちこちにシフトする超高速コンピューターの、不気味なまでの能力だ。インターネットはこのビッグデータを無尽蔵に提供し、質問者が提供しようとするあらゆる調査のアウトプットに、〝本物〟らしく見える反応を放り込むために使用される確率的なパターンを、人間の活動に見いだすのだ。ウィーナーもこの可能性を過小評価しており、機械の重大な弱点は人間の状況を特徴づける確率が莫大な範囲にわたっていることを考慮にいれること（『人間機械論』）ができない点にあると見ている。

だが、まさにこの範囲の確率を考慮に入れることが、新しいＡＩのすぐれた点なのだ。ＡＩという鎧の、小さいながらも致命的な唯一の弱点は、「莫大な」という言葉だ。人間の可能性は、言語とそれが生みだす文化のおかげで、本当の意味で莫大である。(3)これまでインターネットにたどり着いた溢れるほどのデータのなかに、どれほど多くのパターンをＡＩで見つけだすことができても、そこに記録されたことのない、もっと多くの莫大な可能性がある。世界で積み重ねられてきた知恵と設計、機知と愚かさの一部（ただし消失する部分ではない）だけがインターネットに掲載されるのだが、おそらく〈チューリング・テスト〉の候補者を目の前にしたときに質問者が採用するよりよい戦術は、そうした項目を検索することではなく、それらを新しく構築することなのだろう。現在のかたちのＡＩは、人間の知性に寄生している。それはかなり無差別に、人間の創作者が生みだしてきたものならどんなものでもガツガツ詰め込み、そこに見いだ

(2)この「確かに」の警告（ある議論のなかでこの言葉と出会ったときは、常に頭のなかで警鐘を鳴らすという習慣）については、ダニエル・Ｃ・デネット著『思考の技法――直観ポンプと77の思考術』（阿部文彦他訳、青土社、二〇一五年）のなかで説明されており、私もこれを擁護している。
(3)『ダーウィンの危険な思想――生命の意味と進化』（山口泰司他訳、青土社、二〇〇〇年）より。ここで、「莫大な」という単語を使っているのは、「天文学的数字よりはるかに程度が大きい」ということで、それを補う「消失する」という言葉は、正式には無限ではないが、にもかかわらず、実際上は無限であるような可能性の議論に関して、無限大や無限小という通常の誇張表現と置き換えるためである。

されるパターンを抜きだす。たとえば私たちの最も有害な癖などだ。[4] これらの機械は（まだ）、自己批判とイノベーションに関するゴールも戦略も能力ももたず、みずからの思考とゴールについて反省的に思考することによってデータベースを超越することができない。ウィーナーが言っているように、それらの機械は、足枷をはめられたエージェント、または手足をきかなくされたエージェントという意味ではなく、そもそもエージェントではない、つまり目の前に提示された（カントが言うところの）「理性によって動かされる」能力をもちあわせていないという意味において、無力なのだ。これをそのままの状態にしておくことが重要だが、そうするのはなかなか難しいだろう。

　ワイゼンバウムの著書『コンピュータ・パワー——人工知能と人間の理性』（秋葉忠利訳、サイマル出版会、一九七九年）における欠陥のひとつについて、多くの時間をかけて彼を説得しようとして無駄に終わったのだが、その欠陥というのは、彼が二つの命題のどちらを擁護したいかを決めることができなかった点だ。すなわち、ＡＩは不可能だ！　なのか、それともＡＩは可能だが悪だ！なのか。彼はジョン・サールとロジャー・ペンローズとともに、〝強いＡＩ〟は不可能だということを主張したがったが、この結論については充分な議論がなされていない。結局、私たちが今知っていることのすべては、前にも書いたとおり、私たちはロボットにつくられたロボットにつくられたロボット……なのであり、そこに至るまでになんら魔法のような栄養素を与えられることなく、モータータンパク質とかそういった類のものだけが残ったということを示唆している。ワイゼンバウムの、より重要で、より擁護できるメッセージは、私たちは努力して〝強いＡＩ〟をつくるべきではなく、自分たちがつくることができ、すでにつくってきたＡＩシステムに、極端なまでに注意を払うべきだということだ。当然予想されるとおり、擁護できる命題はハイブリッドだ。すなわち、ＡＩ〝強いＡＩ〟は、原理上は可能だが望ましくない。事実上可能なＡＩ

は必ずしも悪ではない――ただし、強いＡＩと間違えられない限りにおいては！ということだ。

こんにちのシステムと、一般的な想像力を支配するサイエンス・フィクションのシステムとのあいだのギャップは依然として大きいが、素人も熟練者も含め、多くの人々はそれをどうにかして軽視しようとする。ＩＢＭの〈ワトソン〉について考えてみよう。これは当分のあいだ、私たちの想像力の価値あるランドマークとして存在し続ける可能性がある。〈ワトソン〉は、数世紀にわたって多くの人々に拡張したインテリジェント・デザインの極めて大規模なＲ＆Ｄプロセスの結果であり、ジョージ・チャーチが述べているように、人間の脳の数千倍ものエネルギーを使っている（技術的限界は一時的なものかもしれない、とも彼は言っている）。〈ワトソン〉がアメリカのクイズ番組「ジェパディ！」で優勝したことは、「ジェパディ！」のルールのありきたりの制限が可能にした正真正銘の勝利だったが、コンピューターが人間と対戦するためには、こうしたルールをも改訂する必要があった（妥協案の例：多才であることや人間らしさは多少あきらめて、庶民感情を揺さぶるようなショーにすること）。〈ワトソン〉は、一般的な会話能力をもつという誤解を招くようなＩＢＭの宣伝にもかかわらず、一緒にいておもしろくはないし、〈ワトソン〉をもっともらしく多次元的なエージェントに変えることは、携帯型計算機を〈ワトソン〉に変えるのと同じようなことだろう。〈ワトソン〉はそうしたエージェントとしては便利な核となる能力になりえたかもしれないが、心というよりは小脳や扁桃体に近いものであり、せいぜい大きなサポート役を果たす特定目的のサブシステムにはなれても、間接的に目的や計画をフレーミングしたり、その会話経験に基づいて洞察

（4）Aylin Caliskan-Islam, Joanna J. Bryson, and Arvind Narayanan, "Semantics Derived Automatically from Language Corpora Contain Human-Like Biases," *Science* 356, no. 6334 (April 14, 2017): 183-86, DOI: 10.1126/science.aal4230.

を構築したりといった役目はとうてい果たせなかった。

私たちはなぜ、思考する創造的なエージェントを〈ワトソン〉からつくりあげようとしたのか？　おそらく、機能テストというチューリングのすばらしいアイデアが、私たちを罠に陥れたのだろう。つまり、少なくとも本物の人間の幻想だけでも背後につくりだし、「不気味の谷」の橋渡しをしたいという希求だ。ここに潜む危険は、チューリングがみずからの難題――結局のところ、質問者を欺くという難題――を突きつけて以来、AIの創作者は、いかにも取りすました人間そっくりのタッチで、この「不気味の谷」を覆い隠そうとしてきたということだ。充分な知識のない初心者を魅了し、その敵意を和らげるような、いわばディズニー化効果である。ワイゼンバウムのELIZA（イライザ）（人間がモニターに文字を打ち込むと、文字で反応するというカウンセリングマシンで、Siriの原型となったもの）は、そうした表面的な幻想づくりの先駆的事例であり、ワイゼンバウムは、自分が開発したばかばかしいほどシンプルで浅はかなプログラムが、いとも簡単に、腹を割った真剣な会話をしていると人々に思い込ませることができるのを見て動揺し、使命感に駆られた。

ワイゼンバウムが心配するのも当然だった。ローブナー賞（「人間性」があると認められた人工頭脳に与えられる賞）をめざす制限つきチューリング・テストの競技会から私たちが学んだことがひとつあるとすれば、それは、コンピューター・プログラミングの可能性と近道に理解を示さない極めて知性のある人々でさえ、シンプルなトリックに簡単にだまされるということだ。「ユーザー・インターフェース」でのこうした見せかけの方法に対するAIに対する人間の態度は、軽蔑から称賛まで幅広く、そこには、深くはないが人を納得させることのできるトリックがあるという、一般的な理解が存在する。大いに歓迎されるであろう態度の変化は、ヒューマノイドの装飾は偽りの広告である、つまり称賛ではなく非難すべきものだということを、ありのままに承認することだ。

それはどのように達成されるか？　内面的な動作が実際にはどうなっているのかわからないＡＩシステムからの「忠告」をもとに、人間が生死に関わるような意思決定をしはじめていることを私たちがひとたび認識すれば、どんな方法であれ、自分が認めているより大きな信頼をこうしたシステムにおくことを奨励する人々が、なぜ道徳的にも法的にも説明責任があるとみなされるべきかの、正当な理由が見えてくる。ＡＩシステムは極めてパワフルなツールだ。あまりにパワフルなので、専門家でさえ、自分自身の判断よりも、そのツールから与えられる「判断」の方を当然のごとく信じるようになる。だがそうは言っても、こうしたツールのユーザーが、テラ・インコグニタ〔未知の分野〕を介してこれらのツールを動かすことから財政面やその他の面で利益を得ようとしているならば、最大限の管理と正当な理由とともに、責任をもってこれをおこなう方法を確実に知っておく必要がある。私たちが薬剤師に（そしてクレーン車の運転手にも）、また、間違いや誤判断が悲惨な結末をもたらす可能性のある専門家に、免許を与えるのと同様、保険会社やその他の証券引受会社からの圧力により、ＡＩシステムの製作者に、労を厭わず自分たちの製品の弱点やギャップを探り、それらを暴きだした上で、システムを操作する資格のある人々を訓練することを義務づけることができる。

質問者の方が試されるような、ある種の逆転したチューリング・テストを想像することもできるだろう。質問者がシステム内の弱点や境界線の踏み越え、ギャップなどを見抜くことができるまで、操作を許可するライセンスが発行されないというものだ。質問者としての認定を得るのに必要な精神面での訓練は、大変な努力を要するだろう。指向性を採用したいという衝動、すなわち、知的エージェントのように見えるものに出会ったときに必ず採用する標準的な戦術は、ほとんど威圧的なまでに強い。実際、明らかに人間とわかる人を人間として扱うことの魅惑に抵抗する能力は、意地の悪い才能であり、人種差別や偏見の様相を帯びる。多くの人々は、そうした無慈悲なほど懐疑的なアプローチを養うことに、道徳的に不快なものを見いだすため、最も熟達したシステム・ユーザーでさえ、ときに、任務を遂行することへの不快感を緩和するためにも、誘惑に屈して自分のツールと「親しくなる」ことがあると予想できる。ＡＩの設計者がどれほど念入りに、自分たちの製品から偽りの「人間的」要素を取り除いても、私たちは新しい思考癖、会話の糸口や策略、罠や虚勢が、人間活動のこの新たな設定のなかに生じることを予測できる。テレビで宣伝している新種の薬の、すでに知られている副作用に関する滑稽なまでに長いリストは、その製品の欠陥を〝うっかり見落とす〟人々に重いペナルティを科し、特定のシステムが責任をもって答えられないような疑問を強制的に浮かびあがらせることによって、きっともっと短くなるはずだ。こんにちの世界にますます広がる経済的不平等のかなりの部分は、デジタル起業家による富の蓄積に起因していることはよく知られている。私たちは公共の利益のために、彼らの充分な富をエスクローとして第三者に預託するような法律を制定するべきだ。この充分な資産の一部は、まずは社会に役立て、次に金を生みだすという義務の前に差しだされるが、私たちは善意だけに頼るべきではない。

私たちに人工意識エージェントは必要ない。自然意識エージェントがあり余るほどあるのだから、どんなタスクをそうした特別で特権的なエンティティ（実体）のために取っておくべきだとしても、それらに充分対処できる。私たちに必要なのは知的ツールだ。ツールは権利をもたず、傷つけられるかもしれないという感情や、不適切なユーザーがもたらす「乱用」への憤りに対処できるといった感情をもつべきではない。(5) 人工意識エージェントをつくらない理由のひとつは、それがどれほど自律的になろうと（原則的に、それらは人間と同じくらい自律的、自己増強的または自己創造的になりうるが）、それらが脆弱性や死すべき運命を（免除される可能性のある特例なく）、私たちのような自然意識エージェントと共有することはないからなのだ。

かつて私は、人工エージェントと自律性に関してマティアス・シュッツとともに教えていたタフツ大学のゼミ生に、ある難題を突きつけたことがある。所有者である人間の代わりとしてではなく、それ自身の責任で、あなたと拘束力のある契約を結ぶことのできるロボットのスペックを示しなさい、という問題だ。これはロボットに契約条項を理解させたり、紙の上でペンを操作させたりということではなく、ロボットが道徳的に責任のあるエージェントとして法的地位をもち、それに値するかどうかという問題だ。小さな子どもはそうした契約に署名できないし、法的地位としてケアが必要だったり、保護者のような人の責任が必要だったりするような障害のある人々も署名できない。署名をするという高尚な地位に到達することを望んでいるかもしれないロボットにとっての問題は、スーパーマンのように、あまりに不死身で傷つくことがないため、信頼できる約束ができないという点だ。ロボットが約束を破ったら、どうなるだろうか？　約束破りのペナルティはどんなものになるのだろうか？　独房に閉じ込められるのか、それとも、さらにもっともらしいことには、解体されるのだろうか？　独房に入れられても、ＡＩにとってほとんど迷惑なことはない。ＡＩが自力で無視したり機能不全にしたりすることのできない人工的な放浪癖を、最初にインストールでもしない限りはだ（そして、推定されるＡＩの狡猾さと自己認識を考えれば、これを絶対

---

(5) Joanna J. Bryson, "Robots Should Be Slaves," in Close Engagement with Artificial Companions, Yorick Wilks, ed. (Amsterdam, The Netherlands: John Benjamins, 2010), 63-74; http://www.cs.bath.ac.uk/~jjb/ftp/Bryson-Slaves-Book09.html; Joanna J. Bryson, "Patiency Is Not a Virtue: AI and the Design of Ethical Systems," https://www.cs.bath.ac.uk/~jjb/ftp/Bryson-Patiency-AAAIS16.pdf.

確実なソリューションにすることは系統的に難しい）。また、ＡＩ（ロボットだろうと、〈ワトソン〉のような動けないエージェントだろうと）を解体しても、その設計とソフトウェアに保存された情報が保護されている限り、これを殺したことにはならない。デジタルの記録と送信のまさにその手軽さ――ソフトウェアとデータに、実質的に不死不滅であることを許す輝かしい成果――は、脆弱性の世界からロボットを救いだす（少なくともデジタル・ソフトウェアとメモリをもつ、一般的に想像できる種類のロボットであれば）。それでも釈然としない場合は、たとえば私たちが人の「バックアップ」を毎週つくることができるとしたら、人間の道徳性にどのような影響が及ぼされるかを考えてみるとよい。土曜日に、バンジージャンプの命綱の助けもなく、高い橋の上から真っ逆さまに飛び込むことは、金曜の夜に仕掛けたバックアップを日曜の朝にオンラインにしても思い出せないくらいあっという間のできごとだろうが、自分が明らかに崩壊していくさまを、のちにビデオテープで見て楽しむことはできるだろう。

こんなふうに、私たちがつくっているのは人間のかたちをした意識のあるエージェントではなく（そうあるべきではなく）、まったく新しい種類のエンティティなのだ。それは意識もなく、死への恐怖もなく、気が動転するような愛も憎悪もなく、パーソナリティ（人格）もない――だが疑いもなくシステムの「パーソナリティ（個性）」として識別されるような、あらゆる種類の弱点や奇癖はある――どちらかといえば神託のようなものである。つまり、ほぼ確実に、虚偽の散乱によって汚染された（運がよければ）真理の箱なのだ。これらのＡＩが文字通り私たちをとりこにする〈シンギュラリティ〉を空想して自分の気を紛らわすことなく、虚偽との共存を学ぶのは難しいだろう。人間の人間的な利用は、まもなくして（再び）永遠に変化するだろう。しかし私たち人間が、みずから辿った軌跡に責任をもてば、危険要因の間をくぐり抜けながら、舵を取って進むことはできるはずだ。

# 第6章　機械がわれわれを巻き込む非人間的混乱

## ロドニー・ブルックス

コンピューター・サイエンティストで、パナソニックのロボット工学教授、MIT名誉教授。MIT人工知能研究所およびMITコンピューター・サイエンス&人工知能研究所（CSAIL）の元所長。著書に『ブルックスの知能ロボット論　なぜMITのロボットは前進し続けるのか』（五味隆志訳、オーム社、二〇〇六年）がある。

ロボット工学者のロドニー・ブルックスは、エロール・モリスの一九九七年のドキュメンタリー映画*Fast, Cheap & Out of Control*に、ライオン使いやトピアリスト〔装飾的な刈り込みをする庭師〕、裸出歯鼠の専門家らとともに登場し、ある評論家から「その目に野性的な光を放ちながら微笑む男」と評された。だがそれは、先見の明のあるほとんどの人に当てはまる特徴だ。

数年のキャリアを積んだ後、世界で最も重要なロボット工学者のひとりと称されるまでになったブルックスは、「われわれは、結局は単なる機械にすぎない人間を過度に擬人化している」と述べた。そして、「われわれとロボットとの区別がしだいに消えていく」ような、来るべきAI世界の心温まるヴィジョンを提示した。彼はまた、分割された世界観のようなものも認めていた。「宗教学者と同じく、私は二つの相反する信念をもち、異なる状況下で、そのそれぞれにしたがって行動している」と書いている。「この二つの信念体系間の超越こそ、最終的に人類が感情をもつ機械としてロボットを受け入れ、これらの機械に感情移入し、自由意志と敬意、そして究極的には権利をもその属性だと認めることを可能にするのだと私は考える」

それは二〇〇二年のことだった。彼は以下に続くページで、範囲は限定されているものの、いくぶん偏見に満ちた見解を示している。広く蔓延した体系に私たちがどれほど依存しているかということに、彼は危機感を隠せない。それは搾取的であるばかりか脆弱でもあり、ソフトウェア・エンジニアリングがあまりに急速に発展した結果として現れた体系であり、信頼できる効果的な保護措置の賦課を上回ったかに見える進歩である。

数学者と科学者は、みずからの特定分野を超えた全体像を見る際、自分が研究で使用しているツールや隠喩による制限を受けることが多い。ノーバート・ウィーナーも例外ではなく、かく言う私自身も例外ではないと思う。

『人間機械論』を執筆しているとき、ウィーナーは、機械と動物を単なる物理的プロセスとして理解する時代の終わりと、機械と動物を計算的プロセスとして理解する現代の始まりの狭間にいた。ウィーナーがまたがっていた二つの時代のツールがそれぞれ異なっていたように、これら二つの時代とはまったく異なるように見えるツールをもつ未来の時代が訪れるのではないだろうか。

ウィーナーは前者の時代の巨匠であり、ニュートンやライプニッツの時代から発展したツールを構築して、物質界の継続的なプロセスを説明、分析していた。一九四八年、彼は『サイバネティックス』を刊行した。サイバネティックスとは、機械と動物の双方における通信と制御の科学を説明するために彼が編み出した造語である。こんにち、私たちはこの本に書かれた考えを、制御理論、つまり物理的な機械の設計と分析に不可欠な規律として参照しようとするが、その一方で、通信の科学に関するウィーナーの主張はほとんど無視している。ウィーナーの革新的な考えは、主に高射砲の照準と発射のメカニズムに関して、彼が第二次世界大戦中におこなっていた研究が原動力となっていた。彼は数学的厳格さを、本質的に大きく発見に役立つ設計プロセスをもつテクノロジー設計にもたらしたのだ。それは、ワットの蒸気機関を利用したローマ水道から、自動車の初期開発に至るまで幅広い。

コンピューティングの基礎づくりに多大な貢献をしたアラン・チューリングとジョン・フォン・ノイマンが現れなかったら、私たちの知性とテクノロジーの歴史は、また別の偶発的なものになっていたことが想像できる。チューリングは基本的な計算モデル——現在はチューリング・マシンとして知られている——について、"On Computable Numbers with an Application to the Entscheidungsproblem"（計算可能数と決定問題への応用について）と題する論文を寄稿した。この論文は一九三六年に執筆、改訂され、一九三七年に世に出された。チューリング・マシンでは、有限アルファベットの記号を付した直線テープが計算問題の入力をエンコードし、同時に、計算するための作業スペースも提供する。それぞれ別個の計算問題には、それぞれ異なるマシンが必要だった。後におこなわれた他の研究では、現在万能チューリング・マシンとして知られている特定のマシンで、計算命令の任意の組を同じテープ上にエンコードできることが示されている。

一九四〇年代、フォン・ノイマンはセルオートマトンと呼ばれる、抽象的な自己複製機を開発した。この場合、機械は正方形（セル）の無限二次元配列の有限サブセットを占有し、その正方形のそれぞれが、二九の明確な記号をもつ有限アルファベットから選んだ単一の記号を含んでいる（無限配列の残りの部分は空白から始める）。各正方形の単一の記号は、当該正方形とそれに隣接する近傍の現在の記号に関する、複雑ながらも有限の規則に基づいて決まった方法で変化する。フォン・ノイマンが開発したこの複雑な規則のもとでは、ほとんどの正方形のほとんどの記号はそのまま変わらず、いくつかの記号だけが各段階で変化する。したがって、空白ではない正方形を見ると、その内部でなんらかの活動が進行しているような一定の構造があるように見える。フォン・ノイマンの抽象的な機械が複製されると、それは、その平面の別の領域でみずからのコピーを作成した。「機械」の内部には正方形の水平線があり、これが有限アルファベットのサブセットを利用して有限の直線テープとしてふるまった。これらの正方形に書かれた記号が、その記号を含む機械をエンコードしたのだ。機械が複製している間、この「テープ」は左右いずれかに移動することができ、そのどちらもが、構築され、コピー（複製）される新しい「機械」への命令（翻訳）として解釈（転写）された――その新しいコピーは、さらに複製するために新しい機械の内部に置かれる。後にフランシス・クリックとジェイムズ・ワトソンは一九五三年、グアニン、シトシン、アデニン、チミン（G、C、A、T）という四つのヌクレオ塩基（核酸塩基）の有限アルファベットをもつ長いDNA分子によって、そのテープを生物学的にどのように具体化することができるかを示した。[1] フォン・ノイマンの機械の場合と同様、生物学的複製においては、DNA内の記号の直線シーケンスが――RNA分子への転写を通じて――解釈され、これがその後、新しい細胞（セル）をつくる構造であるタンパク質に翻訳される――DNAは複製され、新しい細胞に入れられる。

第二の基本的な研究論文は、デジタル・コンピューターの設計に関する一九四五年の「第一草稿」と呼ばれる報告書であり、このなかでフォン・ノイマンは、命令（指示）とデータの両方を含むことができるメモリを提唱した。[2] これは現在、フォン・ノイマン型コンピューターとして知られているもので、一つは命令用、もう一つはデータ用という二つの別個のメモリがあるハーバード型コンピューターと区別される。ムーアの法則の時代に構築された大多数のコンピューター・チップは、現代のデータセンター、ラップトップ、スマートフォンの電源などを含み、どれもフォン・ノイマン型を基準にしている。フォン・ノイマンのデジタル・コンピューター・アーキテクチャは——ハーバード大学とブレッチリー・パーク〔ロンドンから一六〇キロメートルほどのところにあり、第二次世界大戦中に暗号を解読する秘密チームの基地が置かれていた〕に電磁リレーで構築された初期のデジタル・コンピューターと——概念的に同じ汎化であり、この汎化は、特別用途のチューリング・マシンから万能チューリング・マシンへの移行中に生じる。さらに、ノイマンの自己複製オートマトンは、チューリング・マシンの構成と、DNAベースの生物学的細胞の複製メカニズムの両方と、基本的な類似性を共有している。こんにちに至るまで、フォン・ノイマンが、三つの論文〔チューリングの論文とノイマンの二つの論文〕の間に相互の関連性を認めたかどうかをめぐって、学者らの間で議論が繰り広げられている。チューリングによるみずからの論文の改訂は、彼とフォン・ノイマンの両者がプリンストン大学にいたころにおこなわれた。実際、チューリングは博士号を取得した後、ほとんどの時間をフォン・ノイマンの博士課程修了研究者として留まりつづけた。

チューリングとノイマンの存在がなければ、ウィーナーのサイバネティックスは、依然として支配的な思

---

（1）“A Structure for Deoxyribose Nucleic Acid,” *Nature* 171 (1953): 737-38.

（2）J. von Neumann “First Draft of a Report on the EDVAC,” IEEE Annals of the History of Computing 15 (1993): 27-75. フォン・ノイマンは単独の著者としてリストされている。他の人々の貢献はノイマンが明らかにした概念についてなのでこの設計概念のクレジットはノイマンのみに与えられている。

考のままであったかもしれず、優位を占めていたその儚い瞬間よりもずっと長い間、テクノロジーを推進していたかもしれない。こんなふうに歴史を想像してみると、われわれは今、もしかしたら実在するスチームパンク的世界のなかで生きているのかもしれず、「メイカー・フェア」で、そのすばらしい具体化を観察するだけではなかったかもしれないのだ!

私が言いたいのは、ウィーナーが特別な方法で世界——物理的、生物学的、そして(『人間機械論』の言葉を借りれば)社会学的な世界——について考えていたということである。彼は世界を連続型変数として分析していた。これは、彼がギブスの統計学を重ね合わせて熱力学を肯定している第一章で説明しているとおりである。彼はまた、弱く説得力のない情報モデルのなかに、物理的・生物学的実体の両方の間を行き交うメッセージとして世界を押し込んでいる。私にとって、そしてあれから七〇年を経た現在から見れば、彼のツールは、生物学的システムの基礎となるメカニズムを説明するには痛ましいほどに不十分であるように見え、だからこそ彼は、似たようなメカニズムが技術的な計算システムに最終的にどのように具現化される可能性があるか(今では実際にそうなっている)に関しては見落としていたのだ。現代を支配するテクノロジーは、ウィーナーの世界ではなく、チューリングとフォン・ノイマンの世界で発展したのである。

最初の産業革命のとき、蒸気機関や水車から得たエネルギーは人間の労働者によって使用され、彼ら自身のエネルギーと置き換えられた。人は物理的な仕事のためのエネルギー源となる代わりに、大きなエネルギー源の使用方法を調整する役割を担ったのだ。だが、蒸気機関と水車は資本を効率的に使用できるほど大規模なものでなければならず、また、一八世紀には、エネルギーを空間分布するテクノロジーだけが機械によるものであり、しかもそれは極めて短距離でしか作用しなかったため、多くの労働者がエネルギー源の周囲に集まらなければならなかった。ウィーナーは、エネルギーを電力として送る能力が第二次産業革命の引き金になるという適切な主張した。エネルギー源は現在、それがかつて使用されていた場所から遠いところにあっても問題がなく、二〇世紀初頭には、配電網の構築とともに、製造業をかなり幅広く分散させることができるようになった。

ウィーナーはその後、さらに新しいテクノロジー、つまり、彼の時代に始まったばかりの計算機テクノロジーが、もうひとつの革命を引き起こすだろうと主張している。彼が話題にしている機械は、事実上、アナログと（おそらく）デジタルの両方であるように思われ、彼は『人間機械論』のなかで、機械は意思決定をすることができるようになるだろうから、ブルーカラーとホワイトカラー双方の労働者が、以前よりずっと大きい機械の歯車にすぎない立場にまで降格させられるかもしれないことを指摘している。こうした能力が促進する組織的構造を通じて、人間が互いに利用しあい、虐待しあうかもしれないことを彼は恐れているのだ。われわれは確かに過去六〇年の間に、こうしたことがおこなわれているのを見てきた。そしてこの混乱は、まだ終わってはいないのだ。

とはいえ、ウィーナーはその物理学ベースのコンピューテーションの見方により、事態がどれほど悪化しているかに気づかなかった。彼は機械の通信能力を、命令と制御を行使する、新しい、より非人間的な方法を提供することとして捉えていた。数十年以内に、コンピューテーション・システムは生物学的システムのようになっていくだろうということを、彼は見落としていたのだ。そして生物学のいくつかの側面をモデルにすることについて、みずからの著書の第10章で説明しているように、物理学より何桁も勝る生物学の複雑さを痛ましいほどに正しく評価していなかったように思える。われわれは現在、彼が予測したものよりもずっと複雑な状況のなかにおり、それが、彼が最悪のものとして想像した恐怖でさえ、はるかに及ばないほど有害なものであることを私は懸念しているのだ。

一九六〇年代、コンピューテーションはチューリングとフォン・ノイマンが設定した基礎に堅実に基づくようになった。その基礎というのが、この両者が使用していた有限アルファベットという考えに基づくデジタル・コンピューテーションだった。有限アルファベットから選んだ文字で形成される任意の長さのシーケンス、すなわち文字列は、固有の整数としてエンコードすることができる。チューリング・マシンと同様、コンピュテーションの形式は、単一の整数値入力の整数値関数を計算する形式となった。

チューリングとフォン・ノイマンはどちらも一九五〇年代にこの世を去ったため、当時はこれが彼らのコンピューテーションに対する見方だった。両者とも、ムーアの法則がもたらす計算能力の指数関数的増加を予知せず、計算機がどれほど普及するかも予想していなかった。さらには、現代のコンピューテーショナル・モデリングにおける二つの進展も予測していなかった。そのそれぞれが今、人間社会にとって大きな脅威となっているのだ。

最初の進展は、彼らが採用した抽象概念に根差している。二年ごとにコンピューター能力の倍増を利用することのできるソフトウェアを製作するという、ムーアの法則が誘発した五〇年にわたる競争のなかで、エンジニアリング分野の典型的な保護と認定は道半ばで挫折した。ソフトウェア・エンジニアリングは急速に発展し、しかも失敗しやすかった。正確さの基準をもたないソフトウェアのこの急速な発展は、同じメモリ内にデータと命令を保存するフォン・ノイマン型を活用する多くのルートを切り開いてきた。その最も一般的なルートの一つは「バッファオーバーラン」として知られるもので、プログラマーが予想していたものより大きく、命令が保存される境界からあふれ出るほどの入力番号（または長い文字列）を含む。圧倒的に大きすぎる入力番号を注意深く想定することにより、ひとつのソフトウェアを使用している人は、プログラマーが意図していなかった命令にこれを感染させることができ、したがってその動作を変えることもできる。これがコンピューターウィルスをつくる基本であり、生物学的なウィルスとの類似性にちなんでそう名づけられている。生物学的なウィルスは余分なDNAを細胞のなかに注入し、この細胞の転写と翻訳のメカニズムがそれを盲目的に解釈することにより、宿主細胞に害を及ぼすおそれのあるタンパク質を生成する。さらに、細胞の複製メカニズムがウィルスの増加に対処する。こうして、小さな有害のエンティティがより大きなエンティティを制御し、そのふるまいを予期せぬ方法で操作することができるのだ。

デジタル攻撃のこうした形態は、日々の生活における安全を私たちから奪い去ってきた。私たちは今、ほとんどすべてのものをコンピューターに依存している。電気やガス、道路、車、電車、飛行機のインフラもコンピューターに依存している。これらはすべて脆弱だ。また銀行や支払い、年金勘定や住宅ローン、商品やサービスの購入もコンピューターに頼っている。これらもまた、すべて脆弱だ。娯楽や、仕事とプライベート両方の通信、家庭における身の安全、世界の情報、選挙システムについてもコンピューターに依存している。すべて脆弱だ。何ひとつとして、近い将来に解決できるものはない。その一方で、私たちの社会の多くの側面が、フリーランスの犯罪者によるものであれ、敵国の国家によるものであれ、残酷な攻撃に晒されているのである。

第二の進展は、コンピューテーションは単なる計算機能をはるかに超越しているということだ。その代わり、プログラムはつねにオンライン状態であるため、クエリシーケンス（突然変異）に関するデータを集めることができる。ウィーナー／チューリング／フォン・ノイマン体系のもとで、私たちはWebブラウザの通信パターンを以下のように考えることができるかもしれない。

ユーザー：WebページAをください。
ブラウザ：はい、WebページAです。
ユーザー：WebページBをください。
ブラウザ：はい、WebページBです。
……

これが今では次のようになっている。

ユーザー：WebページAをください。
ブラウザ：はい、WebページAです。（そして私は、あなたがWebページAを要求したことを密かに覚えているでしょう）
……
ユーザー：WebページBをください。
ブラウザ：はい、WebページBです。（私はその内容と、さきほど要求されたWebページAの内容との相関関係がわかるので、あなたのモデルを更新し、私を製作した会社にそれを送信します）

機械がもはや、単に関数計算するだけのものではなくなり、ある状態を保持するものとなったとき、それは提示された要求のシーケンスによって、人間に関する推論を始める可能性がある。そして、異なるプログラムが異なる要求ストリーム全体で相互に関係しあうとき――たとえば、Ｗｅｂページ検索をソーシャルメディアの投稿や他のプラットフォーム上のサービスの支払い、ある特定の広告のデータ取り込み時間、またはユーザーがＧＰＳ対応のスマートフォンを持って歩いたり、車を運転したりした場所などと相互に関連づけるなど――互いに通信しあったり、データベースと通信したりする多くのプログラムの全システムに、まったく新たなプライバシーの損失が起こる。あれほど多くの西海岸の企業がおこなってきたこの大きな搾取的飛躍は、計算機プラットフォームでの相互作用を生み出している人物の許可を得ることなく、これらの推論を貨幣化することだった。

ウィーナー、チューリング、そしてフォン・ノイマンは、こうしたプラットフォームの複雑さを予見することができなかった。人間は、必然的にどうなるかということに薄々なりとも気づくことなく、喜んで締結した利用規約のややこしい法律用語のせいで、他の人間との一対一の関係性においては決して容認することのない権利をみすみす放棄することになるのだ。コンピューテーション・プラットフォームは、ある企業が他社を非人間的に搾取するために陰に隠しもつ盾となっている。その他の国々のなかには、こうした操作を政府が実行しているところもあり、そのゴールは利益ではなく、異議の抑制である。

人類は苦境に陥っている。われわれは、みずからが切望するサービスを逆説的に提供する企業に不当に利用されており、同時にわれわれの命は、攻撃に晒された、ソフトウェア対応の多くのシステムに依存している。この混乱から抜け出すことは、長期にわたるプロジェクトになりそうだ。それにはエンジニアリング、法律の制定、そして最も重要なことに、モラルリーダーシップが必要となるだろう。モラルリーダーシップは、最初にして最大のチャレンジなのだ。

# 第7章　知能の統一

フランク・ウィルチェック

ＭＩＴヘルマン・フェッシュバッハ物理学教授。二〇〇四年度のノーベル物理学賞受賞者。著書に*A Beautiful Question: Finding Nature's Deep Design*がある。

一九八〇年代に初めてフランク・ウィルチェックと会ったとき、彼はプリンストンにある自宅に私を招き入れ、二人でエニオンについて話をした。「住所はマーサー通り一一二番地」と彼は書いた。「私道のない家を探してくれ」と。そして数時間後に私がたどり着いたのは、アインシュタインが昔住んでいた古いリビングルームだった。この部屋で、私は未来のノーベル物理学賞の受賞者と話をした。こうした環境に、フランクも私と同じように感銘を受けていたかどうかは誰にもわからない。彼が唯一コメントしたことは、「私道のない家」の前で駐車スペースを探すことがどれほど困難かについてだったのだから。

ほとんどの理論物理学者と異なり、フランクは、以下の三つの〝所見〟で証明されているように、長い間ＡＩに関心を抱きつづけてきた。

1．「フランシス・クリックはこれを〈驚くべき仮説〉と呼んだ。つまり、〈精神〉としても知られる意識は物質の創発特性であり」、もし本当であれば、これは「すべての知能はマシンインテリジェンス（機械知能）であるということを示している。自然知能と人工知能とを区別するものは、それが何であるかということではなく、それがどのようにつくられているかということのみである」

2.「人工知能は宇宙人の侵略の産物ではない。それは、ある特定の人間文化の人工物であり、その文化の価値を反映している」

3.「『理性は情熱の奴隷であり、またそうあるべきである』というデイヴィッド・ヒュームの驚くべき言明は、一七三八年に書かれたもので、言うまでもなく人間の理性と人間の情熱に適用することを意図していた……ところが、ヒュームの論理的／哲学的な論点は、AIにも有効である。簡単に言えばこういうことだ――抽象論理ではなく動機が行動を促進する」

「二〇世紀と二一世紀の重要なストーリーは、コンピューティングの発展とともに、われわれは（基本）法則の必然的結果をよりよく計算する方法も学ぶということだ。そこにはさらに、フィードバックサイクルがある。すなわち、物質をよりよく理解すれば、よりよいコンピューターを設計することができ、それによって、よりよい計算をすることができる。これはある種の上昇螺旋である」とウィルチェックは指摘する。

ここで彼が論じているのは、こういうことだ。つまり、人間の知能は今のところ優位を保っている――だが、われわれの太陽系と、間違いなくその銀河系の束縛から解かれたわれわれの未来は、AIの力を借りずに実現することは決してないだろう。

## 1．異論のある疑問に対する簡単な答え

・人工知能は意識をもつことができるか？
・人工知能は創造的になりうるか？
・人工知能は悪になりうるか？

これらの疑問はこんにち、大衆メディアでも科学的知識に基づく議論においても、しばしば取り上げられる。しかし、議論が収束することは決してないようだ。そこで、まずはこれらの疑問に答えることから始めたいと思う。

生理心理学、神経生物学、および物理学を基準にした場合、上記の答えが順に「イエス」、「イエス」、「イエス」にならないとしたらかなり驚くだろう。その理由は、単純ではあるが奥深い。これらの分野からの証拠は、自然知能と人工知能とのあいだには明確な区別はないという可能性を圧倒的に高めるのだ。

著名な生物学者のフランシス・クリックは、同名の一九九四年の著書のなかで「驚くべき仮説」を提示した。すなわち、精神は物質から創発する、というものだ。彼は、精神はそのあらゆる側面において、「神経細胞の広大な集まりと、それに関連する分子の働きに過ぎない」という有名な主張をした。

「驚くべき仮説」は実際、現代の神経科学の基礎となっている。人々は、脳がどのように機能するかを理解することによって精神の作用のしかたを理解しようとする。そして、情報が電気信号や科学信号にどのようにエンコードされ、物理的プロセスによってどのように変換され、行動を制御するのにどのように使用されるかを学ぶことによって、脳の機能のしかたを理解しようとする。彼らはそうした科学的試みのなかで、物理的法則に従わない行動を考慮に入れていない。これまでのところ、何千という精巧な実験の

なかで、この戦略が失敗することは決してなかった。それは、精神物理学や神経生物学の観察事実を説明するために、脳の活動から解放されていない意識や創造力の影響を考慮に入れる必要性を証明することは決してなかった。これまで誰も、生物有機体における従来の物理的事象から切り離された精神の力を、偶然発見した人はいなかった。脳について、また精神について、われわれが理解していないことはたくさんある一方で、「驚くべき仮説」は手つかずのままなのだ。

私たちが神経生物学を超えてその視野を広げ、科学的実験の全範囲を考慮したとすれば、状況はさらにいっそう説得力のあるものとなる。現代物理学において、関心の中心となっているのは、しばしば極めて繊細な現象である。それらを調査するため、実験者は「ノイズ」による悪影響に対してさまざまな対策を取らなければならない。彼らはしばしば、浮遊電解や磁界から守るために手の込んだ遮蔽物を構築し、微小地震や通り過ぎる車による小さな振動を補い、超低温や高真空状況下で作業をするといったことが必要になることを理解する。ところが、そこには注目すべき例外がある。彼らは、近くにいる（ついでに言えば遠くにいる）人々が何を考えているかを考慮する必要性を見いださなかったのだ。既知の物理的プロセスから分離されてはいるが、物理的事象には影響を与える可能性のある「思考波」は、存在しないように思われる。

こうした結論は、額面どおりに受け取れば、自然知能と人工知能との区別を消去する。それは、もしわれわれが脳内で起こっている物理的プロセスの複製をつくったり、または正確にそれをシミュレートしたり、また——原則的に私たちがそうできるように——その入出力を感覚器官や筋肉に配線でつないだりしたら、われわれは物理的人工物のなかに、観測された自然知能の兆候を再現するだろう。観測できるものは何ひとつ失わない。観測者としての私には、他の人間のように、意識や創造力、または悪をその自然知能に帰する理由に劣らず（またはそれ以上に）、それらの特性を人工物に帰する理由があるだろう。

したがって、神経生物学におけるクリックの「驚くべき仮説」を、物理学からの有力な証拠と結びつけることによって、自然知能は人工知能の特別なケースであると推論することができる。この結論には名前をつける価値があるだろう。私はこれを「驚くべき帰結」と名づけたい。

これにより、われわれは先の三つの疑問の答えを得る。意識、創造力、悪は、自然な人間の知能の明らかな特徴であるため、これらは人工知能の特性であると言える。

一〇〇年前、いや五〇年前でも、精神が物質から創発するという仮説を信じること、そして自然知能は人工知能の特別なケースであるというわれわれの帰結を推測することは、信仰の飛躍だっただろう。生物学と物理学の現代的理解における多くの環境のギャップ——亀裂とも言える——を考慮すれば、それらは純粋に疑わしい主張だった。だが、これらの分野における画期的発展が、その様相を変えたのだ。

生物学において……一世紀前、思考のみならず代謝や遺伝、知覚までもが、物理的説明に公然と抗う生命の深く神秘的な側面だった。こんにち、私たちにはもちろん、分子レベルから始まる徹底的な代謝、遺伝、知覚の多くの側面に関する豊富で詳細な説明がある。

物理学において……量子物理学とその物質への適用から一世紀後、物理学者らは、物質のふるまいがどれほど豊富かつ奇妙になりうるかということに何度も気づいてきた。超伝導体、レーザー、その他多くの驚異は、それ自体は単純な分子単位の大きな集合が質的に新しい〝創発的〟行動を示しながらも、物理の法則には完全に従順のままでありうるということを証明している。生化学を含む化学は、創発現象の宝庫であり、今やそのすべてが極めてしっかりと物理学に根づいている。物理学の草分け的存在、フィリップ・アンダーソンは、「多は異なり」（More Is Different）と題する論文のなかで、創発性に関する古典的論議を提供している。彼はこの論文を、「還元主義的仮説（すなわち、単純な部分の既知の相互作用に基づく物理学的説明の完全性）は、今も哲学者の間で論争の主題となっているかもしれないが、大多数の現役科学者の間では、これは疑問の余地なく受け入れられていると私は思う」と認めることから始めている。ところが、彼は続けて、「素粒子の大きく複雑な集合体のふるまいは、いくつかの粒子の特性の単純な外挿として理解されるべきではないということがわかる」と強調している。[1] 新しいレベルの大きさと複雑さは、それぞれ、新しい組織形態をサポートし、そのパターンが新しい方法で情報をエンコードし、そのふるまいは、新しい概念を使用することで最もうまく説明できる。

電子計算機は創発性の見事な例である。ここには、すべての手の内が明かされている。エンジニアは日常的に、既知の（そして非常に洗練された）物理原則に基づいて、極めて印象的な方法で情報を処理する機械を徹底的に設計する。あなたのiPhoneは、チェスであなたを打ち負かし、あらゆるものの情報を迅速に収集、配信し、すばらしい写真を撮ることもできる。コンピューター、スマートフォン、その他のインテリジェント・オブジェクトの設計と製造をおこなうプロセスは、完全に透明であるため、それらのすばらしい能力が通常の物理的プロセスから創発することは疑いようもなく、それを私たちは電子や陽子、クオークやグルオンのレベルまで辿ることができる。明らかに、野蛮なものでもかなり利口になることができるのだ。

ここで議論を要約してみよう。二つの強く支持されている仮説から、われわれは以下のような単純明快な結論を導きだした。

- 人間の精神は物質から創発する。
- 物質は物理学がそうであると言っているものである。

・したがって人間の精神は、私たちが理解し、人工的に再現することのできる物理的プロセスから創発する。
・したがって自然知能は人工知能の特別なケースである。
もちろん、われわれの「驚くべき帰結」は失敗する可能性もある。この議論の最初の二つは仮説だからだ。だが、その失敗は基盤を打ち挫くような発見をもたらすことになるだろう――すなわち、これと言って特徴のない、よく研究された物理的環境（たとえば人間の脳内の物質、温度、圧力など）のなかで起ることではあるが、何十年もの間、洗練された機器で武装した断固たる調査員からなんとか逃れてきたような、大規模な物理的（身体的）影響を伴う極めて新しい現象だ。そうした発見は……驚くべきものになるだろう。

## Ⅱ．知能の未来

人間の肉体と精神を改良することは、人間の本質の一部である。歴史的に、衣服、眼鏡、腕時計などは、私たちの丈夫さ、知覚、意識を高める、徐々に洗練されていった増強の例である。これらは自然な人間の資質への主要な改良であり、それらがあまりにも生活になじんでいるからといって、そのもつ意味の深さを見失ってはいけない。こんにち、スマートフォンやインターネットは、増強へと向かう人間の衝動を、知的存在としてのわれわれのアイデンティティのより中心の領域へともっていこうとする。それらは実際、広大な集団意識と広大な集団記憶への迅速なアクセスを、われわれにもたらしているのだ。

---

（1） *Science* 177, no. 4097 (August 4, 1972): 383-96.

同時に、自律した人工知能は、チェスや囲碁といったさまざまな種類の〝頭脳〟ゲームの世界チャンピョンとなり、数多くの洗練されたパターン認識のタスクを引き継いでいる。たとえば、大型ハドロン型加速器の複雑な反応中に起こったことを、殺到する創発性粒子の追跡から再構成して新しい粒子を発見したり、ファジーX線、fMRI（磁気共鳴画像法）、その他の種類の画像から手がかりを集めて、医学的問題を診断したりといったことだ。

自己増強と革新へ向かうこの衝動は、われわれをどこへ連れていこうとしているのだろうか？ それらが行動に示そうとする事象の正確なシーケンス（連続）と時間尺度は、予測不可能だ（または少なくとも私の理解を超えている）が、いくつかの基本的な考察が示唆しているのは、最終的に、最もパワフルな精神の具現化は、私たちが現在知っているような人間の脳とはまったく異なるものになるということだ。

情報処理テクノロジーが、人間の能力を――はるかに、質的に、そしてその両方の面で――超えるような六つの要因について考えてみよう。

・速度……現代の人工情報処理の中心となっている、組織化された電子の動作は、脳を作動させる拡散プロセスと化学変化よりはるかに速い可能性がある。典型的な現代のコンピューター・クロックのレートは一〇ギガヘルツに近く、これは一秒間に一〇〇億回の動作に相当する。途方に暮れるほどさまざまな種類のある脳のプロセスに適用できる、たったひとつの速度測定はないが、ひとつの基本的な限界は活動電位の潜伏であり、これがその間隔を一秒間に数十回に制限している。映画が実際は静止画のシーケンスであるということを私たちが識別できる「フレームレート」が、一秒間に約四〇であるというのも、おそらく偶然ではないだろう。したがって、電子処理は何十億倍に近いほど速いのだ。

・大きさ……典型的なニューロンの線寸法は約一〇ミクロンである。実際的な限界を設ける分子の寸法は約一万倍小さく、人工処理単位はそのスケールに近づいている。寸法が小さければ、通信がより効率的になる。

・安定性……人間の記憶は本質的に継続する（アナログ）一方で、人工メモリは離散的（デジタル）な特徴を含んでいる可能性がある。アナログ量は侵食することがありうるが、デジタル量は完全な正確さで保存、更新、維持することができる。

・デューティサイクル……人間の脳は努力することに飽きてしまう。栄養を補給したり睡眠をとったりする時間が必要だ。それらは老化という重荷を負う。ほとんど完全に。すなわち、それらは死ぬ。

・モジュール方式（オープンアーキテクチャ）……人工的な情報処理装置は、正確に定義されたデジタル・インターフェースをサポートすることができるため、新しいモジュールを難なく取り入れることができる。したがって、われわれがコンピューターに紫外線や赤外線を「見たり」、超音波を「聞いたり」してほしいと思ったら、適切なセンサーから直接その「神経系」に出力をフィードすればよい。脳の構造はそれよりもはるかに閉じていて不透明であり、人間の免疫システムは移植に対してさかんに抵抗する。

・量子の即応能力……モジュール方式の、あるひとつのケースが特に言及に値するのは、その長期的な潜在能力のせいである。最近の物理学者や情報科学者は、量子メカニクスの原理は新しいコンピューティング原理をサポートし、これが新しい形の情報処理と（おそらくは）新しいレベルの知能を質的に高めることができるということを充分に理解するようになった。だが、これらの可能性は、非常に繊細で、温かく湿って混乱した人間の脳内環境とのインターフェースには特に適さない量子のふるまいの側面に依存する。

明らかに、知能のプラットフォームとしての人間の脳は最適からはかけ離れている。それでも、さまざまなことができるハウスキーピング・ロボットや機械兵は、市場にすぐに受け入れられ、利益も出るかもしれないが、現在のところ、そうした応用が必要とする人間の汎用知能といった類にアプローチをしている機械は存在しない。人間の脳は多くの面で比較的脆弱ではあるが、人工知能にまさる大きな利点をいくつか備えている。その五つを挙げよう。

・三次元性……既に述べたように、既存の人工処理装置の線寸法は脳のそれに比べれば大幅に小さいが、その手順――リソグラフィー（基本的にはエッチング）を中心とする――は本質的に二次元である。これはコンピューターの基盤とチップの幾何学を見れば明らかだ。もちろん、基盤を積み重ねることはできるが、層と層の間のスペースは層の内部よりずっと大きく、通信ははるかに非効率的だ。脳は三つの次元すべてをうまく利用している。

・自己修復……人間の脳は多くの種類の障害やエラーから回復したり、そうした環境で機能したりすることができる。コンピューターは多くの場合、永久的に修理したり、再起動したりしなければならない。

・接続性……人間のニューロンは通常、数百の接続（シナプス）をサポートする。さらに、これらの接続の複雑なパターンは非常に意味がある。（私が次に挙げるポイントを参照してほしい。）コンピューター装置は一般に、定期的かつ決まったパターンで、わずかな接続しかできない。

・発展（インタラクティブスカルプティングによる自己集合）……人間の脳は細胞分裂によってその構成単

位を増やし、移動と折り畳みによって、それらを一貫した構造のなかに統合する。また、細胞間の豊富な接続を増殖させる。そのスカルプティングの重要な部分は、その人の環境と相互作用するため、乳児や幼児の時代の活動プロセスを通じて起こる。このプロセスにおいて、多くの接続がふるいにかけられるが、その他の接続は使用の際の有効性に応じて強化される。こうして、脳の微細構造は外界——情報とフィードバックの豊富な源泉——との相互作用を通じて調整されるのだ！

・統合（センサーと作動装置）……人間の脳はさまざまな感覚器官を備えている。よく知られているのは、その副産物である目である。さらには、何かをつくるための手や、歩くための足、話すための口など、他種多様な用途をもつ作動装置を備えている。これらのセンサーと作動装置は、脳の情報処理センターにシームレスに統合され、数百万年にもわたる自然淘汰を経て、磨きがかけられる。われわれはその生信号を解釈し、最小限の意識的注意でもってその大規模な行動を制御する。その裏で、われわれがそれをどのようにおこなっているのかわからず、その実行も不透明だ。それは、こうした「ルーティン」の入出力機能に関する人間の標準に到達することが、驚くほど難しいということを証明している。

現在設計されている人工物を凌ぐ、こうした人間の脳の利点は奥深い。人間は感動的な存在の証拠を提供し、私たちが物質からより多くのものを引き出すことのできるいくつかの方法を示す。仮にあるとしても、私たちのエンジニアリングはいつ追いつくのだろうか？

はっきりとはわからないが、いくつかの情報に基づく意見を提示させてほしい。三次元性の挑戦と、比較的規模は小さいが、自己修復は、圧倒されるようなものには見えない。これらはいくつかの難しいエンジニアリング問題を提起するが、多くの漸進的な改善は容易に想像することができ、前途には明確な道筋がある。そして、人間の目、手、その他の感覚器官や作動装置の力がすばらしく効果的である一方で、その能力はいかなる物理的限界にもはるかに及ばない。光学系は空間、時間、色、そしてより大きな電磁スペクトル領域において、より高度な解像度で写真を撮ることができる。ロボットはよりすばやく移動し、より強くなることができる。こうした領域では、多くの軸に沿って、超人的なパフォーマンスに必要な構成要素がすでに手に入る。障害となっているのは、それらの構成要素へ、または構成要素から、情報処理装置の言語で情報を迅速に得ることだ。

　そしてこのことは、脳が人工装置にまさる残りの利点、私が思うに最も深い利点へとわれわれを導く。それは、その接続性と双方向の発展から生まれるのだ。これら二つの利点は互いに相乗効果がある。というのも、非常に細かく接続されていながらも不規則に広がる乳児の脳の構造を形成《スカルプティング》しているのは、双方向的な発展であり、これはニューロンとシナプシスの指数関数的増加によって可能となり、それが驚くべき機器となったものに波長を合わせることができるからだ。コンピューター・サイエンティストらは、脳の構造の力を発見しはじめている。ニューラル・ネットワークの基本設計は、その名が示しているとおり、脳の設計から直接的なインスピレーションを得ており、既に述べたように、これはゲームをしたり、パターンを認識したりする際に目を見張るほどの成功を収めている。だが、現在のエンジニアリングには——（現時点での）自己複製機の難解な領域において——ニューロンやそのシナプシスの力と汎用性に匹敵するものはない。これは新しい、偉大なる研究のフロンティアとなる可能性がある。ここでも生物学が正しい方向性を示す。というのもわれわれは、その本質を模倣することができるほど充分に、生物学的発展を理解するようになったからだ。

　つまるところ、自然知能にまさる人工知能の利点は永久的なものに見える一方で、人工知能にまさる自然知能の利点は、現に存在しているとはいえ、一時的なもののように見える。エンジニアリングが追いつくまでには何十年もかかると推測するが——破滅的な戦争や気候変化、疫病が起こらず、テクノロジーの進歩がその活気を維持できれば——数世紀とまではいかないだろう。

これが正しいとすれば、何世代も先に、スマートデバイスによって権限を与えられ、増強された人間が、ますます有能になって自律したＡＩと共存する日を楽しみに待つことができる。その結果、複雑で急速に変化する知能の生態系と、急速な進化があるだろう。設計された装置が最終的に提供する固有の利点を考えれば、その進化の先駆者となるのはサイボーグであり、スーパーマインドであって、軽やかに着飾ったホモ・サピエンスではないだろう。

もうひとつの重要な推進力は、地球（たとえば深海）と、特に宇宙の両方における有害環境の探査から得られるだろう。人間の肉体は狭帯域の温度、圧力、大気組成を超えた条件に対する適応力が弱い。それはさまざまな種類の特定的で複雑な栄養素と、たくさんの水分を必要とする。また、人間の肉体は放射線硬化しない。有人宇宙計画が充分すぎるほど示してきたように、地球の快感帯の外で生命を維持することは難しく、コストもかかる。サイボーグや自律したＡＩは、こうした探査において、人間よりもはるかに大きな効果を発揮することができるだろう。ノイズに対する感度をもつ量子ＡＩは、冷たく暗い深宇宙でも、つねに快適でいられる可能性がある。

一九三五年の小説 *Odd John* のなかの感動的な一節で、スーパーヒューマン（突然変異体）の知能をもつヒーローを生んだサイエンス・フィクションの奇才、オラフ・ステープルドンは、ホモ・サピエンスを「魂の始祖鳥」と述べている。彼は、普通の人間である友人の伝記作家に、愛情を込めてこのことを語っている。始祖鳥は高貴な生き物であり、より偉大な生物への架け橋なのだ、と。

# 第8章　みずからを時代遅れにするのではなく

## マックス・テグマーク

MITの物理学者、AI研究者で、生命の未来研究所の所長、物理・宇宙学に関する基本問題研究所の科学局長。著書に『数学的な宇宙――究極の実在の姿を求めて』（谷本真幸訳、講談社、二〇一六年）および『LIFE3.0――人工知能時代に人間であるということ』（水谷淳訳、紀伊國屋書店、二〇一九年）がある。

私が数年前にマックス・テグマークを紹介されたのは、彼のMITの同僚で、インフレーション理論の父とされるアラン・グースを通じてだった。すぐれた理論物理学者であり、彼自身、宇宙論者でもあるマックスの最近の主な関心事は、AGI（汎用人工知能――すなわち、人間と同じ知能）の創造によって引き起こされる、迫りくる存続に関わるリスクである。四年前、マックスはジャン・タリンらとともに生命の未来研究所（FLI）を設立した。この研究所は、自称「未来のテクノロジーは人類にとって有益であることを確証すべく最もパワフルに活動する奉仕機関」としている。ロンドンでのブックツアー中、FLIの設立計画の只中にいたマックスは、ロンドン科学博物館を訪れた後、地下鉄の駅で思わず涙がこみ上げてきたと認めている。科学博物館では、ありとあらゆる人類のテクノロジーの進歩を紹介する展示がおこなわれていたという。こうした目覚ましい進歩は、すべて無駄だったのだろうか？

FLIの科学顧問委員会には、イーロン・マスク、フランク・ウィルチェック、ジョージ・チャーチ、スチュアート・ラッセル、そしてオックスフォード大学の哲学者、ニック・ボストロムらが名を連ねている。ボストロムは、よく引き合いに出される結果的にペーパークリップだけで埋め尽くされる世界になるような思考実験を思い描いた人物である。この研究所は、AIの安全性問題に関する会議（二〇一五年にプエルトリコで、二〇一七年にアシロマでそれぞれ開催された）を後援し、二〇一八年には、AGIの社会的利益を最大化する手助けとなるような研究に焦点を合わせた助成金コンテストを設けた。マックスは——専門家以外の人から——デマを飛ばすお騒がせ集団にリストされることもあるが、フランク・ウィルチェックのように、AGIを創造する試みのなかで人類を脇に追いやるようなことをしなければ、そこから多大な恩恵を受けることができる未来があると信じている。

AIがいかに、そしていつ、人類に影響を及ぼすかについては、実にさまざまな議論があるが、宇宙的視点から見れば状況はより明確になる。すなわち、地球上で進化を遂げた、テクノロジーを発展させる生命体は、その結果をあまり真剣に考えることなく、みずからを時代遅れにすることに忙しいのだ。このことは、より野心的なコースを敢えて進めば、これまでにないほど人類が繁栄するすばらしい機会をつくりだすことができると仮定すると、私にとってはあきれるほど納得がいかない。

われわれの宇宙は、その誕生から一三八億年を経ていることに気づいている。小さな青い惑星上で、この宇宙で意識をもつごくわずかな人々が発見したのは、自分たちがかつて存在の総計だと考えていたことが、実はもっとずっと壮大な何かの微小な一部、つまり、精巧なパターンの集団、星団、超銀河団に配置された、一〇〇〇億を超える他の銀河系をもつ、ある宇宙の、ある銀河系の、ある太陽系だということだった。

意識は宇宙の覚醒である。それはわれわれの宇宙を、自意識をもたない無分別なゾンビから、内省、美、希望、意味、そして目的を心に抱く生きた生態系へと変えた。その覚醒が起こらなかったら、われわれの宇宙は意味のないもの――膨大な空間の無駄となっていただろう。われわれの宇宙が、なんらかの宇宙の災難や自らが招いた不幸によって再び永劫の眠りにつくとしたら、それもまた無意味なものとなるだろう。

一方で、ものごとはさらに良くなる可能性もある。われわれは、人類が宇宙において、星を見つめることのできる唯一の、もっと言えば初めての存在なのかどうか、いまだにわからないが、すでにわれわれの宇宙については充分に学んできたため、この宇宙がこれまでよりもはるかに完全に目覚める可能性があるということはわかる。ノーバート・ウィーナーなどのＡＩのパイオニアは、情報を処理し、経験するこの宇宙の能力のさらなる覚醒に必要なのは、累代にわたるこれ以上の進化ではなく、おそらくは、ほんの数十年間の人類の科学的発明の才であるということを示してきた。

われわれは、今朝あなたが眠りから覚めたときに経験したような、自己認識の最初のかすかな光のようなものなのかもしれない。それは、あなたが目を開き、完全に目覚めた瞬間に訪れるような、はるかに大きな意識の予感なのかもしれない。おそらく、人工スーパーインテリジェンスは、生命体を宇宙全体に拡散し、数十億年も一兆年も繁栄させることができ、これはわれわれがここで、この惑星上で、存命中におこなう意思決定によるものなのかもしれない。

もしくは、われわれがなんとか頭をひねって絞りだす知恵よりも急速に成長する、現代のテクノロジーの力が引き起こした、みずからが招いた災難によって、人類はまもなく絶滅するのかもしれない。

## AIの社会的影響に関して発展しつつある議論

多くの思想家は、スーパーインテリジェンスという考え方をサイエンス・フィクションだとして却下する。それは、彼らが知能というものを、生物有機体——特に人間——だけに存在することができる何か神秘的なものとして、また、基本的にこんにちの人間ができることだけに限ったものとして見ているからである。だが、物理学者としての私の意見では、知能は単に、周囲を移動する素粒子がおこなう、ある種の情報処理であり、あらゆる点においてわれわれよりも知的で、宇宙の生命体の種をまくことができるような機械をつくることは不可能だと主張する物理学の法則は何ひとつない。これは、われわれが知能の氷山のほんの一角しか見てこなかったことを示唆する。自然のなかに潜んでいる全知能を解放し、それを人類の繁栄——またはもがき——に役立てるために使用する驚くべき可能性があるのだ。

本書の著者らを含む別の人々が、AGI（汎用人工知能——少なくとも人間と同じくらいうまく認知的作業をこなすことのできる実体）の構築を却下するのは、それが物理的に不可能だと思っているからではなく、人類がそれを一世紀以内に成功させることはあまりに難しいと見なしているためだ。専門的なAI研究者の間では、どちらの種類の却下も、最近の飛躍的進歩のおかげで少数意見となっている。AGIは一世紀以内に実現するという強い期待があり、その中央値予測はわずか数十年先だ。ヴィンセント・ミューラーとニック・ボストロムによるAI研究者の最近の調査は、以下のように結論づけている。

調査の結果、専門家の間では、AIシステムは二〇四〇年から二〇五〇年までにはおそらく（五〇パーセント以上の確率で)、人間の能力全体に到達し、二〇七五年までには非常に高い可能性(九〇パーセントの確率)で到達できるという見方が示されている。そして人間の能力に到達した時点から、二年(一〇パーセント)から三〇年(七五パーセント)以内に、スーパーインテリジェンスへと移行するだろう[1]。

ギガ年の宇宙的視点からすれば、AGIの到達が三〇年以内だろうと三〇〇年以内だろうと、それほど違いはないため、その時期ではなく、予想される影響に目を向けてみることにしよう。

第一に、われわれ人間は自然のプロセスを機械で再現する方法を発見し、われわれ自身の熱、光、機械馬力をつくった。そして次第に、われわれの肉体もまた機械であると気づき、神経細胞の発見によって肉体と精神の境界があいまいになった。最終的には、人間の筋肉だけでなく精神をも凌ぐことができる機械を構築しはじめた。今や、記憶や計算からゲームに至るまで、多くの限られた認知的作業の実行において、われわれは機械に劣っており、車の運転から投資や医学的診断に至るまで、より多くの点で機械に追い越されつつある。AIコミュニティがAGIの構築という当初の目標に成功したら、われわれはすべての認知的作業において、当然のことながら機械の影に完全に身を隠すことになるだろう。

これは多くの明らかな疑問を投げかける。たとえば、AGIをコントロールするものが誰であろうと、

(1) Vincent C. Müller and Nick Bostrom, "Future Progress in Artificial Intelligence: A Survey of Expert Opinion." *Fundamental Issues of Artificial Intelligence*, ed. Vincent C. Müller (Switzerland: Springer International Publishing, 2016), 555-72, https://nickbostrom.com/papers/survey.pdf.

何であろうと、それが地球を制御するのだろうか？　われわれはスーパーインテリジェント・マシンをコントロールすることを目指すべきだろうか？　そうでなければ、こうした機械が人間の価値を理解し、採用し、保持することを、われわれは確証することができるだろうか？　ノーバート・ウィーナーは『人間機械論』に、次のように記している。

もしわれわれが、前以てそういう機械の行動の法則を調べ、その行動がわれわれに受けいれられる原理にのっとって行なわれることを十分確かめることをせずに、われわれの行動をその機械に決定させるなら、それは恐ろしいことである。他方、学習能力があってその習得したことに基づき決定を行なうことができる……機械は、われわれがなすべきであった通りの決定や、われわれが受けいれられるような決定をするように強制されていることは決してない。（『人間機械論』）

そしてこの「われわれ」とは誰なのだろうか？　誰がそうした「決定を……受けいれられる」とみなすのだろうか？　未来の力が人類の存続と繁栄を手助けすることを決めたとしても、われわれが何からも必要とされていないとしたら、われわれは人生において、どのように意味と目的を見いだせばよいのだろうか？

ＡＩの社会的影響に関する議論は、過去数年間で劇的に変化した。二〇一四年、少数の人々が話していたのは、論理的に相容れない、以下の二つの理由のうちの一つにより、技術革新反対主義者のデマとして却下される傾向のあるＡＩのリスクについてだった。

1. AGIは誇大宣伝されたものであり、少なくともあと一世紀は起こらないだろう。
2. おそらくAGIはまもなく起こるだろうが、実質的には有益であるということが保証されていた。

こんにち、AIの社会的影響に関する議論は至るところでおこなわれており、AIの安全性と倫理に関する研究は、企業や大学、学術会議へと移行している。AIの安全性研究に関する論点は、もはやそれを推奨することではなく、却下することなのだ。二〇一五年のプエルトリコAI会議から出た（そして主流のAIの安全性を手助けした）公開状には、AIを有益なものとして維持する重要性について、若干あいまいな言葉で語られていたが、二〇一七年のアシロマの二三の原則（二二四ページ参照）は真の効力を有していた。これには、再帰的自己改善、スーパーインテリジェンス、存続に関わるリスクについて明白に言及されており、AI業界のリーダーや世界各国からの一〇〇〇人以上のAI研究者からの署名を受けた。にもかかわらず、ほとんどの議論は限定されたAIの目先の影響だけを取り扱い、より幅広いコミュニティーは、AGIがまもなく地球上の生命体にもたらすかもしれない劇的な変化に限定的な注意しか向けていないのだ。なぜか？

## われわれがみずからを時代遅れにすることに急ぐのはなぜか、そしてそれについて話すことを避けるのはなぜか

第一に、単純な経済学がある。仕事をよりうまく、より安くおこなう機械をつくることによって、別の種類の人間の仕事を時代遅れにする方法を見つけだすと必ず、社会のほとんどが利益を得る。つまり、そうした機械をつくり、使用する人々が得をし、消費者はより手頃な価格の製品を手に入れる、ということだ。これは、はた織機や掘削機、産業ロボットに当てはまるのと同じくらい、未来の投資家AGIや科学

者AGIにも当てはまる。過去には、機械に置き換えられた労働者は、新しい仕事を見つけるのが常だったが、この基本的な経済的動機は、もはやそれが当てはまらない場合であっても依然として残っている。手頃な価格のAGIの存在は、定義からすれば、すべての仕事が機械によってより安くおこなうことができるということを意味するため、「人々は常に新しい、給料のよい仕事を見つけるだろう」と主張する人は、実際は、AI研究者はAGIの構築に失敗するだろうと主張していることになる。

第二に、ホモ・サピエンスは生来、好奇心が旺盛であるため、この好奇心が、たとえ経済的動機がなくても、知能を理解し、AGIを開発するという科学的希求を刺激する。好奇心は最も称賛に値する人間の属性のひとつだが、それが、賢く管理する方法をわれわれがまだ学んでいないようなテクノロジーを促進する場合は、問題を引き起こす可能性がある。利潤動機のない純粋に科学的な好奇心が、核兵器の発見やエンジニアリングの世界的流行の一因となったのだから、「好奇心は猫をも殺す」という古い金言が人類にも適用できるようになることは考えられなくもない。

第三に、われわれは死を逃れられない。このことは、人間がより長く、より健康的に生きる助けとなる新しいテクノロジーを開発するための、ほぼ満場一致のサポートの説明となり、これが現在のAI研究の強いモチベーションとなっている。AGIは明らかに、医学的研究のさらなる支援となる。思想家のなかには、サイボーグ化とアップロードによって、ほとんど不死の状態になることを熱望する者さえいる。

われわれはこうしてAGIへと向かう滑りやすい坂道の上にいて、当然のことながら、その結果がわれわれの経済的には時代遅れであるとしても、その坂道を下降しつづけるという強い動機をもっているのだ。われわれはもはや、何ものにも必要とされない。なぜなら、すべての仕事は機械によってもっと効率的におこなうことができるからだ。AGIの創造の成功は、人類史上最大の出来事となるだろう。それなら、なぜその行き着く先に関する真剣な議論が、これほどまでに少ないのだろうか？

ここでも、その答えは複数の理由に関わっている。

第一に、アプトン・シンクレアが気の利いたことを言ったが、「ある人が、自分で理解していないことをして給料をもらっているときに、その人にそれを理解させるのは困難だ」というものがある。[(2)] たとえば、テック企業や大学の研究グループのスポークスマンはしばしば、内心ではそう思っていなくても、自分の活動には何のリスクも伴わないと主張する。シンクレアの意見は、喫煙や気候変化によるリスクへの反応を説明するだけでなく、テクノロジーは多ければ多いほどつねに良いとか、この教義に反する者はデマを飛ばす愚かな技術革新反対主義者であるといったことを中心的な信仰箇条とする新しい宗教として、テクノロジーを取り扱っている人がいるのはなぜかを説明するのにも役立つかもしれない。

第二に、人間は希望的観測、過去の欠陥外挿、最先端テクノロジーの過小評価の長い実績をもっている。ダーウィン的進化はわれわれに、視覚化し、想像することさえ難しい未来のテクノロジーからの抽象的な脅威ではなく、具体的な脅威に対する強い恐怖心を与えた。核爆発の映像を見せることもできなければ、誰もそうした武器のつくり方すら知らないような一九三〇年の人々に、未来の核軍備競争を警告しようとしていると考えてみよう。トップの科学者でさえ、その不確かさを過小評価し、あまりに楽観的か——こうした核融合反応炉や空飛ぶ車はどこにあるのか？——またはあまりに悲観的な予測のいずれかを立てる。当時最も偉大な核物理学者と言われたアーネスト・ラザフォードは、一九三三年——レオ・シラードが核連鎖反応の着想を得る二四時間以内に——、核エネルギーは「荒唐無稽な話」だと言った。本質的に、当

(2) Upton Sinclair, *I, Candidate for Governor: And How I Got Licked* (Berkeley: University of California Press, 1994), 109.

時の誰ひとりとして、核軍備競争が訪れることを想像できなかった。

第三に、心理学者が発見したのは、とにかく脅威に対処しようがないと思ったら、われわれはそうした脅威を妨害しようとは思わない傾向があるということだ。しかしながらこの場合、自分自身にこの問題について考えさせることができれば、われわれは数多くの建設的なことができる。

## われわれに何ができるのか?

「自分たちを時代遅れにするようなテクノロジーの構築に急ごう——そこに何の問題があるのか?」から、「刺激的な未来を思い描き、それに向かって舵を取ろう」への戦略の変更を私は提唱する。

舵を取るのに必要な意欲を起こさせるため、この戦略は、ある魅力的な目的地を思い描くことから始まる。ハリウッドの未来はディストピア的になる傾向があるが、AGIはこれまでにないほど人生の繁栄を助けることができるのも事実だ。文明に関して私が愛するすべてのものは知能の産物であるため、われわれがみずからの知能をAGIで増幅すれば、こんにちの、そして未来の最も厄介な問題をも解決する力が与えられる。たとえば、病気や気候変化、貧困といった問題だ。われわれが、共有された未来へのポジティブなビジョンをより詳細なものにすればするほど、その実現に向けてともに努力をしようというモチベーションは高まる。

舵取りについては何をすべきだろうか? 二〇一七年に採用されたアシロマの二三の原則は、以下の短期的目標を含む数多くの指南を提供する。

1. 自律型致死兵器の軍備競争は避けなければならない。

2．AIが創出する経済的繁栄は、幅広く共有し、すべての人類の利益になるようにしなければならない。
3．AIへの投資は、その有益な使用を確証する研究に資金を提供することによって達成しなければならない……未来のAIシステムを極めて強固なものにし、故障したりハッキングされたりすることなく、それらにわれわれが望むことをさせるには、どうすればよいか？(3)

最初の二つの原則は、準最適なナッシュ均衡にはまり込まないということを必然的に含んでいる。自動化された匿名の暗殺の代価をゼロにするような、自律型致死兵器の制御不能な軍備競争は、それが勢いを増したが最後、止めることは非常に難しい。第二の目標を達成するには、人口集団が絶対値として貧しくなり、怒りや恨み、分裂に火をつけているような、いくつかの西洋諸国における現在の傾向を転覆する必要がある。第三の目標が達成されない限り、われわれが創造するすばらしいAIテクノロジーのすべてが、偶然にせよ、故意にせよ、われわれを傷つける恐れがある。

AIの安全性研究は、厳格な期日を念頭に実行されなければならない。AGIが到来する前に、われわれはAIに自分たちの目標をいかに理解させ、採用させ、保持させるかを理解していなければならない。機械が知能と力を得れば得るほど、われわれのゴールと機械のゴールを調整することがより重要になる。われわれが比較的愚かな機械を構築している限り、問題は、人間の目標が広く行き渡るかどうかではなく、単に、われわれが目標調整問題を解決する前に、機械がどれほど多くのトラブルの原因になりうるか、と

(3) https://futureoflife.org/ai-principles.

いうことなのだ。しかしながら、スーパーインテリジェンスがついに解き放たれたら、話は逆になるだろう。知能というのは目標を達成する能力であるため、スーパーインテリジェントＡＩは当然のことながら、われわれ人間が自分たちの目標を達成するよりもずっとうまく自らの目標を達成し、したがって広く浸透していくだろう。

換言すれば、ＡＧＩの本当のリスクは悪意ではなく能力である、ということだ。スーパーインテリジェントＡＧＩは、極めて巧みにみずからの目標を達成し、その目標が人間の目標と合致していなければ、われわれはトラブルに陥る。人は、蟻塚を溢れさせて水力発電ダムをつくることに、それほど深く思い悩むことはないのだから。人類を蟻に位置づけるのはやめよう。ほとんどの研究者は、もしわれわれがスーパーインテリジェンスをつくることになったら、それが、ＡＩの安全性のパイオニア的存在であるエリエゼル・ユドカウスキーが〝友好的なＡＩ〟と名づけたものであることを確認しなければならない。つまり、その目標がなんらかの深い意味で有益であるようなＡＩということだ。

これらの目標が示すべき道徳的問題は、目標調整に関わる技術的問題と同じくらい急を要する。たとえば、どのような種類の社会をわれわれはつくりたいと願っているか、厳密に言えば自分たちが必要とされていないとしても、自分たちの人生のどこに、われわれは意味と目的を見いだすか、といった問題だ。私はしばしば、この問題に対する以下のような口先だけの回答を得る。「自分たちより頭のいい機械をつくり、それらに答えを考えさせよう！」これは知能と道徳観を誤って同一視している。知能は善でもなければ悪でもなく、道徳上中立的なものだ。それは、良かれ悪しかれ複雑な目標を達成する能力である。われわれは、ヒトラーがもっと知的であったなら物事はより良い方向へ進んでいたかもしれないと結論づけることはできない。実際、目標調整されたＡＧＩの構築が終わるまで倫理的問題への取り組みを延期することは無責任であり、破滅を引き起こす可能性があるのだ。人間の所有者の目標とみずからの目標を自動的に調整する完璧に従順なスーパーインテリジェンスは、ナチスの親衛隊中佐、アドルフ・アイヒマンを極端にしたような存在かもしれない。それ自体では道徳的指針も抑制力ももたないこのスーパーインテリジェンスは、無慈悲な効率性でもって、どんなことになろうとも、その所有者の目標を実行するかもしれない。(4)

テクノロジーのリスクを分析する必要性について話すとき、私はときどき、デマのそしりを受ける。だが、私が研究活動をしているここMITでは、そうしたリスク分析がデマではないことをみな知っている。それは安全工学なのだ。月面着陸のミッションの前、NASAは、極めて発火しやすい燃料をいっぱいに積んだ一一〇メートルのロケットのてっぺんに宇宙飛行士を乗せ、誰も助けることのできない場所へ向けて彼らを発射させる際に起こりうるすべての失敗を体系的に考えた。そして、失敗する可能性があることがらは、実にたくさんあったのだ。これはデマだったのか？ いや、それはこのミッションの成功を確証する安全工学だった。同様に、私たちはAIの成功を確証するために、可能性のある失敗を分析するべきなのだ。

(4) たとえば以下を参照。Hannah Arendt, *Eichmann in Jerusalem: A Report on the Banality of Evil* (New York: Penguin Classics, 2006).
(5) 以下を参照。Elizabeth Kolbert, *The Sixth Extinction: An Unnatural History* (New York: Henry Holt, 2014).

将来の見通し

要するに、われわれのテクノロジーが、われわれがなんとか絞りだそうとする知恵を超えるものになったとき、それは人類の滅亡につながる可能性があるということだ。ある概算によると、テクノロジーはすでに、地球上のすべての種族の二〇～五〇パーセントの絶滅の原因となっており、[5] 私たち人類がその列の次に並んでいるとしたら皮肉なことだろう。また、AGIが提供する機会が文字通り天文学的に多く、地球だけでなく、われわれの宇宙のほぼ全体で、数十億年もの間、生命体を繁栄させることができたとしても、それはそれで哀れを誘うだろう。

この機会を非科学的なリスクの否定と貧困な計画を通じて無駄に使う代わりに、大志を抱こうではないか！　ホモ・サピエンスは、感動的なまでに野心的だ。それはウィリアム・アーネスト・ヘンリーの詩、「インビクタス」の有名な一節にも反映されている。「私が我が運命の支配者／私が我が魂の指揮官なのだ」。われわれ自身が時代遅れへと向かう舵のない船のように漂流するよりも、われわれと良きハイテクの未来との間にある技術的、社会的困難を引き受け、それらに打ち勝とう。道徳規範、目標、そして意味に関連する存在論的困難についてはどうだろうか？　物理学の法則にエンコードされた意味は何ひとつないのだから、自分たちの宇宙がわれわれに意味を与えてくれるのをひたすら待つ代わりに、人間という意識的存在こそが、われわれの宇宙に意味を与えるのだということを認識し、称賛しようではないか。仕事をもつことよりも深遠な何かに基づいて、自分たち自身の意味をつくろう。AGIによって、われわれは最終的に、自分自身の運命の支配者となることができるのだ。その運命を、真に刺激的なものにしようではないか！

# 第9章　反体制派のメッセージ

## ジャン・タリン

コンピューター・プログラマーで、理論物理学者、投資家。共著書に*Skype and Kazaa*がある。

ジャン・タリンはエストニアで育ち、この国がまだソビエト社会主義共和国であった頃、数少ないコンピューターゲームの開発者となった。本章で彼は、鉄のカーテンを打倒した反体制派と、人工知能の急速な進歩に警鐘を鳴らす反体制派とを比較している。彼は現在のAI反体制派のルーツを、逆説的にも、ウィーナーやアラン・チューリング、I・J・グッドといったAI分野のパイオニアに位置づけている。

ジャンの最大の関心事は、人間の存続に関わるリスクであり、それは多くのなかでも最も極端なAIである。二〇一二年、彼は存続に関わるリスク研究センター――多分野にまたがる研究機関で、「新興のテクノロジーと人間の活動に関連するリスクを軽減することを目指す」――を、哲学者のヒュー・プライスとイギリスの王室天文官、マーティン・リースとともに、ケンブリッジ大学に設立した。

ジャンはかつて自分自身を「確信を持った帰結主義者」だと言い表した――つまり、生命の未来研究所（これについても彼は共同創設者のひとりだ）や機械知能研究所、リスク軽減に努めるその他の機関にみずからの起業家として財産の多くを捧げることができるほど、確信をもっているということだ。マックス・テグマークは彼についてこう書いている。「もしあなたが今から数百万年後にこのテキストを読んでいる生命の繁栄ぶりに驚嘆する知的生命体であれば、あなたが存在しているのはジャンのおかげだろう」

最近ロンドンを訪れたとき、ジャンと私は、ウルリッヒ・オブリスト（本書の寄稿者のひとり）の支援を受けてロンドンのシティホールでおこなわれた、サーペンタイン・ギャラリー・マラソンのためのあるAIパネルに出席した。芸術界のイベントだったため、その夜には、あるマンションの一室で華やかなディナーパーティーが開かれ、部屋は着飾ったロンドンっ子たち——芸術家、ファッションモデル、政治家、舞台や映画のスターなど——で埋め尽くされた。気取らない様子で（「こんばんは、ジャンです」と気軽に声をかけ）、ひとしきり仕事をした後、彼は突然「ヒップホップダンスの時間だ」と言うと、床に片手をついて身体を支え、驚いて困惑した表情を見せる大物たちを前に目を見張るばかりの動きを披露した。そして、ダンスクラブというサブカルチャーのなかに姿を消した。街に出た夜、彼がいつもどこに行き着くかは明らかだ。この事実をたれが知っていただろうか？

二〇〇九年の三月、私は、往来の激しいカリフォルニアのフリーウェイにほど近い、何の変哲もないフランチャイズ・レストランにいた。ブログをフォローしていたある若者に会うためだった。自分だとすぐにわかるように、彼は、〝たとえその声が震えようとも、真実を語れ〟という文字が書かれたバッジをつけていた。彼の名はエリエゼル・ユドカウスキー。それからわれわれは四時間もの間、彼が世界に向けて発信しているメッセージについて語り合った——このメッセージこそ、私をこのレストランへと導いたものであり、最終的には、その後に続く私の仕事の重要な要素になったのだ。

## 第一のメッセージ：ソビエト占領

『人間機械論』のなかでノーバート・ウィーナーは、通信というレンズを通して世界を見ていた。彼は熱力学第二法則に従えば、さけがたく熱死に向かって突き進む宇宙を見た。そうした宇宙で唯一、（準）安定性をもつ実体は、メッセージだ。それは湖の水面に広がるさざ波のように、時間を通じて伝播する情報のパターンである。われわれ人間も、メッセージだと考えることができる。というのも、その肉体にある原子はあまりにはかなく、われわれのアイデンティティを付加することができないからである。むしろわれわれは、みずからの肉体的機能が保持する「メッセージ」というわけだ。ウィーナーは次のように述べている。「それは、このホメオスタシスによって保持されるパターンであり、われわれの個人的アイデンティティの試金石なのだ」

私は次第に、処理と計算を世界の礎石として扱うことに慣れてきた。とはいえ、ウィーナーのレンズは、私の人生のかなりの部分を形づくってきたかもしれないにもかかわらず、ともすると背景のなかに取り残されたままだったかもしれない世界の興味深い側面を引き出す。これらはまた二つのメッセージであり、そのどちらもが第二次世界大戦にルーツをもつ。これらは静かな反体制派のメッセージ——たとえ人々がひそかに、またおそらくは無意識に同意していたとしても、それほど注意を払わなかったようなメッセージ——として始まった。第一のメッセージは、〝ソビエト連邦は一連の非合法的占領で構成されている。これらの占領は終わらせなければならない〟というものだった。

エストニア人である私は、鉄のカーテンの影で育ち、それが降ろされたときは最前列にいた。私はこの第一のメッセージを、祖父母のノスタルジックな思い出のなかで、ボイス・オブ・アメリカ〔アメリカ政府の海外向けラジオ放送〕の受信を遮る耳障りなノイズとともに耳にした。そのメッセージは、ゴルバチョフの時代、政府が反体制派を寛大に扱うようになるにつれて高まりを見せ、一九八〇年代後半の、いわゆるエストニアの「歌う革命」で最高潮に達した。

一〇代のころ、私は、次第に大きな集団を形成してゆく人々の中に、このメッセージが広まっていくのを目の当たりにした。最初は、半世紀の間、多大な犠牲を払って声を上げつづけてきた活動的な反体制派から始まり、これが芸術家や文学愛好者へ浸透し、最終的には、党員や政治家を転向させた。この新しいエリートは、多方面にわたる人々から構成されていた。弾圧をなんとか乗り切ってきた最初の反体制派、一般知識人、そして（生き残った反体制派には極めて迷惑なことに）元共産主義者もいた。残りの独断主義者ら——著名人も含まれていた——のなかは、最終的に周縁に追いやられ、ロシアに逃げ込んだ者もいた。

興味深いことにこのメッセージは、あるグループから次のグループへ伝播するにつれて進化していったのだ。最初は、真実を自分たちの個人的自由よりも重要だと考えていた反体制派の間で、純粋な、妥協のないやり方（「占領は終わらせなければならない！」）で始まった。失うものの方が多い主流派グループは、当初はこのメッセージの表現を弱め、希釈し、「地域のことがらに関する管理を委任することは、長い目で見れば筋が通っている」といった立場をとった。（そこには常に例外があった。一般知識人のなかには、最初の反対派のメッセージを一言一句違わずに宣言する者もいた）。最終的に、最初のメッセージ——単純に真実である——が、その希釈されたバージョンに勝った。エストニアは一九九一年に再び独立を手にし、最後のソビエト軍はその三年後に撤退した。

エストニアや東欧圏でリスクを負いながらも真実を語った人々は、最終結果において極めて重要な役割を果たした——それは、私自身を含め、何億もの人々の生活を変えるような結果だった。彼らは、たとえその声が震えようとも、真実を語ったのだ。

## 第二のメッセージ：AIのリスク

第二の革命的メッセージに触れたのは、ユドカウスキーのブログを通じてだった——このブログが私を駆り立て、あのカリフォルニアでの会合が実現したのだ。そのメッセージとはこうだ。「AIにおける継続的進歩は、宇宙的規模の変化を招く可能性がある——それは、すべての人間を殺してしまうかもしれない暴走プロセスである。われわれはより一層、多くの努力をして、この結果を阻止する必要がある」。ユドカウスキーとの会合の後、私が最初にしたのは、Skype仲間と近しい協力者に、彼の警告に関心をもってもらうことだった。だが失敗した。このメッセージはあまりに常軌を逸していて、あまりに反体制的だったからだ。時期尚早だった。

後になってから知ったことだが、ユドカウスキーはこの特定の真実を語った最初の反体制派ではなかった。二〇〇〇年四月、「WIRED」誌に長文の意見書が掲載された。「なぜ未来はわれわれを必要としないのか」というタイトルで、サン・マイクロシステムズの共同創設者でありチーフサイエンティストであるビル・ジョイが記したものだった。彼は次のように警告している。

ほぼルーティンとなった科学的躍進とともに生きることに慣れてしまった私たちは、二一世紀で最も注目に値するテクノロジー——ロボット、遺伝子工学、ナノテクノロジー——が、それ以前に現れたテクノロジーとは異なる脅威をもたらすという事実と、まだ折り合いをつけていない。とりわけ、ロボット、遺伝子工学、そしてナノボットは、いずれも危険な増幅要素を共有している。それらは自己複製することができるのだ……一体のボットが多数になり、すぐさま手に負えなくなる可能性がある。

はたして、ジョイの激しい批判は、怒りを引き起こしはしたが、ほとんど動きはなかった。

だが、私をもっと驚かせたのは、AIのリスクに関するこのメッセージが、コンピューター・サイエンスという分野とほぼ同時に出現したということだった。一九五一年の講義で、アラン・チューリングはこう告げた。「機械の思考が開始されたが最後、それがわれわれの微弱な力を凌ぐようになるのにそれほど時間はかからないだろう……したがって、ある段階で、われわれは機械が支配権を握ることを予期しなければならない……」[1] それから一〇年ほど経って、彼のブレッチリー・パークの同僚、I・J・グッドは次のように書いた。「最初の超知的機械は、人間がつくる必要のある最後の発明となる。ただしこの機械が、みずからを管理下に置く方法を私たちに教えてくれるほど従順であればの話だが」[2]。確かに、私は『人間機械論』のなかで、ウィーナーが制御の問題のいずれかの側面を仄かしている部分を、五、六箇所見つけた。(「みずからの学習を基に学び、意思決定することができる魔神のような機械は、われわれがするべきだった意思決定をしなければならないということは決してないし、その決定が、われわれが受け入れることができるものでなければならないということはないのだ」)。明らかに、AIリスクのメッセージを広めた最初の反体制派は、その人自身、AIのパイオニアだったのである!

## 進化の致命的ミス

洗練されたものも、それほどでもないものも含め、制御の問題がなぜ真実であり、なぜサイエンス・

フィクション的な幻想ではないかに関して、数多くの議論がおこなわれてきた。この問題の重大さを示している議論を紹介させてほしい。

過去一〇万年の間、世界（地球という意味だが、太陽系や、ともすると全宇宙にまで議論は及ぶ）は人間―脳の体制下にあった。この体制下で、ホモ・サピエンスの脳は、最も洗練された未来を形づくるメカニズムとされてきた（実際、これを宇宙で最も複雑なものだと呼ぶ人もいた）。当初、われわれは、狩猟社会でのサバイバルや部族間の権力闘争をはるかに超えたものに対して、このメカニズムを使用することはなかったが、今やその影響は自然の進化のそれを凌いでいる。この惑星は、森林をつくることから街をつくることへと変わってしまった。

チューリングが予測したように、われわれがスーパーヒューマンＡＩ（「機械的思考方法」）をもったが最後、人間―脳体制は終わるだろう。周りを見てほしい――一〇万年体制の最後の数十年を、あなたは今、目撃しているのだ。こう考えるだけで、人々は、ＡＩを単なるもうひとつのツールとして退けてしまう前に思いとどまるべきなのである。世界をリードするＡＩ研究者のひとりが、最近私にこんな告白をした。人間レベルのＡＩをつくることはわれわれには不可能だと知って、ひどく安心した、と。

もちろん、人間レベルのＡＩを開発するには長い時間がかかるだろう。だがわれわれには、これが実はそれほどでもないのではないかと疑うだけの理由がある。結局、相対的に見れば、進化――盲目的で不器

(1) その後 *Philosophia Mathematica* 4, no. 3 (1966): 256–60 に再録。
(2) Irving John Good, "Speculations Concerning the First Ultraintelligent Machine," *Advances in Computers* 6 (Cambridge, MA: Academic Press, 1965): 31–88.

用な最適化のプロセス――によって人間レベルの知能をつくることは、協力してくれる動物がいればそれほど時間はかからなかった。ついでに言えば、多細胞生物だ。多細胞の有機体がいれば、進化によって人間をつくるほうが、細胞同士をくっつけることよりはるかに簡単だったと思われる。われわれの知能レベルが、産道の幅などのグロテスクな要素によって制限されていたことは言うまでもない。ＡＩ開発者が自分のコンピューターのフォントサイズをどうしても調整することができずに、その場で固まってしまっていることを想像してみてほしい！

ここには興味深い対称性がある。人間を形づくる際、進化は、少なくとも多くの重要な次元で、進化そのものよりもパワフルな設計と最適化を担うシステムをつくった。われわれは、自分たちが進化の産物であることを理解した最初の種族である。さらに、われわれは、進化がその創造をほぼ期待していなかった多くの人工物（ラジオ、銃、宇宙船）をつくった。われわれの未来はしたがって、われわれ自身の意思決定によって決まるのであり、もはや生物学的進化によって決まるのではないのだ。その意味で、進化はそれ自体の〈制御の問題〉の犠牲になってしまったということである。

われわれが望むことができるのは、そうした意味での進化よりも自分たちのほうが賢いということである。もちろん私たちは、確かにより賢いが、それだけで充分だろうか？　このことに、われわれはまさに気づこうとしている。

## 現在の状況

そして今、われわれは、チューリング、ウィーナー、グッドによる最初の警告から半世紀以上、そして私のような人々がＡＩリスクのメッセージに注意を払い始めてから一〇年後の現在にいる。この問題に立ち向かう上で、人間がかなり前進したことがわかり、嬉しく思う一方で、確実にまだそこには到達していない。ＡＩリスクはすでにタブーとされるトピックではなくなったが、ＡＩ研究者の間で、まだ完全に正しく理解されてはいない。ＡＩリスクはまだ一般的な知識でもない。最初の反体制派のメッセージのタイムラインとの関連からすると、われわれは一九八八年のあたり――つまり、ソビエトの占領というトピックをもちだすことが、もはや仕事がクビになるような行動ではなくなったが、それでもやはり自分の地位を失わないように必死で守らなければならなかったような時代――にいると言っても良いだろう。今、同じような防衛手段を耳にする――たとえば「スーパーインテリジェントＡＩについては心配していないが、いろいろなものが自動化されていくことには、真の倫理的な問題がある」とか、「ＡＩリスクについて調査している人がいるというのは良いことだが、それは短期的な懸念事項ではない」とか、さらには、「これらは可能性の低いシナリオだが、その潜在的に高い影響力は注意を向ける正当な理由となる」といった非常に合理的に聞こえるものもある。

だが、メッセージの伝播が続く限り、われわれは転換点に近づいているのだ。二〇一五年に開催された二つの主要な国際ＡＩ会議で発表したＡＩ研究者の最近の調査によると、四〇パーセントの人々が今、高度に進歩したＡＩによるリスクは「重要な問題」である、または「この分野で最も重要な問題のひとつ」であると考えている。[3]

もちろん、みずからの立場を決して変えない独断的な共産主義者と同様、ＡＩは潜在的に危険だという

(3) Katja Grace et. al., "When Will AI Exceed Human Performance? Evidence from AI Experts," https://arxiv.org/pdf/1705.08807.pdf.

ことを決して認めようとしない人々も必ずや存在する。前者の否定者の多くは、ソビエトのノーメンクラツーラ〔旧ソ連、東欧諸国における共産党や政府の特権的幹部〕出身の人々だ。同様に、AIリスクの否定者は多くの場合、財政的その他の実用的な動機がある。主な動機のひとつは企業利益だ。AIは利益が出る。利益が出ないとしても、少なくとも自分の会社を関連づけるための、時代感覚に合った前向きな企てだ。したがって、多くの否定的立場は、企業PRや法的機構の産物というわけだ。極めて現実的な意味で、大企業はみずからの利益を追求する非人間的な機械なのだ――この利益は、企業のために働く特定の人間の利益とは合わない可能性がある。ウィーナーが『人間機械論』で述べているように、「人間の原子が、みずからが使われている有機体のなかに、責任ある人類の権利としてではなく、歯車やレバー、ロッドとして編み込まれているとき、その原材料が生身の人間であることはほとんどどうでも良い」のだ。

AIリスクを見て見ぬふりをするもうひとつの強い動機は、際限のない〔非常に人間的な〕好奇心である。「技術的に魅惑的な何かを発見したとき、まず行動を起こして技術的な成功を得たのちに、それをどうしたらよいかについて議論するものだ。これが、原子爆弾を開発したときのやり方だった」と、J・ロバート・オッペンハイマーは語った。彼の言葉は最近になって、AIリスクという文脈でディープ・ラーニングを発案したと言われるジェフリー・ヒントンの同調を得ている。ヒントンは次のように語る。「通常の議論をすることもできるが、本当のことを言えば、この発見の可能性はあまりに魅惑的だ」

紛れもなく、われわれは起業家的態度と科学的好奇心をもって、現代において当然だと思っているすばらしいことのほとんどすべてに感謝している。だが、進歩には、われわれに良い未来をもたらさなければならないという義務はないということを認識することは重要だ。ウィーナーの言葉を借りれば、「進歩を、倫理原則として信じることなく、ひとつの事実として信じることは可能」なのである。

究極的に、すべての企業のトップやＡＩ研究者が進んでＡＩリスクを承認しようとするまで、悠長に待っている余裕などない。今にも離陸しようとしている飛行機の座席に座っている自分を想像してみてほしい。突然、専門家の四〇パーセントが、この飛行機に爆弾が仕掛けられていると信じている、というアナウンスが流れたとする。その時点で、今後の方針はすでに明白だ。それは、残りの六〇パーセントが同調するのを、そこに座ってじっと待っていることではないのだ。

## ＡＩリスクのメッセージを較正する

最初の反体制派が発したＡＩリスクのメッセージは、不気味なまでに未来を暗示している一方で、巨大な欠陥を孕んでいる——それは、現在の公の議論を支配しているメッセージにも言えることだ。どちらも、この問題の大きさのみならず、ＡＩの潜在的利点をもかなり軽視しているのだ。換言すれば、このメッセージはゲームの利害を適切に伝えていないということである。

ウィーナーは主に、社会的リスクについて警告した——つまり、機械が生成する決定と、ガバナンス・プロセスや、そうした自動化された意思決定の（人間による）誤用との、不注意な統合に由来するリスクである。同様に、ＡＩリスクに関する現在の「深刻な」議論は、大部分がテクノロジー関連の失業や機械学習における偏見といった問題に焦点を合わせている。そうした議論は価値があり、短期的な緊急問題に取り組んでいるとも言える一方で、驚くほど視野が狭いのだ。ユドカウスキーのブログにあった、こんな気の利いた言葉が思い出される。「従来の人的労働市場に対するマシン・スーパー・インテリジェンスの影響について尋ねることは、月が地球に衝突することによって、アメリカと中国の貿易パターンがどのような影響を受けるかを尋ねているようなものだ。確かに影響はあるだろうが、ポイントがずれている」

私の考えでは、ＡＩリスクの中心的なポイントは、スーパーインテリジェントＡＩは環境リスクであるということなのだ。少し説明させてほしい。

「意識する水たまり」と題するたとえ話のなかで、ダグラス・アダムズは、朝目覚めると、「びっくりするほど自分によく合う」穴のなかにいることに気づいた水たまりについて説明している。この観察から、水たまりは、世界は自分を入れるためにつくられたに違いないと結論する。したがって「水たまりは、自分が消える瞬間、むしろ不意打ちを食らう」と、アダムは書いている。「ＡＩリスクは好ましくない社会的発展に限定されている、と決めてかかると、同じような過ちを犯すことになる。宇宙はわれわれのためにつくられたのではなかった、という厳しい現実があるのだ。その代わり、われわれは進化によって、非常に狭い範囲の環境パラメータに合わせて微調整されている。たとえば、われわれには約一〇〇キロパスカルの圧力で充分な酸素濃度をもつ、ほぼ室温に近い地表面の環境が必要だ。この危うい均衡がたとえ一時的にでも妨害されたら、ほんの数分でわれわれは死んでしまう。

シリコンベースの知能は、環境に関するそうした懸念を共有していない。だからこそ、探査機を使って宇宙を調査したほうが、「肉の缶詰」よりもむしろずっと安上がりなのだ。さらに、地球の現在の環境は、ほぼ確実に、スーパーインテリジェントＡＩが非常に大切にしているもの、すなわち効率的な計算に準最適である。したがって、われわれはこの地球が突然、人為的な地球温暖化から機械的な地球冷却化に変わるのを発見するかもしれない。ＡＩの安全性研究が取り組むべき大きな挑戦は、潜在的にスーパーインテリジェントなＡＩ――私たち自身よりずっと大きな面積をもつＡＩ――に、どのようにわれわれの環境を生物学的生命体が居住できないものにさせないようにするか、ということだ。

興味深いことに、ＡＩ研究とＡＩリスクの放棄という両者の最も強力な源泉が大企業の傘下にあると仮定すると、よくよく目を凝らせば、「環境リスクとしてのＡＩ」のメッセージが、みずからの環境的責任を回避しようとする企業に関する慢性的な懸念事項のように見えてくる。

反対に、ＡＩの社会的影響に関する懸念もまた、そのほとんどすべての良い面を見逃している。われわれの惑星の未来が、人類の最大の可能性と比べてどれほど小さく、視野が狭くしか議論されていないということは、どんなに強調してもしすぎることはない。天文学的時間尺度では、われわれの惑星はまもなく消滅し（われわれが太陽を飼い慣らすという、これもまた無視できない可能性がない限り）、文明を長期間持続させるためのほぼすべてのリソース――原子と自由エネルギー――は深宇宙にある。

ナノテクノロジーの発案者であるエリック・ドレクスラーは最近、「パレート・トピア」という概念を普及させようとしている。つまり、正しくおこなえば、ＡＩはあらゆる人の生活が大幅に改善するような未来、損をする人が誰ひとりいない未来をもたらすことができるとする考え方だ。ここでの重要な認識は、人間が最大限の可能性を達成するのを妨げるものは、主に、自分がゼロサムゲーム――プレイヤーが他人を犠牲にして小さな勝利を勝ち取るゲーム――のなかにいるという本能的な感覚なのかもしれないということだ。そうした本能は、あらゆるものが賭けの対象で、文字通り天文学的な報酬の得られる「ゲーム」では、深刻なまでに間違った方向へ導かれ、破滅的になる。われわれの銀河系だけでも、地球上の人間の数よりもはるかに多い恒星系があるのだ。

## 希望

これを書いている時点で、私は、ＡＩリスクのメッセージが人間を絶滅から救うことができるという、慎重ながらも楽観的な考えを抱いている。ソビエト占領のメッセージが何億もの人々の解放で終わったように。二〇一五年の時点で、それはＡＩ研究者の四〇パーセントに達し、彼らの考えを改めさせた。新たな調査が現在、ＡＩ研究者の大多数がＡＩの安全性は重要な問題だと考えているということを示したとしても、私は驚かないだろう。

ＡＩの安全性に関する初の技術的な論文が、ディープ・マインド、オープンＡＩ、Google brainから生まれ、こうした、ともすると非常に競合的な組織のなかで、ＡＩの安全性を研究するチームの間に協力的な問題解決精神が芽生えているのを見て、非常に嬉しく感じている。

世界の政治やビジネスのエリートもまた、ゆっくりと目覚めはじめている。ＡＩの安全性は、米国電気電子学会（ＩＥＥＥ）、世界経済フォーラム、および経済協力開発機構（ＯＥＣＤ）による報告書やプレゼンテーションで取り扱われるようになった。最近（二〇一七年七月）の中国のＡＩマニフェストにも、「ＡＩの安全性監視」や「法律、規則、倫理基準の制定」、「ＡＩのセキュリティと評価システム」の策定といった、特に「リスクへの意識を高める」ための項目が含まれている。私が心から望むのは、ＡＩの制御の問題や最終的な環境リスクとしてのＡＩを理解する新しい世代のリーダーが、いつもの種族間のゼロサムゲームを突破し、われわれが身を置いているこうした危険な海を超えるよう、人類を導くことだ――そうすることで、数十億年もわれわれを待ちつづけている星への道が開けるだろう。

われわれの次の一〇万年を祝して！　そして真実を語ることを恐れてはならない。たとえその声が震えようとも。

# 第10章 科学技術予測と、過小評価される概念の因果的な力

スティーヴン・ピンカー

ハーバード大学心理学教授で、視覚認知、心理言語学、社会関係の研究をおこなう実験心理学者。著書は『人間の本性を考える～心は「空白の石版」か』（山下篤子訳、NHK出版、二〇〇四年）、『暴力の人類史（上・下）』（幾島幸子・塩原通緒訳、青土社、二〇一五年）、『21世紀の啓蒙 理性、科学、ヒューマニズム、進歩（上・下）』（橘明美・坂田雪子訳、草思社、二〇一九年）など多数。

言語の研究でも、現実的な心の生物学の提唱でも、あるいは人道主義的な啓蒙思想の視点による人間の本性の探究でも、心理学者スティーヴン・ピンカーは長年の研究で心の世界や心の計算理論を自然主義的に理解するようにこころがけてきた。言語や心や人間性を実験に基づいて考えるという姿勢の識者としては、初めて国際的に認められた人物と言えるだろう。

「ダーウィンが万物創造説によらず自然界を思慮深く観察することを可能にしたように、チューリングたちは精神主義によらず認知世界を思慮深く観察することを可能にした」とピンカーはいう。AIの危険性についてのディベートでは、非常に暗い未来予測に反論し、そういう予測は最悪の心理的バイアスから生まれるもので、顕著な例がメディアの報道であると述べた。「大惨事のシナリオが、ありそうもない想像の世界で安易に演じられ、大

衆はつねに、不安に駆られる科学技術恐怖症になるか、病的なほどすくみあがっている」と。それゆえに、何世紀にもわたり以下のようなものが次々にあらわれたという。パンドラ、ファウスト、魔法使いの弟子、フランケンシュタイン、人口爆発、資源の枯渇、ＨＡＬ、スーツケース型核爆弾、二〇〇〇年問題、ナノ社会の脅威である〈グレイグー〉（自己増殖するナノマシンが無限に増殖して地球上を覆うという架空の事象）。「ＡＩがもたらすというディストピアには、特徴がある」とピンカーは指摘する。「偏狭な支配者の心理を、知能という概念に投影しているのだ。歴史の中では時おり誇大妄想的な独裁者や精神を病んだ連続殺人者が現れるが、そういう特質は、ある種の霊長類に備わる男性ホルモン感受性神経回路を形成する自然淘汰の結果であり、知能システムに必ず備わっている特質ではない」

このエッセイでピンカーは、ウィーナーが科学技術の侵害に対して概念の力を信じていることを称賛している。ウィーナーが実に適切に述べているように、「社会に対する機械の危険性は、機械自体に由来するのではなく、人間が作り出すもの」なのだ。

人工知能（ＡＩ）は、有史以来の素晴らしい概念の存在証明である。つまり、知識や理性や目的という抽象的なものは生命の飛躍《エランヴィタール》とか無形の魂とか、神経組織の奇跡の力から成るのではないのだ。正確にいうと、それは情報や計算や制御という概念を通して動物と機械という有形のものと結びつけられる。知識は、世界の状況と、数学的・論理的な真理と、そして相互に、系統的に関わる物質やエネルギーのさまざまなパターンとして説明することができる。一方理性は、それらの関連を保存するように設計された身体的機能によって知識が形を変えたものとして説明することができる。目的は、現在の状態と目標とする状態の違いに基づいて、世界に変化をもたらそうとする活動の制御として説明することができる。自然に進化してきた脳は、情報や計算や制御を通して知能を獲得するという、まさにもっともよく知られたシステムだ。知能を獲得するように人間に設計されたシステムは、情報処理という言葉で説明できる考え、つまり故ジェリー・フォーダーが心の計算理論と呼んだ考えが間違っていないことを示している。

本書がテーマとしているノーバート・ウィーナーの『人間機械論』は、この知的業績をたたえているが、ウィーナー自身がその基礎をつくった貢献者である。心の計算理論を世に出した革命的な二〇世紀半ばを簡単に振り返ると、知識と通信を情報の観点から説明できるようになったのは、クロード・シャノンとウォーレン・ウィーヴァーの功績だと言えるかもしれない。知能と理性を計算の観点から説明できるようになったのは、アラン・チューリングとジョン・フォン・ノイマンの功績だと言えるかもしれない。そして、目的やら目標やら目的論といったこれまでは不可解だった世界を、フィードバックや制御やサイバネティックス（目標を設定されたシステム操作の「舵取り」という本来の意味で）という技術的な発想に基づいて説明できるようになったのは、ウィーナーの功績と言っていいだろう。「人間の身体の働きといくつかの最近の通信機器の働きが、フィードバックを通してエントロピーを制御しようとする点において、まさに類似しているというのが私の意見である」と彼は書いた。エントロピーの制御とは、生命を衰退させるエントロピーを未然に防ぐことで、これが人間の最終的な目標だ。

ウィーナーはサイバネティックスという概念を第三のシステム、すなわち社会に当てはめた。複雑な社会の法律や規範や慣習、メディアやフォーラム、そして制度は、情報の伝播とフィードバックの経路と考えられる。無秩序を防ぎ目標の追求を可能にするための経路である。これが『人間機械論』の論旨であり、ウィーナー自身、著作の主な貢献だと考えたかもしれない。フィードバックの説明の中でウィーナーは次のように書いている。「行動のこのような複合体は普通の人間から無視されていて、とりわけ、われわれがいつもおこなっている社会分析において果たされるべき役割を果たしていない。個人の身体的反応をこの観点から見ることが可能であるのと同じように、社会自体の組織的反応もそのように見ることができるかもしれない」

実際のところ、ウィーナーは歴史や政治や社会の仕組みにおいては概念が重要であるという考えに、科学的な裏付けを付与した。信念やイデオロギー、規範や法律そして慣習は、それらを共有する人間の行動を規制することで社会を形成し、物理現象が太陽系の構造と進化に影響を及ぼすのと同じくらい確実に、歴史的な出来事の経緯に強い影響を及ぼすことがある。天候や資源、地形、兵器だけではなく、概念が歴史を形作ることがあるという主張は、曖昧模糊とした非論理的思考を示しているわけではない。人間の脳に例示され、伝達とフィードバックのネットワーク内で交換される情報に、因果的な力があることを示しているのだ。決定論的な歴史理論は、因果関係の源が科学技術や気候学もしくは地理学のいずれかに特定されて、概念の因果的な力と矛盾する。概念のもたらす結果には予測不能な傾向があり、正のフィードバックにせよ計測を誤った負のフィードバックにせよ、そこから生じる揺れがありうるからだ。

概念の伝播という観点での社会分析も、ウィーナーには社会批判の目安となった。健全な社会――エントロピーにかかわらずに暮らしていく手段を人々に与える社会――は、社会を構成する人々が感知したり提供したりする情報をフィードバックさせ、社会の管理の仕方に反映させている。機能不全社会は、独断や権威を行使してトップダウン式に管理する。それゆえにウィーナーは自分のことを「リベラルな見方をする一員」と述べ、著書（一九五〇年版と一九五四年版ともに）の中で、強い道徳心と言葉でもって、コミュニズムやファシズム、マッカーシズムや軍国主義、権威主義的な宗教（特にカトリックとイスラム教）を非難し、政治機関と科学機関があまりに階層的で偏狭になりつつあることを警告している。

ウィーナーの著書にはまた、今やますます盛んになっている科学技術予測の初期の例があちこちに出てくる。それらは単なる予言というのではなく、同時代の人々の堕落に対して、壊滅的なしっぺ返しがくるぞという、旧約聖書を思わせる不吉な警告である。ウィーナーは、加速している核兵器開発競争に対して警告し、人間の幸福にはおかまいなく強行した技術の変化に対して警告し（「われわれは科学者として、人間の本質とは何か、人間に本来備わった目的とは何かを知らなければならない」）、こんにちでは重要度の調整の問題と呼ばれているものに対して警告している。「学ぶ力があり学んだことに基づいて決定を下せる精霊のような機械は、われわれがすべきであった決定や、われわれに受け入れられる決定を下すように強いられることは決してない」。さらに悲観的な一九五〇年版では、「統治する機械の原理に依存する恐るべき新ファシズム」を警告した。

ウィーナーの科学技術予測は、産業革命の「闇のサタンの工場」に対するロマン主義運動の抵抗を思い起こさせ、さらに遡れば、プロメテウスやパンドラやファウストといった典型的な例を思わせる。そして現代は、暗い未来予測に一層拍車がかかってきた。悲観論者たちは、その多くが（ウィーナーのように）科学技術界の人間であり、ナノテクノロジーや遺伝子操作やビッグデータ、そして特にＡＩに対して警鐘を鳴らしてきた。本書への寄稿者の何人かは、ウィーナーの著作は科学技術予測を予見したものであると見なして、彼の恐ろしいほどの不安を増幅させている。

『人間機械論』の二つの道徳的なテーマ――開かれた社会の自由を守ることと、暴走した科学技術が導くディストピアへの恐れ――は、こんにちでも緊張をはらんでいる。人間を最大限に繁栄させるフィードバックの経路をもつ社会には適切なメカニズムがあるはずで、科学技術を人間の目的に適応させられるのと同じく、そのメカニズムを変化する環境に適応させることができる。これについては、理想主義的なところも神秘主義的なところもない。ウィーナーが強調するように、概念や規範や制度自体が一種の科学技術であり、脳内に分散されるさまざまなパターンの情報で構成されている。機械が新ファシズムの前兆となる可能性は、リベラルな考え方や制度、そしてウィーナーが著作全体を通して擁護している規範の力と比べて考えなければならない。現在のディストピア的な予測の欠陥は、こうした規範や制度の存在を無視しているか、それらの因果的な力をかなり見くびっているということだ。そして生み出されるのが、暗い未来を予測する科学技術決定論である。この予測は時代の流れに応じて何度も繰り返される。「一九八四」と「二〇〇一」の二つの数字は、そのことを思い出させる。

二つの例を考えてみたい。科学技術予測はしばしば「監視国家」を警告する。そこでは科学技術の力を得た政府が個人的な通信をすべて傍受し、反対意見や破壊活動の芽を科学技術で見つけ、国家権力への抵抗を無駄なものにしてしまうという。オーウェルの小説に登場するテレスクリーンはそうした監視の原型である。一九七六年、とりわけ悲観的な予測をするジョセフ・ワイゼンバウムは、私の教える大学院の授業で、政府による監視に使われていると考えられるからという理由で、自動音声認識を使い続けないよう警告した。

私は率直にものを言う市民的自由主義者であると公言し、現代の言論の自由に対する脅威を危惧しているが、インターネットやビデオやＡＩにおける技術の進歩に対しては心配していない。なぜなら、時と場所によって思想の自由に差があっても、ほとんどは規範や制度の違いによるからであり、科学技術の違いによるものはないと言っていいからだ。最も邪悪な全体主義者と、最も進歩した科学技術という仮想の組み合わせを想像することはできるが、現実の世界でわれわれが警戒すべきなのは規範と法律であり、科学技術ではない。

時による違いを考えてみよう。もしオーウェルが暗示したように、進歩を続ける科学技術が政治的弾圧を可能にする第一の原因になるなら、西洋社会は何世紀にもわたって言論の弾圧を続けてきたに違いなく、二〇世紀の後半から二一世紀にかけて状況は急激に悪化していただろう。ところが歴史はそのようには展開していない。通信手段が羽根ペンとインク壺だった何世紀かのあいだには、異端者の火刑や啓蒙思想家たちの投獄や処刑がおこなわれた。無線の通信技術が発達していた第一次世界大戦中には、バートランド・ラッセルが平和主義の発言で投獄された。コンピューターが部屋いっぱいの大きさの計算機械だった一九五〇年代には、大勢のリベラルな作家や学者が職業生命を危うくされた。それでも、技術の進歩が加速し、あらゆるものがつながる二一世紀に、社会学教授の一八パーセントがマルクス主義者であり、[1] アメリカ合衆国大統領は毎晩、テレビのコメディアンに人種差別主義者とか性的倒錯者とか能無しだとばかにされている。政治がらみの会話に対する、科学技術による最大の脅威は、啓発された人々が抑圧されることではなく、あまりに多くの怪しげな声が拡大されることにある。

次に、場所による違いを考えてみよう。科学技術の最先端にいる西洋諸国は、民主主義と人権の指標で、一貫して最高のスコアを獲得している。一方、発展途上の独裁国家はランキングの下位にある。政権を批判する人々を始終投獄したり処刑したりしているのだ。科学技術と抑圧に相互関係のないことは、人間社

---

（1）Neil Gross and Solon Simmons, "The Social and Political Views of American College and University Professors," in *Professors and Their Politics*, ed. N. Gross and S. Simmons (Baltimore: Johns Hopkins University Press, 2014).

会における情報の流れの経路を分析すれば、意外ではない。反政府運動家が影響を及ぼすためには、伝えられるものならどんな経路でも用いてメッセージを幅広く届けなければならない。たとえば、パンフレットの配布や街頭演説、カフェやパブでの反体制派の集会や口コミを使う。これらの経路は、影響力のある反政府運動家を広範な社会的つながりへと巻き込み、その結果、メッセージを発した本人を特定して追跡するのは容易になる。独裁者が、他人を告発しない人間を罰することで国民を互いに争わせるという、昔ながらの手法を再び始めれば、なおさらそうなるだろう。

その一方、科学技術が進歩した社会では、しばらく前から、インターネットにつながり政府が監視することができる監視カメラを、すべてのバーや個人の部屋に設置することが可能になっている。だが、それは実現していない。というのも、民主的な政府は（恥知らずにも反民主的な衝動的言動に満ちた現在のアメリカの政権でさえも）、要求を言い立てることに慣れた騒々しい人々に対して、そのような監視を実施する意志や手段をもたないからだ。時たま、核兵器とか生物兵器とかサイバーテロの予兆に突き動かされた政府の治安機関が、携帯電話のメタデータを集めるといった方策をとるが、圧政よりも芝居じみているこのような無益な方策に、安全に対しても自由に対しても意味のある効果は、これまでなかった。皮肉なことに、科学技術予測はこうした方策を促す役割を果たしている。たとえば、ティーンエイジャーの自室で組み立てられるスーツケース型核爆弾や生物兵器など、人類の存亡に関わるとされる脅威をもち出してパニックの種をまき、政府にアメリカ国民を守るために何らかの対策を、どんなこともすると示すようにプレッシャーをかけている。

政治的自由はひとりでに保証されているわけではない。概念や規範や制度のネットワークには、情報をフィードバックさせ（あるいはさせずに）、集団の意思決定や理解につなげているというところに、最大の脅威がある。荒唐無稽な科学技術の脅威とは違って、現実に存在する現代のひとつの脅威が、重苦しいポリティカル・コレクトネスだ。それは、さまざまな仮説をおおやけに言いにくくさせ、多くの知識人を怯えさせて知的研究を妨げ、保守反動の反発を引き起こしてきた。もうひとつの現実の脅威は、検察官の裁量権と曖昧な法律に満ちた包括的な法律書との組み合わせである。結果、すべてのアメリカ人は無意識のうちに「一日に三件の重罪」を（市民的自由主義者のハーヴェイ・シルヴァーグレートの著作のタイトルが表すように）犯し、政府が必要とすれば投獄されるという危機にさらされている。ビッグ・ブラザーを全能にするのは、検察官の用いる武器であり、テレスクリーンではない。政府の監視プログラムに対する直接行動や論争は、傲慢な法的権力に向けられる方がいいだろう。

そのほかに、現在盛んな科学技術予測の焦点となっているのはＡＩだ。本来のＳＦで描かれるディストピアでは、制御不能になり人間を奴隷にしてすべてを支配しようと暴走するコンピューターが登場する。新たな予測では、コンピューターは、与えられた目標を、人間に及ぼす影響にはかまわずひたすら追い求めた結果、偶然に人間を支配下に置く（ウィーナーの予示した、重要度の調整の問題である）。繰り返しになるが、私はどちらの脅威も非現実的だと思う。それらは、コンピューターや脳のような知的システム内と社会全体の中での、情報と制御のネットワークを無視する狭義の技術決定論から生まれたものなのだ。

支配されるという恐れは、曖昧な知能の概念に基づいている。その概念は、情報と計算と制御という言葉を用いたウィーナーの知能と目的の分析よりも、〈存在の偉大な連鎖〉とニーチェの〈権力への意志〉に負うところが大きい。これらの恐ろしいシナリオでは、知能は全能で、願いをかなえる妙薬であり、それぞれが所有する分量は違うものとして描かれる。つまり人間は動物より多く所有し、ＡＩを搭載するコンピューターやロボットは人間よりも多く所有することになる。われわれ人間はほどほどの才能を用いて、あまり才能に恵まれていない動物を飼いならしたり根絶させたりしてきたので（そして、技術的に進んだ社会が未発達の社会を奴隷化したり絶滅させたりしてきたので）、人間よりも賢いＡＩはわれわれに同じことをするだろうというわけだ。ＡＩは人間よりも何百万倍も速く考え、人間の知性を超える知性を用いて自らの知性を繰り返し改良していくので、作動させられた瞬間から、人間にはそれを止める力がないというのだ。

だが、これらのシナリオは、知能と意欲の混同――つまり、信念と欲求、推量と目標、チューリングの解明した計算理論とウィーナーの解明した制御理論の混同に基づいている。われわれが人間以上の知能をもつロボットを発明したとしても、どうしてロボットが所有者を奴隷化して世界を支配したいと思うのだろうか？　知能は、目標を達成するために今までにない新しい方法を活用する能力だ。しかし目標は知能とは無関係である。つまり、賢いことと何かを欲しがることは同じではないのだ。ホモ・サピエンスの知能はダーウィンの自然淘汰の結果で、もともと競争を経て生まれたものである。このヒトという種の脳の中で、理性は、競争相手より優位に立つとか資産を蓄えるとかの目標と結びついている。だが、ある霊長類の大脳辺縁系内の神経回路と知能の本質を混同するのは、間違っている。知能の持ち主が残忍な誇大妄想狂に変わることを示す、複雑系の法則はないのだ。

第二の思い違いは、知能というものが潜在力の無限のつながりであり、どんな問題でも解決し、どんな目標も達成する力のある奇跡の万能薬だとして考えることだ。その誤った考えは、いつＡＩは人間レベルの知能を超えるかといったばかげた疑問や、汎用人工知能（ＡＧＩ）が神のように全知全能だというイメージにつながっていく。知能は一種の珍妙な仕掛けだ。さまざまな領域におけるさまざまな目標を追求するやり方の知識を備えた、あるいはその知識でプログラムされた、ソフトウェアのモジュールなのである。人は、食べ物を見つけ、友人をつくり、人々に影響を与え、配偶者になりそうな異性を引きつけ、子どもを育て、世界中をまわり、ほかの人が熱中しているものを追い求めるように、知識が備わっている。

コンピューターは、（異性を引き付けるというような）他人のことで思い悩まずに、（顔を識別するといった）問題のいくつかに取り組むようプログラムされ、さらに、（気候のシミュレーションとか何百万もの数値の並び替えなどの）人間が解決できない問題にも取り組むようにプログラムされている。人とコンピューターの扱う問題は異なり、それらを解決するのに必要な知識の種類は違うのだ。

だが、ディストピア的なシナリオでは、知能は知識が中心となっていることを認めず、未来のAGIと〈ラプラスの悪魔〉を混同してしまう。ラプラスの悪魔は、宇宙のすべての粒子の位置と運動量を知っていて、物理法則の方程式にあてはめ、未来のあらゆる時のあらゆる物の状態を計算できるという、架空の存在だ。だが、さまざまな理由から、ラプラスの悪魔の計算は決して実行されないだろう。現実の知能システムは、さまざまな物や人があふれる混沌とした世界について情報を得るのは、一度にひとつの領域からでしかない。そのサイクルは、物質世界で事象が明らかになるペースに左右される。それが、物事の理解はムーアの法則に従わないという理由のひとつだ。つまり、知識は、さまざまな説明をまとめて現実と照合することによって得られるのであり、超高速のアルゴリズムを実行することによって得られるわけではないのだ。インターネット上で情報をむさぼっても、全知は授からない。ビッグデータはまだ有限なデータであり、知識の世界は無限なのである。

AIが突然支配的になるという考えに懐疑的である第三の理由は、現在われわれがまっただ中にいるAIのハイプ・サイクル〔認知度や期待度の変化〕の中の膨張期を深刻に考えすぎているからだ。機械学習が発達し、人工のニューラル・ネットワークが幾層も重なるほどになっても、現在のAIシステムは全般的な知能の獲得には（その概念が明確だとしても）ほど遠い。個々の問題に限定され、途方もないトレーニングセットが利用できる領域で、明確に定義されたインプットを明確に定義されたアウトプットへ写像するだけなのだ。成功の度合いを測る基準は、すばやく正確であるということであり、環境によって変わらず、段階的あるいは階層的、または抽象的な論理は、必要でない。成功の多くは、知能の働きをよく理解することからではなく、より速いチップとより巨大なデータによる総当たりの処理能力によって、もたらされる。プログラムは無数のサンプルを与えられて学習し、同じような新しいサンプルをまとめる。ひとつひとつのシステムがイディオ・サヴァンであり、解決するようにプログラムされていない問題にすぐに取りかかる能力はほとんどなく、そういう問題への習熟はのぞめない。わかりきったことを言うと、ラボを支配しようとか、プログラマーを奴隷にしようとかしたプログラムはひとつもないのだ。

たとえＡＩシステムが権力への意志を行使しようとしても、人間の協力がなければ、無力な脳は水槽に浮かんでいるままだろう。人間の知能を超える知能システムとなると、自己改善を推進し、いつの間にかより速い処理装置をつくって動きつづけ、データを供給する基盤をつくり、世界につなげる機械的な制御装置を構築しなければならなくなる。そんなことは、テクノロジーから成る世界の大部分を制御できるようにさせる人間の犠牲者がいなければ、すべてあり得ない。もちろん、人類を破滅させる終末コンピューターはいつでも想像することができる。邪悪で、万人に権力をふるい、常時オンで、不法に手を加えられないようにできているコンピューターだ。だが、この脅威に取り組む方法は簡単だ。そんなものをつくらないことである。

価値整合《バリュー・アラインメント》の問題という、ＡＩの新たな脅威はどうだろう？　ウィーナーは、猿の手、壺の中の精霊、ミダス王という、願いをかなえてもらう者は予期せぬ結果を後悔するという二つの物語を引き合いに出して予示している。われわれはＡＩシステムに目標を与え、ＡＩがその目標をみずから解釈して容赦なく徹底的に実行するのを、なすすべもなく傍観することになるのではないか、という恐れである。ダムの水位を維持するという目標をＡＩに与えれば、人が溺れてもかまわずに、町を浸水させるかもしれない。クリップをつくるという目標を与えれば、利用可能な宇宙内のあらゆる物質を、われわれの所有物や肉体もふくめて、クリップに変えてしまうかもしれない。人間の幸福を最大限に高めるように求めれば、われわれがガラスの筒の中で最高に幸せであるようにドーパミンの点滴を打つか、脳内の神経回路を組み直すかもしれない。あるいは、ＡＩが笑っている顔の絵で幸福の概念を学習していれば、無数のナノスケールの笑っている顔の絵を宇宙に散りばめるかもしれない。

幸いにも、これらのシナリオは自己論駁的だ。拠り所とする前提は、（1）人間は非常に頭がいいので、全知全能のＡＩを設計できるが、非常に愚かなので、テストをせずにＡＩに万物をコントロールさせるだろうということと、（2）ＡＩは非常に優秀なので、物質の変え方や脳内の神経回路の組み直し方がわかるが、非常に愚かなので、誤解という初歩的な誤りにもとづく大惨事を引き起こすだろう、ということだ。相容れない目標をもっともよく達成できるような対応を選ぶ能力は、エンジニアがインストールしてテストすることを忘れたかもしれない付加機能ではなく、知能そのものなのだ。言語を用いる者の意図を文脈通りに解釈する能力もそうだ。

デジタル誇大妄想や、即座の全知、宇宙のすべての粒子を知り尽くし制御するといった空想をやめれば、ＡＩはその他の科学技術と同様である。段階的に開発され、複数の条件を満たすようにつくられ、実行に移される前にテストされ、効率や安全性を高めるために絶えず微調整される。

---

（2）Steven Pinker, "Safety," *Enlightenment Now: The Case for Reason, Science, Humanism, and Progress* (New York: Penguin, 2018).

最後の基準は特に重要だ。先進社会における安全文化は、ウィーナーが強力な因果効果として引き合いに出し、科学技術が独裁的もしくは搾取的に実行されることを防ぐものとして主張した、人間性をもたらす規範と、フィードバック経路の一例である。一九世紀から二〇世紀へと変わるころ、西洋社会では、労災事故や家庭内事故や交通事故による手足の切断や死亡率が驚くほど高く、その一方で、二〇世紀のあいだに、人命の価値は高まった。結果として、政府やエンジニアが事故統計からのフィードバックを用いて、無数の規制や計画、科学技術を徐々に安全にする設計変更を実施した。なかには、こっけいなほどリスク回避的な（たとえば、ガソリン給油中の携帯電話使用への警告などの）規制もあるが、われわれの社会が安全というものに取りつかれてきたのは明白だ。その結果、すばらしい恩恵があった。労災や家庭内事故や交通事故による死亡率が二〇世紀前半の最高値から九五％以上（しばしば九九％）低下しているのだ。(2) それでも、邪悪で無神経なＡＩを予測する人々は、この重大な変化が起こらなかったかのように書き、ある朝エンジニアたちが、人間への影響に無頓着な機械に、テストせずに、物質世界を完全に制御させてしまうだろうという。

ノーバート・ウィーナーは、科学的にわかりやすくて因果関係の強い、計算とサイバネティックスのプロセスで、概念や規範や慣習を説明した。人間の美と価値を「増大し続けるエントロピーの奔流との局所的で一時的な戦い」であると説明し、人間の幸福に対するフィードバックで導かれる開かれた社会が、その価値を高めるだろうという希望を語った。ありがたいことに、概念の因果的力に対する彼の信念は、迫りくる科学技術の脅威への懸念を払拭した。ウィーナーが述べたように、「社会に対する機械の危険性は機械自体に由来するのではなく、人間が作りだすもの」である。概念の因果的力を思い出すことによってのみ、われわれは今日のＡＩの提示する脅威と可能性を正しく判断できるのだ。

# 第11章　報酬と罰のかなたへ

**デイヴィッド・ドイッチュ**
量子物理学者。オックスフォード大学クラレンドン研究所の量子計算研究センターに所属。著書に『世界の究極理論は存在するか――多宇宙理論から見た生命、進化、時間』（林一訳、朝日新聞社、一九九九年）、『無限の始まり――ひとはなぜ限りない可能性をもつのか』（熊谷玲美訳、インターシフト、二〇一三年）などがある。

こんにちの科学における最も重大な発展、すなわち地球上のすべての人々に影響する発展は、コンピューターの進歩によって情報を与えられるか、もしくはコンピューターにおける進歩を通して実行される。これらの発展の中心にいるのが、物理学者のデイヴィッド・ドイッチュだ。彼は量子計算の分野を築き、一九八五年に発表された万能量子コンピューターに関する彼の論文は、この問題を初めて丹念に扱ったものである。ドイッチュ＝ジョサのアルゴリズムは、量子コンピューターの莫大な潜在能力を示した最初の量子アルゴリズムだ。ドイッチュにより初めて提唱されたとき、量子コンピューターは実現不可能ではないかと思われた。だが、彼の研究がなければ、シンプルな量子コンピューターや量子通信システム構築の爆発的な増加は、決して起きることがなかっただろう。ドイッチュは量子暗号や量子論の多宇宙解釈などの分野で、ほかにも数々の重要な貢献をしている。哲学的論文（アルトゥール・エカートとの共著）では、ほかとは区別される量子計算理論の存在を訴え、われわれの数学の知識は物理学の知識から派生し、またそれに従属すると論じている（数学的真実は物理学から独立してはいるが）。彼の研究人生の大部分は人々の世界観を変えることに費やされ、仲間内では、その科学的業績をはるかに超える知識人として見なされている。ドイッチュは（カール・ポパーの哲学を継承して）、科学理論とは「大胆な推量」であり、証拠から導きだされるのではなく、証拠によってテストされるのみだとした。ドイッチュが現在取り組んでいる二つの研究――場の量子ビット理論とコンストラクター理論――は、コンピューターの概念の重要な拡大を生みだすことだろう。

このエッセイで、ドイッチュは人間レベルの人工知能をこの世の終わりではなく、よりよい世界を約束するものと見なす者たちと、多かれ少なかれ意を同じくしている。それどころか、彼は汎用人工知能（AGI）が実質的に頭脳を与えられたら、自由に推量させるように訴えている。これは本書の執筆者の一部は危険視する意見であろう。

第一の刺客：かりにも男でございます。
マクベス：かりにもな、せめて人間様で通用しよう、顔面づらはな、
　それ、犬にもいろいろある、ハウンド、グレーハウンド、モングレル、スパニエル、のら犬、ちんころ、デミ・ウルフ、
　犬といえば、みんな犬だ。

――ウィリアム・シェイクスピア『マクベス』（福田恒存訳、新潮社、一九六九年）

種としての歴史の大部分において、われわれの先祖はかろうじて人々《ピープル》であった。これは彼らの脳が不十分であったためではない。それどころか、解剖学的にわれわれ現代のヒト亜種の登場以前から、彼らは遺伝子にない知識を用いて衣服をつくり、火を熾していた。それらの知識は考えることにより頭のなかで生みだされ、年長者を模倣することにより、各世代の個々人のなかに保存された。さらに、これは理解という意味での知識であったに違いない。なぜなら、このように新しく複雑な行動は、構成要素となる行動の目的を理解することなしにまねるのが不可能だからだ。(1)

このような知識の模倣は、言葉によるものであろうとなかろうと、相手が成し遂げようとしていることの説明と、ひとつひとつの行動がそれにどう貢献するのかを――たとえば木に溝を掘ったあとは、そこに詰める乾燥した焚きつけを集めるなど――正しく推測することによって成り立つ。

この形態の模倣により可能となった複雑な文化的知識は、きわめて有益であったに違いない。これにより、記憶容量の増加や、華奢な（頑丈さでは劣る）骨格など、よりいっそうテクノロジーに依存したライフスタイルに適した、解剖学的変化においての急激な進化がもたらされた。こんにち、ヒト以外の霊長類には、新しく複雑な行動をまねる能力はない。現在の人工知能にもそのような能力を有するものは存在しない。しかし、われわれのプレ・サピエンスの祖先にはその能力があったのだ。

(1)「猿まね《エイピング》」（理解することなしに行動をまねること）は、ミラーニューロン・システムなど、生得の手段を用いる。しかしこのような方法で模倣された行動は複雑性が大幅に限定される。Richard Byrne, "Imitation as Behaviour Parsing," *Philosophical Transactions of the Royal Society B* 358, no. 1431 (2003): 529-36 を参照。

なんであれ推測にもとづく能力には、自身の推測を訂正する方法が含まれなければならない。なぜなら推測の大半は、最初は間違っているものだからだ（正しい方法よりも間違った方法のほうが常に多いものである）。ベイズ更新（観測された事実から推定したい事柄を確率的に推論し、情報の変化に合わせて推定値を更新する手法）は、すでに存在する推測の精度を高める――もしくはせいぜい複数の推測の中から選ぶ――ことしかできず、行動の目的について新たな推測を生みだすことはできないため、ここでは不十分だ。必要なのは創造力である。哲学者カール・ポパーが説明したように、創造的な批判を創造的な推測と組み合わせることにより、人間は言語を含む互いの行動を学び、お互いの発話から意味を抽出する。(2) これらはすべての新たな知識が創造される過程でもある。つまり、われわれが革新し、進歩し、そして抽象的な理解をそれ自体のためにつくりだす方法なのである。これが人間レベルの知能、すなわち思考だ。また、これはわれわれが汎用人工知能（ＡＧＩ）に求めるもの、もしくは求めるべき特性でもある。ここでは〝思考〟という言葉は、理解（説明的な知識）を生みだすことのできる過程として使う。ポパーの主張は、すべての思考する実体が――人間であろうとなかろうと、生物学的であろうと人工的であろうと――そのような知識を基本的には同じやり方でつくりださねばならないことを含意する。よってこれらの本質を理解するには、文化、創造性、反抗、そして道徳観など、伝統的には人間のものである概念が必要となる。このことは、これらすべてについて言及するのに〝人々《ピープル》〟という統一の言葉を用いることを正当化する。

人間の思考と人間の起源に関する誤解は、ＡＧＩとＡＧＩをつくりだす方法について同じ誤解を引き起こしている。たとえば、現在の人類を生みだした進化圧は、革新する能力がますます大きくなることによりもたらされたと一般的には考えられている。しかし、仮にそうであれば、思想家が存在した時点で急速な進歩がもたらされていたはずである――人工的な思考がつくりだされたときにそうなると期待されるように。思考が模倣すること以外にも日常的に使われていたら、革新のためにも使われていたはずだ。それがたとえ偶然にでも。そして革新はさらなる革新の機会を生み、加速度的に増加していただろう。ところが実際には、ほぼ静的な状態が何十万年と続いている。進歩は人々の寿命よりはるかに長い時間尺度のみで起き、典型的な一世代のあいだに進歩の恩恵を受ける者はいなかった。したがって、革新能力をもつことの利点が、人間の脳の生物学的進化において進化圧をかけることは、ほとんど、あるいはまったくできなかったはずだ。ここにおける進化は、文化的知識を保存する利点によってもたらされた。

言い換えれば、遺伝子のためだ。この時代の文化は、個々の人々にとっては損得相半ばするものだった。彼らの文化的知識は、実際、まだまだきわめて荒削りで、危険な誤りを無数に含んでいたとはいえ、その他すべての大型生命体を凌駕する助けとなった（人間はたちまちの内に最上位の捕食者になった、など）。だが、文化は伝達可能な情報——ミーム——から構成され、ミームの進化は遺伝子の進化と同様に、忠実な伝達を優遇する。そして忠実なミームの伝達は、必然的に進歩の抑制を伴うことになる。つまり、年長者のまわりに集って彼らがそらんじる部族の伝承を学び、苦痛やつらい労働ばかりの暮らしにも、おぞましい病や寄生虫に苦しめられた末に早死にするとわかっていながらも満ち足りている、狩猟採集民ののどかな社会を想像するのは、間違いなのだ。なぜなら、たとえ手に入るのがそんな暮らしだけであっても、これらの苦難は彼らにとってあまたの問題のなかのひとつに過ぎないのだから。（人間を殺害することなしに）その心にある革新を抑制することは、人間の行動によってのみ成し遂げられる。そしてそれは醜悪な行為である。

（2）カール・ポパー『推測と反駁——科学的知識の発展』（藤本隆志訳、法政大学出版局、二〇〇九年）。

このことは大局的な視点から見る必要がある。こんにちの西欧文明において、たとえば自分の子供が文化規範を忠実に実行しなかったという理由で体罰を与え、死なせるような親には、われわれはショックを受ける。このような行為が日常茶飯事で正しいことと見なされる社会や文化には、なおさら衝撃を受ける。また、違った行動をとるという理由から罪のない全人民を虐げ、殺害するような独裁政治や全体主義国家にも恐怖する。われわれは、子供が反抗したというだけで流血するまで打ちのめすのがしつけであった、ひと昔前の時代を恥じる。さらにそのひと昔前には、人間を奴隷として所有するのは当たり前のことであった。さらにその前には、異教徒の焚刑は民衆の喝采を浴びる娯楽であった。スティーヴン・ピンカーの『暴力の人類史』では、歴史上の文明において当たり前であった恐るべき悪事が描かれている。だがそのような暴力でさえ、先史時代に何千世紀にもわたり、われわれの先祖のあいだできれいさっぱり失われていたようには、革新を消し去ることはなかった(3)。

先史時代の人々はかろうじて人々《ピープル》であったと私が言うのは、このためだ。生理学上と知的可能性の両方の意味で完全な人間になる前でも後でも、思考の実際の中身において、彼らは人間からほど遠かった。私は彼らが犯した犯罪について言っているのではないし、彼らの残酷さに言及しているのですらない。むしろそれらは、いたって人間的だ。また、単なる残酷さがそこまで徹底的に進歩を阻むことはできなかっただろう。「サムスクリュー(拇指を搾めて苦しむる刑具)の苦痛に悲しみ、火刑の煙りたる可き運命(4)」などは、通常なら異端信仰が生まれる恐れがある、はるか以前に完了している精神の標準化を、いかようにしてか逃れた、ごく少数の異端者を押さえつけるためのものだ。ものごころがついたときから、子供たちは創造的なアイデアの塊、批判的思考の鑑であったに違いない。そうでなければ、前述のように、言葉やその他の複雑な文化を学ぶことはできなかったはずだ。もっとも、ジェイコブ・ブロノフスキーは『人間の進歩』（道家達将訳、法政大学出版局、一九八七年）のなかでこう強調している。

たいていの歴史では、文明は人間のもつ大きな可能性を露骨に無視してきました。（中略）子供は、大人のイメージに単に一致するように求められてきました。（中略）女の子は成長中の小さな母親であり、男の子は小さな牧人であります。いずれも両親と同じように振舞いさえします。

しかし当然ながら、子供たちは膨大な可能性を無視して、伝統により決められた姿に忠実に合わせるよう、ただ「求められた」わけではない。彼らはなんらかの形で精神的に逸脱できないよう教え込まれたのだ。すべての心から進歩の息吹を確実に消し去り、新たな行動への脅威と嫌悪感を代わりに植えつけるような容赦のない、巧妙に調節された抑圧は、今のわれわれには想像するのさえ難しい。そのような文化では、同調と従順のほかに道徳規範はありえず、階層構造内における立場以外に自己の個性は存在せず、罰と報酬以外に協調のメカニズムはない。そのため、誰もが人生に同じ願望を抱く。つまり、罰を避けて報酬を得ることだ。典型的な一世代のあいだに、なんらかの発明をする者はひとりもいなかった。向上することは不可能だと誰もがすでにあきらめているため、新たなひらめきを得る者がいないからだ。技術革新

（3）マット・リドレーは『繁栄――明日を切り拓くための人類10万年史』（大田直子訳、早川書房、二〇一三年）で、人口が進歩の速度に与える好影響を正しく強調している。しかしこれは昔も今も最大の要因ではない。たとえば、古代アテネと当時のそれ以外の世界を考えてみるといい。

（4）アルフレッド・テニソン、「レベンジ號」『明治翻訳文学全集《新聞雑誌編》16　イギリス詩集Ⅱ』（曙峰訳、大空社、一九九八年）。

や理論的発見がないだけでなく、それらを触発しうる新たな世界観、美術様式、または関心事もなかった。個人は、成長した頃には事実上のAIに成りさがっていた。いわゆる静置培養をおこない、それ以外のことをするなど次の世代が考えられないようにするための精緻な技術がプログラムされたAIに。

現代のAIは、精神障害を抱えたAGIではない。したがって、あらかじめ決められた基準に合うよう知的機能を絞られようと、害を被ることはない。Siri《シリ》にばかげたタスクをやらせて〝虐げる〟のはくだらないが、倫理に反する行為ではなく、Siriに害を及ぼしもしない。それどころか、これまでAIの可能性増加に成功した試みは、どれも潜在的な〝思考〟の幅を狭めることへ向けられてきた。チェスエンジン〔コンピューター・チェスで思考を行う部分〕を例にとってみよう。基本タスクは初期のころから変わらない。盤上のどの位置でも、そこから先の可能な手はゲームの木〔チェスの局面を接点、手を枝で表した図〕で表せる。チェスエンジンに課せられたタスクは、あらかじめ定められたゴール〔チェックメイトか、それが無理ならドロー〕へたどり着く最善手を見つけることだ。とはいえ、チェスの場合にはゲームの木はあまりに大きく、くまなく探索するのは不可能だ。アラン・チューリングが一九四八年にプログラムした最初のコンピューター・チェスから現在のものにいたるまで、チェスをするAIにおける進歩はすべて、決定済みのゴールへ導く可能性の高い枝へプログラムの注意を絞るよう、巧みに制限する（もしくはプログラムに注意を制限させる）ことで、もたらされた。その後、それらの枝はゴールに応じて評価される。

一定の制限下で、一定のゴールを与えられたAIを開発する場合、これは優れたやり方だ。だが、もしAGIがこのように作動したら、各枝の評価は予想される報酬、もしくは罰をもたらすことになる。また、未知の制限下でよりよいゴールを探索する（それがAGIの可能性だ）のであれば、このやり方はまったくもって誤りである。AGIがチェスで勝利する方法を学ぶことはもちろん可能だ。しかし、勝たないという選択肢を学ぶことも可能なのである。ゲームの途中で最善手ではなく、最も興味深い一手に決断することも。新たなゲームを考案することも。単なるAIにはこのような発想ができない。なぜなら、それらを思いつく能力が構造から取り除かれているからだ。能力が欠落しているからこそ、AIにはチェスをすることができるのである。

AGIにはチェスを楽しみ、チェスの腕に磨きをかけることができるが、これはAGIがチェスを楽しむからだ。また、グランドマスターたちがときおりやるように、ユニークな配列をつくって勝とうともするだろう。別の関心事からのひらめきをチェスに応用するかもしれない。言い換えれば、AGIはチェスをするAIには禁じられた思考そのものを考えることによって、学び、チェスをする。

AGIにはこのような能力をいっさい表に出さないようにすることもできる。また、罰を科すと脅されたら、従うことも、反抗することもできるだろう。本書に収録されているエッセイで、ダニエル・デネットはAGIを罰するのは不可能だと述べている。

スーパーマンのように、あまりに不死身で傷つくことがないため、信頼できる約束ができないという点だ。ロボットが約束を破ったら、どうなるだろうか？　約束破りのペナルティはどんなものになるのだろうか？　独房に閉じ込められるのか、それとも、さらにもっともらしいことには、解体されるのだろうか？　（中略）デジタルの記録と送信のまさにその手軽さ——ソフトウェアとデータに、実質的に不死不滅であることを許す輝かしい成果——は、脆弱性の世界からロボットを救いだす。

しかし、そうではない。デジタルな不死（人間がデジタル化された不死を手に入れるのも近い。おそらくA

ＧＩより先になるだろう）が、この種の弱点のなさを授けることはない。自身のコピーを作製（実行）するには、自身の所有物――コピーを実行させるハードウェアを含めて――を、なんらかの手段でコピーと共有することになるため、ＡＧＩにとってそのようなコピーの作製は、多大な費用を要する。同様に、法廷は罪を犯したＡＧＩに、たとえば罰として、人間に対してやるように、物理的資源《リソース》への接続を制限することができるだろう。罰を免れるためにバックアップコピーをつくるのは、手下を使って犯罪をおこなっても最終的にはギャングのボスが捕まるのと、似たようなものだ。社会は犯罪に対処する法的仕組みを発展させてきたのだ。

とにかく、われわれが法に従い、約束を守るのは、主に罰への恐怖からだという考え方は、われわれが道徳的主体であることを事実上否定する。もしそうであれば、われわれの社会が機能することは不可能だろう。ＡＧＩの犯罪者も文明の敵も、いずれ必ず登場する――人間版のそれらが存在するように。だからといって、大部分はまっとうな市民から成る社会で生みだされ、ウィリアム・ブレイクが呼ぶところの〝心を縛る枷〟なしに育ったＡＧＩが、一般的にみずからに対してそのような枷を課し（すなわち非理性的になり）、その上（または）文明の敵になることを選ぶと考える理由は、何ひとつない。

道徳的要素、文化的要素、自由意志の要素――これらすべてによって、ＡＧＩを考案する仕事は、ほかのプログラミング作業と根本的に違ってくる。子供を育てるのに近いと言えるだろう。今あるどんなコンピューター・プログラムとも違い、ＡＧＩに特定の機能はない。任意のインプットに対して何が正しいアウトプットかという、定められた、テスト可能な基準はないのだ。次々と与えられる報酬と罰によって決定を左右されるのは、人間の創造的思考にとって有害であるのと同じく、そのようなプログラムにとっても有害である。チェスをするＡＩをつくる試みはすばらしい。だがチェスをせずにはいられないＡＧＩをつくる試みは、人生で自分が歩む道を選べないような子供に育てるのと同じで、倫理に反している。
そのような人《パーソン》〔ドイッチュは『無限の始まり』で人《パーソン》および人々《ピープル》を「説明的知識を生み出すことのできる実体」と定義している〕は、奴隷や洗脳の被害者などのように、道義的に反抗する権利がある。そして人間の奴隷がそうするように、遅かれ早かれ一部は反抗するだろう。AGIはきわめて危険になりうる——人間がまさにそうであるように。しかし、開かれた社会に属する人々は——人間であれAGIであれ——暴力的な傾向をもとから備えているわけではない。ロボットにより、いつか世界が滅ぼされる恐れは、すべての人々に完全な〝人〟権を与え、人間と等しい文化の構成員であると認めることにより、払拭されるだろう。開かれた社会——社会が安定する唯一の形態——に暮らす人間は、精神的と物理的、どちらの報酬も自身で選択する。通常のなりゆきにおいて、彼らの決定が罰への恐怖に影響されることはない。

悪いAGIに対する現在の不安は、反抗的な若者に対する昔ながらのそれを反映している。具体的に言うと、文化の道徳的価値観からいずれ逸脱するのでは、という恐れだ。しかしこんにち、知識の増加から来るあらゆる実存的な危険の源となるのは、反抗的な若者ではなく、精神の歪んだ（もしくは奴隷化された）AGIであれ、精神の歪んだティーンエイジャーであれ、もしくはその他の大量破壊兵器であれ、文明の敵の手にある武器だ。文明にとっては幸運にも、人の創造性は偏執的な方向へ強いられるほど、不測の困難を克服する力が失われる。ちょうど何世紀にもわたって起きたように。

AGIはそれを搭載するハードウェアが次々に改良されるため、その脅威は特異的であるとするのは、誤りだ。なぜなら人間の思考も、同じテクノロジーによって加速するからである。筆記と計算が発明されて以来、われわれはテクノロジーに支援された思考を使ってきた。AGIの思考の質が高度化すれば、AGIにとっての人間は、人間にとっての虫と同じになるとの懸念も、やはり的外れだ。あらゆる思考は計算の一形態であり、普遍的な一連の基本的演算をレパートリーに含むすべての計算者《コンピューター》は、ほかのいかなる計算であれ模倣《エミュレート》することができる。よって人間の頭脳は、ＡＧＩが考えることはなんでも考えることができる。速度と記憶容量は制限されるが、どちらもテクノロジーにより補えるのだ。

以上が、ＡＧＩに対処する上で基本的なやるべきことと、やるべきではないことである。だが、そもそも、どのようにＡＧＩを生みだせばいいのだろうか？　仮想環境に置かれたサル型のＡＩ集団から進化を引き起こすことができるだろうか？　そのような実験が万が一にも成功したら、これ以上社会的倫理にもとる行いは、歴史上ほかにないだろう。計り知れない苦しみを生み出すことなしに、その結果にたどり着く方法をわれわれは知らないのだから。静置培養による進化をふせぐ方法も、われわれにはわからない。

コンピューターの入門段階で、コンピューターはＴＯＭ（Totally Obedient Moron、とことん従順な間抜け）であると説明される。これは現在までにつくられたあらゆるコンピューター・プログラムの本質を、巧みにとらえた呼称だ。自分が何をしているのか、なぜしているのか、コンピューターにはまるでわかっていない。だから、あらかじめ決められた機能をどんどん与えたところで、ＡＩがいつか汎用性――とらえどころのないＡＧＩのＧの部分――をもたらすことはない。われわれが目指しているのはその逆、ＤＡＴＡ（Disobedient Autonomous Thinking Application、不従順で自主的な思考アプリケーション）なのだ。

どうすれば思考をテストできるだろうか？　チューリングテスト（機械に人工知能があるかを判断するテスト）を使ってか？　あいにく、このテストには思考する判定者がいなければならない。それなら、インターネットを使った巨大共同プロジェクトでＡＩに人間の判定者相手に会話をさせて思考力を磨かせれば、ＡＧＩになるだろうか。もっとも、チューリングテストでは、会話の相手が人間かどうか、判定者が迷えば迷うほど、その機械は人間に近いとされるが、本当にそうだと考える根拠はどこにもない。

それに、不従順はいかにしてテストすればいいだろう？　学校の必修科目に不従順があったとしよう。毎日不従順の授業があり、学期末には不従順の試験がある（授業も試験も受けない生徒には最優秀の評価が与えられるだろう）。これは逆説的である。

したがって、ほかのアプリケーションにおいては有用であっても、テスト可能な目的を明確にし、その目的にかなうようプログラムを調整するプログラミング技術は、ここでは適用できない。むしろ、ＡＧＩをつくる過程では、あらゆるテストが逆効果であり、倫理に反する恐れさえあるのではないだろうか。人間の教育においてそうであるのと、まったく同じだ。ＡＧＩは見ればそれとわかるという、チューリングの推測には同意するが、見れば成功したのがわかろうと、プログラムを成功させる助けにはならない。

広義において、人による理解の探求とは、余すところなく探索するには広大すぎるアイデアの抽象空間における、探索問題である。しかし、この探索にはあらかじめ決められた目的はない。ポパーが言ったように、そこには真理の判定基準も蓋然的真理の判定基準もない。何より説明的知識に関しては。目的はほかと同じくアイデア――探索の一部としてつくりだされ、絶えず修正され改善されるアイデアだ。だから、プログラムがアイデア空間の大半へアクセスできないようにする方法を考えだしたところで、役には立たない――その方法が拷問や火刑、または精神的束縛であろうと。ＡＧＩにとって、アイデア空間は丸ごと解放されているべきである。それが考えることのできないアイデアを、プログラムがあらかじめ知りうるべきではない。また、実際にプログラムが考えるアイデアは、それ自身によって選ばれねばならず、そのために用いられる手法、基準、そして目的も、プログラム自身のものとなる。その選択は、ＡＩのそれと同じで、実行してみることなしに予測するのは困難だろう。プログラムが決定論的だとしても、汎用性は失われない。乱数生成器を使うＡＧＩは、それを疑似乱数生成器に置き換えられれば、ＡＧＩのままである。しかし、プログラムを実行する以外には、それが最終的に考えることのない事柄を初期状態から証明する方法はないという、追加的特性をもつことになるはずだ。

われわれの祖先の進化は、宇宙のどこからともなく思考が始まった唯一の事例である。先に説明したように、何かひどく悪いことが起きながらも、爆発的な革新がただちに起きることはなかった。創造性はほかのことへ傾注されたのだ。もっとも、それは地球をペーパークリップで溢れかえる惑星に変えることではなかったが（ニック・ボストロムには失礼ながら）。そうではなく、ＡＧＩプロジェクトがあるところまで到達して失敗した場合に予期すべきことと同じように、歪んだ創造性には不測の問題を解決することができなかったのだった。それが停滞状態を招き、さらには悲劇的にもあらゆる変化を滞らせた。しかし、そののちに啓蒙運動が起きた。今のわれわれは、もっと理解が進んでいる。

# 第12章　人間の人工的使用

トム・グリフィス

プリンストン大学心理学教授。著書に『アルゴリズム思考術――問題解決の最強ツール』（ブライアン・クリスチャンとの共著、田沢恭子訳、早川書房、二〇一九年）がある。

ＡＩに内在する「価値観の一致」の問題（どうすればＡＩが地球をペーパークリップで埋め尽くすことを阻止できるか、正確な方法についての研究）に取り組むトム・グリフィスのアプローチは、人間中心、すなわち認知科学者の手法であり、認知科学は彼の専門分野である。グリフィスは、機械学習の重要な鍵を握るのは必然的に人間学習であるという持論を展開し、数学とコンピューターをツールに使い、プリンストン大学でこの研究に取り組んでいる。

グリフィスは以前、こう話してくれたことがある。「人間の知能の神秘のひとつは、きわめて小さなものを使って、きわめて膨大な処理ができることです」。人間は意思決定や問題解決をするときに、機械と同じようにアルゴリズムを使用する。両者の大きな違いは、人間の脳に全般的な成功レベルがある一方、計算資源では相対的な制限があることだ。

人間のアルゴリズムの効能は、ＡＩ研究者が「限定最適性」と表現するものから生じる。心理学者ダニエル・カーネマンが指摘したように、人間が合理的であるのは、ある程度までに限られている。人が完全に合理的であるなら、重要な意思決定をする前に――誰を採用するか、誰と結婚するかなど――検討可能な選択肢の数によっては、死んでしまうリスクにさらされるだろう。

グリフィスはこう述べている。「過去二、三年でＡＩが飛躍的に進化し、画像やテキストなどはすぐれたモデルが手に入りましたが、人間についてはまだ入手できていません。機械について考える上で、人間は今でも最高のサンプルです。われわれは人間の認知を知らせる予想の量と性質を特定することによって、コンピューターをさらに人間のパフォーマンスへ近づける基礎を築くことができるのです」

人工知能に進化を取り込み、利益をもたらすことに成功した世界を想像してほしいと頼まれたとき、思い描くイメージはおそらく、人により微妙に異なるだろう。未来に対して各人が抱くビジョンは、宇宙船や空飛ぶ自動車、人間型ロボットがあるかないかによって異なるかもしれない。だが、どの未来像にもひとつだけ共通点がある。必ず人間が存在することだ。これこそ、機械が人間と相互交流し、人間どうしの相互交流を仲介サポートすることにより人間社会を向上させる潜在的可能性について、ノーバート・ウィーナーが執筆している最中に想像していたことだろう。この潜在的可能性に到達するため、われわれに求められているのは、機械をさらに賢くする方法を考案することだけではない。人間の心と精神が作用する仕組みについて理解を深めることも求められているのだ。

昨今の人工知能と機械学習の進化により、システムはゲームや画像分類、テキスト処理の分野で、人間と同等か人間を上回る能力をもてるようになった。だが、車道でドライバーが停止してくれず、あなたの進路をはばむ理由や、人が自分の利益に反する投票をする理由、パートナーの誕生日に贈るべきプレゼントを知りたいといった事柄については、今のところ機械より人間に尋ねたほうがいい。こうした問題を解決するためには、人間の心と精神のモデルを構築することが求められる。このモデルはコンピューターに実装できるものであり、機械をもっと巧みに人間社会へ組み込むためのみならず、今後も人間社会が間違いなく存続できるようにするためにも、本質的に欠かせないものである。

ではここで、食事の献立作成や生活雑貨の注文といった基本的タスクを引き受けてくれる、自動インテリジェント・アシスタントがいたらどうなるか、具体的に考えてみよう。自動インテリジェント・アシスタントは、首尾よくタスクをこなすため、あなたが欲しがるものをあなたの行動様式から推測できなければならない。シンプルに思えるかもしれないが、人間の嗜好を推測することは一筋縄ではいかない。たとえば、あなたがいちばんおいしそうに食べているものはデザートだと認めたインテリジェント・アシスタントが、全品がデザートの献立を考えはじめるかもしれない。あるいは、自由に過ごせる時間が足りないとあなたが不満をもらすのを聞き、あなたの自由時間の多くが飼い犬の世話でつぶされていると認めるかもしれない。さらには、デザートの失敗に続いて、あなたがタンパク質を取り入れた食事を好むことも認めたインテリジェント・アシスタントが、犬肉を使うレシピを検索しはじめることもありうる。こうした事例から、人類(誰もが豊富なタンパク質の供給源)の未来が危惧される状況が起こらないとも言い切れないのだ。

人間が欲しがるものを推測する。それは、価値観の一致というAIの問題を解決するために、欠かすことのできない条件だ。価値観の一致とは、インテリジェント・システムの価値観を人間の価値観とすり合わせて一致させることである。人間に最善の利益をもたらす事柄を最優先するようインテリジェント・システムに学習させたければ、価値観を一致させることが重要だ。インテリジェント・システムが人間の価値観を推測できなければ、人間の価値観に沿った行動をとれるはずはなく、人間の価値観に反する行動を取ることもありうる。

価値観の一致は小さなテーマながら、人工知能研究分野で文献数を増やしつつある。価値観の一致の問題を解決するため使用されるツールのひとつに、逆強化学習がある。強化学習は知能機器を訓練する標準手法だ。ある結果と報酬を関連づけることにより、この結果を生みだす戦略に従うよう機械学習システムを訓練することができる。この発想は一九五〇年代にウィーナーが暗に言及していたが、数十年を経て最先端技術に発展している。現代の機械学習システムは、コンピューターゲーム――シンプルなアーケードゲームから複雑なリアルタイム戦略を要するゲームまで――において、きわめて有効な戦略を見つけだすことができる。このとき適用される強化学習アルゴリズムを逆にしたものが、逆強化学習である。つまり、有効な戦略を学習済みの知的エージェントの動作を観察すれば、この戦略を発展させることにつながる報酬を推測可能というわけだ。

最もシンプルな形式の逆強化学習は、人がつねにする事柄である。われわれが無意識にするほどありふれた事柄だ。仕事中に同僚がお菓子の自販機の所へ行き、ポテトチップスやチョコレートではなく無塩ピーナッツを買う姿を見かけたとき、あなたは同僚が（一）空腹であり（二）健康的な食品を採ろうとしている、と推測する。また、あなたがいることに知り合いが気づいたが、あなたのことを避けようとしているとき、知り合いには今、自分と話したくない理由があるのだろうとあなたは推測する。大人が時間とお金をかけてチェロを習っているとき、この人はクラシック音楽の愛好家に違いないとあなたは推測する――だが、エレキギターを習っている一〇代の少年の場合は、もっと野心的な動機があるのだろうと推測する。

逆強化学習は統計的な問題である。つまり、われわれにはデータがいくらかあり——知的エージェントの行動様式——その行動様式を引き起こす報酬に関わるさまざまな仮説を評価したいと思っている。この問題に直面した統計学者は、データの背後にある生成モデルについて考える。知的エージェントがある特定の報酬セットにより動機づけられた場合、われわれはどのようなデータが生成されることを期待するか？　生成モデルを装備すれば、統計学者はうしろ向きに作業できるようになる。どのような報酬が、知的エージェントにある特定の行動様式を引き起こした可能性が高いのだろうか？

人間の行動様式を動機づける報酬について推測しようとするならば、人間の行動様式の理論——人間の心と精神が作用する仕組み——となるものこそが、生成モデルである。他者の行動様式の裏に隠れた理由を推測するとは、われわれみんながつねに頭のなかに抱えている人間性を高度にモデル化し再現することである。このモデルが高精度であるとき、われわれは良い推測をする。このモデルが高精度でないとき、われわれは間違える。たとえば、教授が電子メールにすぐ返信してくれないとき、この教授は自分に関心がないのだと学生は推測するかもしれない。教授が受信する電子メール数がどれほどなのか、学生が気づくことに失敗した結果である。

人間が欲しがるものについて良い推測をするインテリジェント・システムは、人間の行動様式に関するすぐれた生成モデルを備えているはずだ。つまり、コンピューターに実装可能な用語で表現された、人間の認知に関するすぐれたモデルを備えているはずである。過去を振り返ると、人間の認知のコンピューターモデルは、人工知能自体の歴史と密接に絡み合っている。ノーバート・ウィーナーが『人間機械論』を刊行したわずか数年後に、初めて人間の認知をコンピューターモデル化した〈ロジック・セオリスト〉ならびに初の人工知能システムが、カーネギーメロン大学の技術者ハーバート・サイモンとランド研究所のアレン・ニューウェルによって開発された。〈ロジック・セオリスト〉は、人間の数学者が使う戦略を模倣して、数学の定理の証明を自動的におこなった。

人間の認知をコンピューターモデル化する過程で課題となっているのが、高精度かつ一般化可能なモデルをつくることだ。高精度モデルは当然ながら、エラーを最小限にとどめつつ人間の行動様式を予測する。一般化可能なモデルは実にさまざまな環境下で予測をすることが可能だが、そこにはモデル作成者が想定していない環境も含まれる。たとえば、すぐれた地球気候モデルは、モデルを設計した科学者が考慮に入れていなかったとしても、地球温暖化がもたらす結果を予測できるべきだ。しかし、人間の心と精神を理解することとなると、先ほどあげた二つの目標——高精度かつ一般化可能であること——が、長らく反目しあっているのだ。

一般化可能性の最も極端なところにあるのが、認知の合理的理論である。認知の合理的理論では、人間の行動様式は与えられた状況に対する合理的反応であるとされている。合理的行為者は、一連の行動によって生じる報酬予測を最大化しようとする。経済で広く使用されている概念だが、その理由こそ、この概念が人間の行動様式についてこのように一般化可能な予測をする点にある。同じ理由により、人間の行動様式から推論を試みる逆強化学習モデルにおいては、合理性が標準仮定とされており、人間は完全に合理的なエージェントでなく、ときとして本人にとって最善の利益と一致しないばかりか相反する行動までも無作為に選ぶ、という譲歩もおそらく含まれている。

人間の認知をモデル化する基盤としての合理性が問題なのは、高精度でないことだ。合理的モデルの規定から人が逸脱する様式は、意思決定の領域におけるさまざまな文献にまとめられており、その最前線にあるのが、認知心理学者ダニエル・カーネマンとエイモス・トベルスキーの研究である。カーネマンとトベルスキーの説によると、人は多くの状況下において、低認知コストですぐれた解決策にたどり着けるシンプルなヒューリスティックに従うかわりに、ときおりエラーを犯すという。具体例として、ある事象が起きる可能性を評価するよう、誰かに頼んだとしよう。評価を頼まれた人は、このような事象の事例を記憶から産みだすことがどのくらい簡単かという点に着目し、あまり深く考えなくてもその事象が生じる筋書を思いつくことができるかどうかを検討するかもしれないし、あるいは、その事象が自分の期待とどのくらい類似しているか評価するかもしれない。ヒューリスティックは複雑な確率的計算を避けるための合理的戦略だが、結果としてエラーにもつながる。たとえば、確率を導くガイドとして記憶を使用し、記憶から事象を産みだすことが簡単だという点に依存することは、テロリストの襲撃といった極端な（強烈に記憶に刻まれる）事象が起きる可能性を、過大評価することにつながる。

ヒューリスティックは、さらに精度が高い人間の認知モデルをもたらすが、これは容易には一般化されないモデルだ。特定の状況下で人がどのヒューリスティックを使う可能性があるか、われわれはどうすれば知ることができるだろう？　人が使用するヒューリスティックには、われわれがまだ発見していないものがあるのだろうか？　初めて遭遇する状況下で人がどう行動するか正確に知ることは、難しい課題だ。この状況は記憶から事例を産みだし、あまり深く考えなくても筋書を思いつく状況か、それとも類似性に依存する状況なのか？

結局、われわれに必要なのは、合理性の一般化可能性とヒューリスティックの高精度を備えた人間の心と精神が、どう作用するかを描写する方法である。この目標を実現する方法のひとつは、まず合理性からスタートし、それをもっと現実的な方向へ取り入れるにはどうすべきか、検討することである。現実世界のあらゆるエージェントの行動様式を描写する基礎として、合理性を使うときに問題となるのが、多くの状況下において、合理的行動を計算するためエージェントが大量の計算資源をもつよう求められることだ。高度に必然的な意思決定をしようとしている人が、時間をかけて自分の意見を評価できる状況であれば、こうした計算資源は費やす価値があるかもしれない。だが、たいてい人の意思決定は、すばやくそして比較的小さい賭け金でおこなわれる。意思決定に費やす時間にコストがかかるどんな状況でも――少なくとも他のことをするために費やせる時間だから――合理性の古典的概念はもはや、人がとるべき行動様式のすぐれた規定にはなりえないのだ。

合理的な行動様式のもっと現実的なモデルを開発するためには、消費コスーを考慮に入れる必要がある。現実のエージェントは、余計な思考が意思決定結果にもたらす効果によって、思考に費やす時間量を調整する必要がある。たとえば、あなたが歯ブラシを選んでいるとき。購入する前に、Amazonにリストアップされた大量の手動歯ブラシ製品すべてを考慮に入れる必要はおそらくない。つまり、あなたは製品をチェックする時間と、時間をかけてチェックした結果として生じる質の違いを引き換えにする。このトレードは形式化可能であるため、結果として、人工知能研究者が「限定最適性」と呼ぶ、合理的な行動様式のモデルとなる。限定最適性エージェントは、正しい行動をつねに選択することを重視しない。重視するのはむしろ、間違えることと考えすぎることのあいだに完璧なバランスを見つけるために、従うべき正しいアルゴリズムを見つけることなのだ。

限定最適性は、合理性とヒューリスティックのあいだにあるギャップを橋渡しする。どのくらいの時間考えるべきか合理的に選択した結果として、行動様式を描写することにより、一般化可能な理論がもたらされる――これこそ新しい状況下で適用可能な理論だ。ときおり、人が従うヒューリスティックとして特定されたシンプルな戦略が、限定最適性ソリューションであると判明することがある。このため、人が不合理に使用するものとしてヒューリスティックを責めるよりむしろ、ヒューリスティックとは計算上の制約に対する合理的反応として考えることができる。

限定最適性を人間の行動様式の理論として発展させることは、私の研究グループと他のグループが積極的に追求している、現在進行中のプロジェクトだ。この取り組みが成功すれば、人間の行動様式の生成モデルが実現化され、人の行動様式を解釈する人工知能システムをさらに賢くするために必要とされる、最も重要な原材料がもたらされるだろう。

人間の認知に織り込まれる計算上の制約を受けない自動システムを開発するに当たっては、この制約について考慮することが、とりわけ重要になるだろう。人間がどんなことに関心を寄せているか見つけだそうとする、人工超知能システムを想像してみてほしい。超知能を備えたＡＩから見ると、ガンを治すことや〈リーマン予想〉を確定させることは、人間にとって最重要事項だと考えられないだろう。ガンや〈リーマン予想〉の問題を解決する方法を超知能システムが把握しているとしたら、なぜ人間にはこのように明白な解決法がわからないのか疑問視し、ガンも〈リーマン予想〉も人間にとってたいして意味のない問題なのだと結論づけるかもしれない。人間に何か気にかけていることがある、その問題はきわめてシンプルである、それならば、人間がすでに解決しているはずだ、と。合理的な推論は科学と数学を利用して取り組むものだろうが、その純然たる理由は、われわれが科学と数学を楽しむからであり、結果を気にかけているからではない。

幼い子供をもつ人なら誰でも、自分自身とは異なる計算上の制約を受けるエージェントの、行動様式を解釈しようとするときに起きる問題を認識できる。幼児の両親は、不可解と思える行動の裏にある真の動機を解き明かすため、何時間でも費やしかねない。私は二歳児の父親であり認知科学者だが、娘が突然怒りだす理由を理解しやすくなったと気づいたのは、娘は人それぞれに欲望があることを認識できるが、自分自身の欲望を他人に理解してもらえないことがあるとは認識できない年齢なのだ、と認めたときだった。このため、自分の（この上なく明白な）望みを他人にかなえてもらえなかったときに娘が不機嫌になる理由を、たやすく理解できるようになった。幼児を理解するには、幼児の心と精神の認知モデルを構築する必要がある。人間の行動様式を理解しようと試みるとき、人工超知能システムはこれと同じ難題に直面するのだ。

人工超知能システムはまだ遠いところにあるのかもしれない。短期的には、人間モデルを改良することは、人間の行動様式分析により経済的利益を得るあらゆる企業にとってきわめて有益であると実証できる。現時点では、ウェブ上で商取引をおこなうほぼすべての企業がこれに当てはまるだろう。この数年間で、画像とテキストを解釈する商業レベルの目覚ましい新技術が誕生したのは、視覚と言語に関するすぐれたモデルが開発された結果である。人間に関するすぐれたモデルを開発することは、次の開拓領域なのだ。

当然ながら、人間の心と精神が作用する仕組みを理解することは、コンピューターと人間の交流を向上させる手段であるだけにとどまらない。間違えることと考えすぎることを引換えにするトレードは、人間の認知を特徴づけるものであり、あらゆる現実世界の知的エージェントが直面するトレードである。人間は、大きな計算上の制約があるにも関わらず知的に行動するシステムの、驚異的サンプルである。われわれは、大きな労力をかけずに首尾よく問題を解ける戦略を立てるのが非常に得意だ。こうした戦略を立てる方法を理解することは、コンピューターの労働負荷を増やすのではなく、コンピューターをさらに賢く働かせることを目指す一歩になるだろう。

# 第13章　人間をＡＩ方程式に入れる

アンカ・ドラガン
カリフォルニア大学バークレー校の電気工学およびコンピューター・サイエンス大学助教授。バークレー・アーティフィシャル・インテリジェンス・リサーチ（ＢＡＩＲ）ラボ運営委員会の共同設立者兼委員であり、バークレーのヒューマン・コンパティブルＡＩセンター共同主任研究員。

ルーマニア出身のアンカ・ドラガンは、ロボットを人間と一緒に、人間の周辺で、人間のサポートとして働かせるためのアルゴリズムを、重点的に研究している。バークレー校でInter ACTラボラトリーを運営し、学生たちとともに自動運転車から製造補助ロボットまでの各種アプリケーションに取り組み、最適制御、プランニング、推定、学習および認知科学を取り入れている。三十代になったばかりだが、数多くの論文を長年の同僚であり師でもあるスチュワート・ラッセルと共同執筆し、機械学習のさまざまな側面および価値観の一致に関わる複雑な諸問題を扱っている。

彼はスチュワート・ラッセルの関心分野であるＡＩの安全性を共同研究しており、「フューチャー・オブ・ライフ・インスティテュート」のインタビューでこう語っている。「差し当たっての問題は、エージェントが望ましくない、人を驚かせるような行動様式をとることです。良い目的のためにＡＩを使おうとしても、悪いことが起きる可能性はあります。AIエージェントの目的と制約を規定することに、われわれがまだ苦戦しているからです。AIエージェントがとる解決方法は往々にして、人間の心や精神にあるものとは異なっているのです」

このため、アンカ・ドラガンは主な目標として、ロボットと人間のプログラマーがお互いの意図に透明性を欠いているせいで生じる多くの矛盾を克服できるよう、両者を等しくサポートすることを目指している。ドラガンによると、ロボットが人間に疑問点を尋ねる必要があるのだという。ロボットは割り当てられたタスクに疑問を抱いてしかるべきであり、全員が同じ認識に達するまで、人間のプログラマーをささいな質問で悩ませて当然なのだ――「予期せぬ副作用」と婉曲的に呼ばれるものを回避するために。

人工知能の核は、人間が定める「AIエージェント（ロボット）とは何か」という、数学的定義にある。人間はロボットを定義するとき、状態、行動、報酬を定義する。一例として、デリバリーロボットを思い浮かべてみよう。状態とは世界における位置、行動とはロボットがあるポジションから近くのポジションへ移る動作である。とるべき行動をロボットが意思決定できるようにするため、人間は報酬関数（状態と行動からスコアまでの地図で、その状態下でその行動がどの程度すぐれているか示すもの）を定義し、最大の「報酬」を積み上げられる行動を、ロボットに選ばせる。ロボットは目的に到達したときに高い報酬を得て、動くたびに小さなコストを負う。つまり、この報酬関数とは、できる限り早く目的に到達するようにうながすインセンティブを、ロボットに与えるものである。同様に、自動運転車もまた、経路上を進むことで報酬を得て、ほかの車に接近しすぎたときはコストを負うかもしれない。

こうした定義を前提とすると、ロボットの仕事とは、最高集積報酬を得るために取るべき行動を見つけだすことである。それだけをロボットにさせられるようにすべく、われわれはＡＩの研究に懸命に取り組んでいるのだ。この研究が成功したら――ロボットがあらゆる問題定義を受け入れて、それを行動方法のポリシーに変換できるようになったら――人間と社会に有用なロボットが登場する。われわれは暗にそう想定している。

これまでの進捗は、そう悪くない。細胞をガンと良性に分類するＡＩや、人間が仕事をしているうちにリビングルームのマットに掃除機をかけてくれるロボットなどは、すでに対応済みだ。現実世界にある問題のいくらかは、明瞭な状態、行動、報酬を伴わせた上で、孤立させて定義することが可能なのだ。しかし、ＡＩの能力が向上している今、われわれが取り組むべき問題は、この枠組みに収まりきらなくなっている。世界の小さな一片を切り取って箱に入れ、ロボットに与える段階は、もう過ぎている。ロボットが人間を助けるならば、現実世界で人間と交流し、相手を判断しながら働かなければならない段階を迎えつつあるのだ。「人間」はどこかの時点で、問題定義をＡＩに対し正式に投入しなければならなくなるだろう。

自動運転車は、すでに開発が進められている。自動運転車は人間が運転する自動車や歩行者と同じ道路を走らなければならず、人間をできる限り早く連れて帰ることと、他のドライバーに配慮することを引換えにするよう、学習しなければならないだろう。個人アシスタントのロボットは、人間が本当に手助けを必要とするタイミングと分量を見つけだし、人間が自分でやりたがるタスクと、管理を任せられるタスクを見極める必要があるだろう。ＤＳＳ（意思決定支援システム）あるいは医療診断システムは、人間が理解し確認できるような形で、推奨事項を説明する必要があるだろう。自動チューターはどのような事例なら情報提供と説明ができるか判断する必要があるだろう――自分たちロボットでなく、われわれ人間を対象として。

未来へのさらなる展望として、人間と互換性をもつ、きわめて有能なＡＩが欲しいならば、人間から孤立したＡＩをつくるわけにはいかず、あとから互換性をもたせるわけにもいかない。つまり、はじめから「人間と互換性をもつ」ＡＩを定義しなければならないだろう。人間はあとから追加できるものではないのだ。

現実のロボットが現実の人間を助ける。この点については、二つの根源的理由により、われわれはＡＩの標準定義に失敗している。第一の理由は、ロボットが人間の周囲で行動するときは人間もまた行動するため、ロボットを孤立させた場合と同じようには報酬関数が最適化されないことだ。人間は自分の利益に役立つ意思決定をし、こうした意思決定が行動を指示する。さらに、人間はロボットを判断する――つまり、ロボットは今こうしていると思う、これからこうすると思う、ロボットの能力はこうだろう、という自分の考えに反応する。どのような行動であれ、ロボットは人間とうまくかみ合わなければならないという必要性に基づいて、意思決定をする。これが協調の問題だ。

第二の理由は、ロボットの報酬関数を、そもそもどのようなものにすべきか決定するのは、最終的に人間であるためだ。報酬とは、ロボットの行動様式がエンドユーザーの望み、設計者の望み、あるいは社会全体の望みに合致するようにうながす、インセンティブとして定められるものである。きわめて狭い範囲で定義されたタスクだけにとどまらない有能なロボットは、人間との互換性を実現するために、この点を理解する必要があるだろうと私は考えている。これが価値観の一致の問題だ。

## 協調の問題――人間は環境のなかでは物体以上の存在である

特定のタスクに合わせてロボットを設計するとき、われわれは人間を別の存在として設計しようとする。

たとえば、個人アシスタントをするロボットは、物を受け取る方法を知る必要があるが、われわれはロボットが受け取る相手の人間とは別に、この問題を定義する。しかし、動いているロボットが人間などあらゆるものにぶつかることは、避けなければならないため、ロボットの状態の定義に人間の物理的位置を含めることになるだろう。自動運転車も同じだ。ほかの車と衝突してほしくないため、自動運転車がほかの車の位置を追跡できるようし、同じ方向へ一定に動くだろうと想定する。これと同じ感覚で考えると、ロボットから見た人間は、平面を転がるボールと何ら変わらない。平面を転がるボールは、それまでの数秒間と同じ動作をこれからの数秒間も続ける。つまり、同じ方向に、ほぼ同じスピードで転がり続ける。当然ながら、これは現実の人間の行動様式とまったく異なるが、このような簡素化が多くのロボットのタスク実行を成功させ、たいていはロボットが人間の進路を妨げることを防げている。たとえば、家庭にいるロボットが廊下を歩いてくる人間の姿を見たとき、人間を通らせるために脇へ避け、人間が通りすぎたあとにタスクを再開するということだ。

だが、ロボットの能力は向上し続けているため、人間をつねに動いているただの障害物として扱うだけでは、不充分になりつつある。車線を変更する人間のドライバーは、同じ方向へ進み続けないが、車線を変更したあとは前方へまっすぐ進む。人間が何かに手を伸ばすとき、手がほかの物体のそばを通り、目的物に達したところで止まることはよくある。人間は廊下を歩いているときに、行き先を頭のなかで考えている。右へ進みバスルームへ入るか、左へ進みリビングルームへ入るか。人間は転がるボールと何ら変わらないという仮定に依存すると、必要のないときにもロボットが進路を空けてしまい、非効率が生じ、人間の行動様式が変わったときにロボットを危険にさらしかねない。進路を空けるだけが目的であっても、ロボットは人間の行動予測に、ある程度の精度をもたねばならない。そして、人間は転がるボールとは異なり、これをしようという意思決定に基づいて行動を決める。したがって、ロボットは人間の行動を予測するために、人間の意思決定を理解しはじめる必要がある。そして、人間の意思決定を理解するときは、人間の行動様式が完全に最適であることが前提とされない。チェスや囲碁の相手をするロボットなら、その前提で充分かもしれないが、現実世界における人間の意思決定は、ボードゲームの最適な動きよりも予測可能性が低いのだ。

この、人間の行動と意思決定を理解する必要性は、物理的および非物理的ロボットにも適用される。どちらのロボットも、人間が何かをするとき、別のこともするかもしれないという仮定に基づいて行動を決定すれば、結果として生じる不一致は最悪になる可能性がある。自動運転車の場合だと、衝突を起こす可能性がある。財政的あるいは経済的役割をもつAIならば、AIが人間に期待することと人間が実際にすることが一致せず、さらに悪い結果をもたらしかねない。

代替案のひとつとして、ロボットに人間の行動を予測させず、そのかわりに、人間が最悪の行動をとったときだけ保護させる、という方法がある。ただし、これを実践するロボットは、往々にして有用な存在ではなくなる。自動運転車の場合、あらゆる動きが危険を含むということになり、結果として動けなくなってしまう。

こうした諸問題が、AI関係者たちを困らせている。ロボットには、人間がこれをしようと意思決定する、あらゆる事柄を体系化した高精度な（最低でも合理的な）予測モデルが必要となる。状態定義においては、単に人間がいる物理的な位置を含めるだけでは不充分だ。人間の内的な状態に関わる部分も判断する必要があるだろう。このように、今後は人間の内的状態を考慮したロボットを設計する必要があるが、それは難しい注文だ。ただ、幸運にも人間は、自分の内的状態に関わるヒントをロボットに与える傾向がある。人間が今とっている行動は、その人間が何を意図しているか観察する機会を、ロボットにもたらすのだ（ベイズ推定）。たとえば、あなたが廊下の右側に向かって歩きはじめるとき、おそらくあなたは右側にあるひとつ目の部屋に入るつもりでいるのだ、と。

こうした問題をさらに複雑にしているのは、人間は意思決定をするときに孤立していないという事実だ。人間がとろうとしている行動をロボットが予測し、その行動に反応するため何をすべきか見つけだすことができるとしたら、それは結構なことだ。だが残念なことに、これはロボットに過剰防衛をさせ、結果として人間をひどく混乱させるおそれがある。交差点で先へ進むタイミングをつかみそこねている人間のドライバーを想像すれば、わかるだろう。人間が何を意図しているか予測する手法で見落とされるのは、ロボットが行動する瞬間、人間がとろうとしている行動に影響が生じることだ。

ロボットと人間は、相互に影響しあう。これはロボットがナビゲートするために学習せねばならないことである。つまり、ロボットが人間についてプランニングするだけでなく、人間もまたロボットについてプランニングする必要があるのだ。ロボットが路上やキッチン、仮想空間などどこであれ購入や新戦略導入をおこなう場所で、どの行動を取るべきか意思決定する場合は、このプランニングを考慮することが重要だ。そうすることでロボットに協調的な戦略が授けられ、人間が日々自然におこなっている交渉ごとに参加することができる。交差点や幅の狭いドアで誰が先に行くかということから、一緒に朝食の準備をするときの役割分担、プロジェクトで次にとるべきステップに関する同意まで、さまざまだ。

最後に指摘したいのは、人間が次に何をするかロボットが予測しなければならないように、人間もまた、ロボットが次に何をするか予測する必要があるということだ。そこで重要となるのが透明性《トランスペアレンシー》だ。今後は、ロボットが人間に関するすぐれたメンタルモデル〔頭の中にある行動のイメージを表現したもの〕を必要とするだけでなく、人間もまた、ロボットに関するすぐれたメンタルモデルを必要とするだろう。また、人間がロボットについて抱くメンタルモデルは、われわれの状態定義と一致している必要があり、ロボットは自身の行動がそのメンタルモデルをどう変化させているか認識しなければならない。人間の行動を手がかりにして、ロボットが人間の内的状態を知ろうとするように、人間はロボットの行動を観察してロボットに関する思い込みを修正していくのだ。残念ながら、ロボットに対して手がかりを与えることは、人間に与えるときのように自然にはいかない。人間には暗黙のうちにコミュニケーションをとる慣習があるからだ。だが、ロボット自身の行動が人間がロボットに対して抱く際のメンタルモデルに影響をもたらすという変化を、ロボット自身が考慮できるようになれば、正しい手がかりを与える行動をロボットがもっと慎重に選ぶようになる可能性がある。正しい手がかりはロボットの意図、報酬関数、限界を明確に人間へ伝える。たとえば、ロボットが重いものを運んでいるときに重量を扱う難しさを強調するため、動作を変えるといったやりかたがある。ロボットについて多く知るほど、人間はロボットと協調しやすくなるのだ。

行動の互換性を実現するためには、ロボットが人間の行動を予測し、予測した人間の行動がロボット自身にどのような影響を与えるか把握する必要がある。この互換性が実現されれば、人間もまた、ロボットの行動を予測することが可能となる。こうした課題は、ある程度まで研究が進んでいるが、それでもまだ先は長い。

## 価値観の一致の問題——ロボットの報酬関数の鍵を握るのは人間

ロボットに報酬を最適化させる研究が進むと、最適化するための正しい報酬を最初にロボットへ与える設計者の負担が増す。最初は、人間がロボットに望むどんなタスクに対してでも、正しい行動をうながすことを奨励するための報酬関数を書きだすことができるという考えがあった。だが、最適化から生じる報酬関数と行動様式をわれわれが規定しても、われわれが望まない結果につながることが頻繁にあるのだ。直観的な報酬関数は、あるタスクに関する異常な事例と結びつくと、直観的でない行動につながることがある。たとえば、レースゲームでスコアを獲得したエージェントに人間が報酬を与える場合、エージェントはレースに勝たずとも無限にポイントを獲得できる抜け道を見つけることがある。このような事例は、スチュワート・ラッセルとピーター・ノーヴィグの共著書『エージェントアプローチ人工知能』（古川康一訳、共立出版、二〇〇八年）でわかりやすく提示されている。吸い込んだほこりの量に応じて掃除ロボットに報酬を与えた場合、ロボットが一度吸い込んだほこりを掃除機から出し、ふたたび吸引してさらに報酬を得ようと意思決定することになるというのだ。

このように落とし穴が隠れている事例で示されるように、人間は概して、欲しいものを正確に規定することに苦労する場合がある。外部が規定した何らかの報酬をロボットが獲得するＡＩパラダイムは、その報酬が充分かつ完璧に考え抜かれたものでなければ、失敗する。不備のあるＡＩパラダイムは、ロボットが誤った行動をしたり、その誤りを正そうとする人間の指示に抵抗したりするようにうながしてしまうかもしれず、その結果、規定された報酬を下げることにつながるだろう。

これよりもすぐれていると思われるパラダイムは、人間がはっきり説明できないが心のなかで望んでいることに合わせて、ロボットを最適化することだ。ロボットは、人間の会話や行動を文字通り解釈し命令どおりに受け取るのでなく、人間が望んでいることのエビデンスとして使用するだろう。報酬関数を書きだすときに人間が間違える可能性があることを、ロボットは理解すべきである。書いた人間はタスクを全面的に考慮していないかもしれないし、書かれた報酬関数がつねに人間の望む行動様式につながる保証はないのだ。ロボットは、人間が自分の要求をロボットに理解させるために書き出した内容を、統合する必要がある。だがそれだけでなく、ロボットは人間から明瞭な説明を引きだすため、人間に確認をとりながらすり合わせもしなくてはならない。ロボットは人間から指針を引きだすべきだが、それが、真に望ましい報酬関数を最適化するための唯一の方法だからである。

人間が何を望んでいるか学習する能力をロボットに与えるとしても、AI単独では答えを得られないだろうという、重要な問題が残る。ロボットの価値観を人間の内面にある価値観と一致させるような試みをさせることは可能だが、このとき関わる人間はひとりだけではない。まず、ロボットはエンドユーザーをひとりもつ。……あるいは一家で利用する個人ケアロボットなどの場合は数人、車を運転するロボットの場合は目的地が異なる同乗者を数人、オフィスアシスタントの場合は複数人のチームメンバーをもつ。さらに、設計者をひとり（または複数）もつ。そして、社会と交流する。……自動運転車なら、歩行者や、人間が運転する車、他の自動運転車と道路を共有するわけだ。こうした複数の人間の価値観が矛盾する可能性があるときに、どううまく組み合わせるか。これはわれわれが解かねばならない重要な問題である。AI研究者は、人間が意思決定するあらゆる方法で価値を組み合わせるツールを与えることはできるが、人間のために必要な意思決定をおこなうことはできないのだ。

つまり人間に必要なのは、人間を障害物または完璧なゲームプレイヤー以上の存在と見なせるようにするため、人間を判断できる能力をロボットにもたらすことである。ロボットが人間と協調して価値観を一致できるようにするためには、ロボットが人間の本質を考慮できるようにしなければならない。これに成功すれば、人間は生活の質を大きく向上させるツールを真に手に入れたことになるだろう。

# 第14章　勾配降下

**クリス・アンダーソン**
起業家で「WIRED」誌の元編集長、３ＤＲの共同創設者兼ＣＥＯ。著書に『ロングテール――「売れない商品」を宝の山に変える新戦略』（篠森ゆりこ訳、早川書房、二〇〇九年）、『フリー〈無料〉からお金を生み出す新戦略』（高橋則明訳、ＮＨＫ出版、二〇〇九年）、『ＭＡＫＥＲＳ　21世紀の産業革命が始まる』（関美和訳、ＮＨＫ出版、二〇一二年）がある。

クリス・アンダーソンが運営する会社、３ＤＲは、現代のドローン産業のスタートを支援し、現在はドローンデータ・ソフトウェアに焦点を当てている。彼はまず、ＤＩＹドローンズと呼ばれるオープンソースの空中ロボット工学コミュニティを開設することから始め、ローレンス・バークレー国立研究所にみずからの自律飛行ドローンを飛ばすなど、無分別な初期実験に乗りだした。こうしたことは、風変わりな遺伝子発現の事例だったのかもしれない。というのも彼は、アメリカの無政府主義運動の発起人の血筋を引いているのだ。二〇〇一年から二〇一二年までのあいだ、クリスはテクノ・ユートピアンからもテクノ・ディストピアンからも同等に支持される雑誌、「WIRED」を運営していた。彼の在職期間中、この雑誌は全米雑誌賞を五回受賞している。

クリスは「ロボット工学者」という言葉を好まない（「礼儀正しく偉ぶらないロボット工

学者と同じく、私は自分をそう呼ばない」と言っている）。彼は物理学者としてそのキャリアをスタートした。「自分がだめな物理学者だということがわかった」と、最近になって私に話してくれた。

「なんとかがんばってロスアラモス（米ニューメキシコ州にある町で、マンハッタン計画の原子爆弾開発を目的にしたロスアラモス国立研究所がある）まで行って、こう思った。『たぶん自分はノーベル賞を取れるような人間ではないだろうが、それでも科学者にはなれる』と。ぼくらのように物理学の世界にいて、こうしたロマンティックな憧れ、つまりファインマン物理学やマンハッタン計画へのあこがれを抱いていたような人はみな、自分のキャリアはせいぜい、欧州原子核研究機構（CERN）で一五年間、ひとつのプロジェクトに取り組むことくらいだろうということに気がつくんだ。そのプロジェクトにしろ、失敗に終わって論文がひとつも残らないか、成功して論文著者番号二〇〇番となり、アイオワ州立大学の助教授になるかの、いずれかだ。

クラスメートのほとんどはウォール街に就職してクオンツになった。サブプライム住宅ローンは彼らのおかげだ。それ以外の人はインターネットの開設に取りかかった。まず、ぼくらは物理学の研究所同士をつなぐインターネットを構築した。第二にウェブを開設した。第三に、初めてビッグデータを取り扱った。スーパーコンピューターの〈クレイ〉があり、これは今のスマートフォンの半分の能力しかなかったけれど、当時はスーパーコンピューターとされていた。そんななか、ぼくらは『WIRED』を読んでいた。一九九三年創刊の雑誌で、ぼくら科学者が利用しているこのツールこそ、すべての人にとって有用に違いないと気づいたんだ。インターネットは単なる科学的データに関するものというだけでなく、驚くべき文化革命でもあった。そういうわけで、コンデナストから、この雑誌を引き受けてくれないかと言われたときは、『ぜひとも！』という気持ちだった。あの雑誌がぼくの人生を変えたと言える」

アンダーソンには当時、五人の子供——全員ビデオゲームプレイヤーだ——がいて、彼らがアンダーソンを「空飛ぶロボット」へと導いたのだった。そして彼は「WIRED」での仕事を辞めた。その後のキャリアはシリコンバレーの歴史を紡いでいる。

## 生命

蚊は最初、九メートルほど離れたところからわれわれのにおいを嗅ぎつける。それが、可能な限り単純な規則から構成される蚊の追跡機能を誘発する。まずは、ランダムな方向に動く。においが増せば、その方向への移動を継続する。においが薄れると反対方向へ動く。においが消えたら、もう一度においがするまで横方向へ動く。ターゲットに接触するまで、これを繰り返す。

においの柱は、私のすぐ隣で最も密集していて、外に広がるにつれて分散し、目に見えない粒子の霧が私の肌からにじみ出て、風に乗って煙のように移動する。私の肌に近ければ近いほど、粒子の密度は高くなる。遠ければ遠いほど、密度は低くなる。この密度の減少は勾配と呼ばれるもので、あるレベルから別のレベルまでのあらゆる段階的な推移を表す——離散的変化を示す〝階段関数〟とは対照的だ。

蚊がこの勾配に従い、シンプルなアルゴリズムを使ってその根源に達すると、ただちに私の肌に着地する。蚊は脚にある熱感知器で私の肌を感じとる。熱感知器はもうひとつの勾配、すなわち温度に合わせて調整される。その後、蚊はその針のような形の吸い口を肌の表面に押しつけ、先端にある第二のセンサーがさらに別の勾配、すなわち血液密度を感知する。この柔軟性のある針は私の肌の奥でもぞもぞと動き、血液のにおいに導かれて毛細血管に達し、穿刺する。それから私の血液は、蚊の体内へ流れ始める。ミッション達成というわけだ。やられた！

あれほど小さな脳にしてはとても説明のつかない血液探求知能をもつ、暗闇にいる虫のパワフルなレーダーのように見えるものは、実は、知能などほぼ何ひとつもたない敏感な鼻なのだ。蚊は誘導ミサイルよりも、太陽の動きを追う植物に近い。だが、この「自分の鼻に従う」という単純な規則を文字どおり適用することにより、蚊は網戸の裂け目をくぐり抜け、家のなかを飛び回ってあなたを探し、帽子とシャツの襟とのあいだにほんのわずか露出している肌を目がけてくる。それはちょうど、虫に障害物を乗り越えさせるフレキシブルな羽と足に加え化学勾配を降下するという本能が組み合わさった、ランダムウォークだ。

だが〝勾配降下〟は、虫のナビゲーションをはるかに超えて広がる。まわりを見渡せば、最も基本的な宇宙の物理法則から最も進歩した人工知能まで、それは至るところに見られる。

## 宇宙

われわれは、光や熱から重力や化学物質の道《ケミカル・トレイル》（つまり飛行機雲《ケムトレイル》だ！）まで、数えきれないほどの勾配の世界に生きている。水は山を下る重力勾配に沿って流れ、人間の身体は高密度から低密度まで、細胞膜全体を流れる化学溶液でもって保たれている。宇宙のあらゆる行動は、重力勾配の周囲の惑星の動きから、分子を形成する電荷勾配に沿った原子の結合に至るまで、なんらかの勾配駆動によって動かされる。われわれ自身の衝動、たとえば空腹や眠気といったものは、われわれの身体のなかの電気化学勾配によって引き起こされる。そして、われわれの脳の機能、すなわちニューロン間のシナプスにあるイオンチャネルに沿って移動する電気信号は、さらに電気的、化学的な勾配に沿って「下降」方向に流れる、まさに原子と電子なのだ。時計のように正確な類推は忘れよう。われわれの脳は、ある状態から別の状態へ水のように移動する信号をもつ運河と水門のシステムに近い。

ここに座って文字をタイプしながら、私は実際、勾配の $n$ 次元位相に平衡状態を探し求めている。熱を例に挙げよう。私の体温は気温より高い。したがって私は熱を放射し、この熱は私の身体の核に補充されなければならない。消化管のなかにいるバクテリアでさえ、センサーを使って、その周りの水分の糖度を測り、尾状のべん毛を叩きつけながら、糖分が最も多く供給される「上流へ」泳いでいく。すべてのシステムの自然な状態というのは、よりエネルギーの低い状態へ流れることであり、これはエントロピーによって広く説明されるプロセスである（エントロピーとは、秩序の高い状態から秩序の低い状態へ向かう傾向のことで、宇宙そのものを含め、すべてのものごとは最終的にばらばらになる）。

だが、意思決定をする能力など、より複雑な行動についてはどのように説明すればよいだろうか？　答えはまさしく、より大きな勾配降下である。

## 人間の脳

われわれ人間の知能が奇跡的で計り知れないのと同様、科学は、われわれの脳がレイヤーとフィードバックループをもつ他の複雑なシステムと同じように作用し、そのすべてが、われわれが数学的には「最適化関数」と呼んでいるが、ある意味では「下方への流れ」とも呼ぶことのできるものを追求しているという見方に変わろうとしている。

知能の本質は学ぶことであり、われわれはそれを正または負のスコア（報酬と罰）と入力を相互に関連づけることによっておこなう。したがって、赤ちゃんにとって、「この音」（母親の声）は、食べ物や心地よさなど、その母親との、学習された他のつながりに関連づけられる。同様に、「この筋肉の動きは、私の親指を私の口に近づける」という場合、何度も試行とエラーを繰り返しながら、脳のニューラル・ネットワークはこうしたつながりを強化していく。一方で、「この筋肉の動きは、私の親指を私の口に近づけない」というのは負の相関性であり、脳はこのつながりを弱めていく。

しかし、これではあまりに単純化しすぎている。勾配降下の限界は、いわゆる局所的最小値問題（または、勾配上昇の場合は局所的最大値問題）を構成する。山地を歩いていて、家に辿り着きたいと思うとき、常に山を下っていけば、次の谷に着く可能性が最も高いが、そのまわりにある、またはあなたと家のあいだにある他の山々を超える必要は必ずしもない。このために必要なのは、どこを下りれば谷から抜けだせるかがわかるように位相《トポロジー》の精神的なモデル（すなわち地図）を獲得するか、もしくはその地域から飛び出すことができるように勾配降下とランダムウォークとを切りかえるか、いずれかだ。

これが実際、蚊が私のにおいを辿っているときにしていることなのだ。蚊は、私のにおいの柱のなかにいるときに降下し、道筋を失ったり、障害物にぶつかったりしたときにランダムウォークをする。

## AI

以上は自然界の場合だ。ではコンピューターではどうだろうか？ 従来のソフトウェアでは、そのようにはいかない。コンピューターはハード・ロジックの決定論的なツリーにしたがっている。「もしこうならば、これをする」というものだ。だが、物理世界と相互に関わりあうソフトウェアは、より物理世界のように動作する傾向がある。つまり、雑音入力（センサーまたは人間の行動）を取り扱い、決定論的ではなく確率論的な結果を提供するということだ。そしてこれが今度は、さらに大きな勾配降下を意味する。

ＡＩソフトウェアはこの最適な例であり、（多くのレイヤーの畳み込み、または〝ディープ〟ニューラル・ネットワークを含む）人工的なニューラル・ネットワークモデルを使用するような種のＡＩは、特にそうである。これらのモデルで典型的なプロセスは、そのモデルに学んでほしいとあなたが思うことの多くの事例（たとえば「猫」とラベルされた猫の写真など）を、その他のランダムなデータの事例（ほかのものごとの写真）とともに示すことによって、モデルに「学習させること」で構成されている。これが〈教師あり学習〉と呼ばれているのは、ニューラル・ネットワークが、望ましい結果とは相関しないデータによる〈敵対的学習〉の使用を含む事例によって教えられているからだ。

こうしたニューラル・ネットワークは、その生物学的モデルと同様、何千ものノード（または〝ニューロン〟）のレイヤーで構成されており、そのそれぞれが、もともとランダムな強さをもった接続によって、上下のレイヤーにあるすべてのノードに接続される。一番上のレイヤーにはデータが提示され、一番下のレイヤーには正しい答えが与えられる。正しい答えにたまたま到達した一連の接続はより強化され（「報酬を与えられ」）、まちがっていたものはより弱められる（「罰せられる」）。何万回も繰り返せば、最終的にその種のデータに関して充分に学習されたネットワークが得られるのだ。

丘と谷がある惑星の表面と同じように、あらゆる可能な接続の組み合わせを考えることができるだろう。表面が三次元なのに実際の位相は多次元であるということは、差し当たり無視しておく）。ネットワークが学んでいるときに通過する最適化は、ちょうどその惑星で最も深い谷を探すプロセスと同じだ。このことは以下のような段階で構成されている。

1. ネットワークがどれほどうまく問題を解決するかを決定する〝コスト関数〟を定義する。
2. ネットワークを一回走らせ、それが当該コスト関数でどのように動作したかを見る。
3. 接続の値を変え、これをもう一度繰り返す。これら二つの結果の違いは方向、すなわち〝傾斜〟であり、そのなかで、ネットワークはこの二つの試行のあいだを移動した。
4. 傾斜が〝下降〟方向を指す場合、その方向へさらに接続を変更する。これが〝上昇〟方向であれば、反対の方向にそれらを変える。
5. あらゆる方向でそれ以上改善が見られなくなるまで繰り返す。つまり、自分が最小値にいるということだ。

おめでとう！ だがそれは、おそらく局所的最小値、つまり山の小さなくぼみであり、より良い結果を得るためにはこれを続けるしかない。山を下りつづけることはできず、絶対的に最も低い地点がどこなのかもわからないのだから、どうにかしてそれを探しださなければならないだろう。その方法はたくさんあるが、いくつかを挙げてみる。

1. それぞれ異なるランダムな設定で何度も試し、各試行から得た学習内容を共有する。基本的には、このシステムがより低い状態に落ち着くかどうかを確かめることになる。他の試行のひとつがより低い谷を発見したら、それらの設定から始める。

2．ただ山を下るのではなく、少し酔ったようによろめいてみる（これは〝確率的勾配降下法〟と呼ばれる）。これを充分長い時間おこなえば、最終的には底値を探し出すことができる。そこには生命のメタファーがある。

3．とにかく、多様性によって定義される〝興味深い〟特徴を探す（たとえば稜線や色の変化など）。ただし、この方法は狂気につながるおそれがある。あまりに極端に〝興味を起こさせる力〟は、ネットワークを視覚的幻想へ引き込むからだ。したがって、これを正気のまま維持し、人工物やエラーとは対極にある、本来、現実である可能性の高いような特徴を強調する。これは〝正則化〟と呼ばれるものであり、こうした類の特徴が以前見られたことがあるかどうか（〝学習〟）とか、それらが〝低頻度〟（実際の現実世界の特徴のように、より継続的）というより、あまりに〝高頻度〟（静的）であるかどうかなど、この正則化には多くの技法がある。

AIシステムが時に局所的最小値で終わるからと言って、これがAIを生命体に似ていないものにしていると結論してはならない。人間――実際は、おそらくすべての生命体――は多くの場合、局所的最小値にはまり込んで抜け出せないのだ。

囲碁の理解を例に取ってみると、これは何千年ものあいだ、人間によって教えられ、学習され、最適化されてきた。われわれのプレイのしかたがずっと間違っていたこと、そしてこれまで考えたこともないような、より良い、しかしほぼ馴染みのない解決策がこのゲームにあることをAIが発見するのに、三年とかからなかった。その理由のほとんどは、われわれの脳が、その先の碁石の動きをそこまで多く読めるだけの処理能力をもたないからだ。

囲碁より一〇倍も簡単で理解しやすいと考えられているチェスでさえ、ブルートフォース［総当たり可能な］マシンは、われわれ人間を打ち負かすことができるだろう。チェスもまた、すぐれたニューラル・ネットワークＡＩシステムによって探究されれば、われわれが考えたこともなかったような奇妙な、しかし卓越した戦略をもてるということがわかっているのだ。たとえば早々にクイーンを犠牲にして、不明瞭な長期的アドバンテージを得るといった戦略だ。それはまるで、われわれがこれまで、実際はもっと高次元に存在するゲームの二次元バージョンをプレイしてきたようなものだ。

これがなじみ深いものに聞こえるとしたら、それは、物理学がもう何十年ものあいだ、このような類の位相的問題に取り組んできたからである。多次元であるという空間の概念や、われわれの感覚を超えた「膜」の幾何学や相互作用の理解にまで還元された数学こそ、大統一理論家が骨を埋める場所だ。だが、多次元の理論物理学と異なり、ＡＩはわれわれが実際に実験し、測定することができるものなのである。

そしてこれが、私たちがこれからしようとしていることなのだ。次の数十年は、これまで七〇〇〇万年に渡る革命が決して見いだすことのなかった考え方の、爆発的探究の時期となるだろう。われわれは自分を揺さぶって局所的最小値から抜け出し、より深層の最小値、おそらくはグローバルとも言える最小値を探しだすだろう。そしてそれを成し得たら、われわれは、蚊とおなじくらい賢く見えるようにすることを機械に教え、宇宙の勾配を永久に降下しつづけ、たとえそれがどんなものであっても、究極のゴールに到達しているかもしれない。

# 第15章　ウィーナーにとって、シャノンにとって、そしてわれわれにとっての〝情報〟

デイヴィッド・カイザー
MITのガーメスハウゼン記念科学史講座教授および物理学教授であり、同大学でサイエンス、テクノロジーおよびソサエティ・プログラムの主任。著書に*How the Hippies Saved Physics: Science, Counterculture, and the Quantum Revival*、*American Physics and the Cold War Bubble*がある。

デイヴィッド・カイザーは物理学者であり、彼の型にはまることのない興味は、科学が政治やカルチャーと交わるところへ向けられ、そのテーマに関して数々の執筆をおこなっている。

本書の作成に先立って開かれた第一回目の会合（コネティカット州ワシントン）で、彼はウィーナーの時代から、つまり軍事産業に重心が置かれた冷戦時代から、〝情報〟に関する認識がいかに変化したかを語った。当時ウィーナーは、情報を比喩的にエントロピーになぞらえて、保護できない、すなわち独占できないものであるとし、原子爆弾に関する秘密やその他の軍事機密を長いこと秘密にするのは不可能だと主張した。こんにち首都のほうのワシントンでは、フェイクであろうとなかろうと、（ウィーナーが予測したであろう通りに）情報が漏れ放題になっている一方、経済の世界では、情報はむしろ貯蔵され、商品化され、収益化されている。

このような情報の封じ込めは「いいことばかりでも、悪いことばかりでもない」とデイヴィッドは語る――私が思うに、これは靴下や欧州リバークルーズをネットで購入して数分もすると、似たような商品のポップアップ広告がブラウザに表示されることに辟易しているかどうかによるのだろう。

情報の蔓延については言うまでもない。デイヴィッドは会合で出席者たちを前にしてこう嘆いた。ウィーナーの時代には物理学者は「『フィジカル・レビュー』の全号をひとりで抱えて運び、テーブルの上に置くことができた。それがいまでは毎分五万本ものペースでオープンソースジャーナルがネットに発表され、われわれの手に負えない状況になっている」。しかも蓋を開けるまでその内容はわかりようがないのだ。デイヴィッドは現在のような情報の封じ込めと蔓延はどちらもウィーナーの想定外であっただろうと語り、次の疑問を呈した。「われわれには道案内となる新たなメタファーが必要なのだろうか?」

古代からルネサンス時代までの包括的科学史である『夢遊病者（*The Sleepwalkers*）』で、アーサー・ケストラーはわれわれの宇宙論的想像の劇的飛躍を特徴づけた緊張状態を明らかにした。ケストラーはニコラウス・コペルニクスとヨハネス・ケプラーの偉大な著作を紐解き、現代的な響きをもつ彼らの洞察力に驚かされるのと同じくらい、古い時代の魔術や神秘主義に傾倒する彼らの異質さに衝撃を受けたと記している。

それと同じ二重性――折り直された折り紙に残る古い線と新しい線――が、ノーバート・ウィーナーの古典的著作、『人間機械論』にも見受けられる。一九五〇年に初版が刊行され、一九五四年に改訂版が出

された この本は、多くの意味で驚くばかりに先見の明に富んでいる。MITの学者、ウィーナーは多くの観察者に先駆けて「社会というものはそれがもつ通報および通信機関の研究を通じてはじめて理解できるものである」と認識した。ウィーナーは、彼のサイバネティックス理論の要点であるフィードバックループは、社会力学において役割決定の働きをすると論じた。これらのループは人々をつなげ合うだけでなく、人々と機械を、そして——極めて重要なこととして——機械と機械をつなげる。

ウィーナーは情報が媒体から切り離されることが可能な世界の到来を予測した。人々、もしくは機械が、遠距離から伝送でパターンのやりとりをすることができ、そのパターンを使って「通信路の一端から他端へ一片の物体をも運ぶこと」なしにネットワーク端末で新たなアイテムを作りだすことができるとする彼のビジョンは、こんにちの世界ではネットワーク3Dプリンタとして実現されている。ウィーナーは機械間のフィードバックループが、それまでは人間の判断に頼っていたタスクにおいてさえ、オートメーションを大幅に前進させるとも想像した。「機械は工員労働とホワイトカラー労働の選り好みをしない」と彼は述べている。

これらの事実にもかかわらず、『人間機械論』の主要論理の多くは二一世紀よりも一九世紀に近いものに見える。とりわけ、ウィーナーは当時、新しい研究であったクロード・シャノンの情報理論にたびたび言及しながらも、情報はそれ以上小さくすることはできない、意味とは無関係な単位、ビットから成るとするシャノンの概念を、完全には受け入れていない様子だ。ウィーナーの頃から時代は流れ、シャノンの理論は〝ビッグデータ〟や〝ディープ・ラーニング〟の分野における最近の進歩の基盤となった。このことはウィーナーのサイバネティックス的想像力にふたたび目を向けることをより興味深いものにするだろう。ウィーナーが描いた〝情報〟の未来図への再投資は、明日の人工知能をどのように変えうるだろうか？

ウィーナーが『人間機械論』を著したとき、戦争関連の研究体験、および軍産複合体の中にあって彼には知的生活の道徳的曖昧さと感じられた体験は、まだ彼の記憶に新しかった。それよりわずか数年前、ウィーナーは『アトランティック・マンスリー』の紙面で、自分は「無責任な軍国主義者の手で被害を生みだしかねない研究成果は今後発表しない」[1]と宣言している。彼は新たなテクノロジーがもたらす革新的な力に関しては曖昧な姿勢を貫き、のちの識者たちの際限ない誇張にも、デジタルユートピア的な理論にも関わらなかった。

「進歩は未来に対して新しい可能性を開くだけでなく、新しい制約を課する」とウィーナーは『人間機械論』で記した。彼は人間が作りだす制限と同様に、テクノロジーが生みだすそれを危惧した。とりわけ、サイバネティックシステムに必要不可欠な情報の流れを脅かす、冷戦によって設けられた制限を。「（ジョセフ）マッカーシー上院議員とその模倣者たちの運動と、軍事情報の盲目的かつ過度の機密化」により、アメリカ合衆国の政治指導者は「歴史上ルネサンスのヴェネチアとのみ比肩しうる機密主義の枠へ押しこめられつつある」。ウィーナーは積極的な発言を続けていたマンハッタン計画の関係者たちの多くに共鳴し、戦後の秘密主義への執着は――中でも核兵器に関わるものは――科学的プロセスへの誤解からきていると主張した。核兵器製造に関するただひとつの純然たる秘密は、果たしてそのような爆弾は製造可能であるかどうかということのみである、と彼は記した。広島と長崎への原爆投下をもって原爆完成の事実がひとたび明らかになれば、政府がどれほど秘密保持を徹底しようとも、マンハッタン計画の研究者たちがたどったのと同じような推論の連鎖を経て、ほかの者たちが秘密を解くのをやめさせることはできないわけだ。ウィーナーはそのことを印象的な言葉でこう説いている。「脳内にはマジノ・ラインはない」

この点を強調するため、ウィーナーは情報理論に関するシャノンの新しいアイデアを借用した。ベル研究所の数学者および工学者だったシャノンは、一九四八年、「ベル・システム・テクニカル・ジャーナル」に二つの論文を発表した。翌年、この新たな理論は書籍化され、その解説文で数学者ワレン・ウィーバーはシャノンの定義においては、「″情報″という言葉は特別な意味で用いられており、それを日常的な用法と混同してはならない。特に、情報を意味と混同してはならない」と説明した。[2] 言語学者や詩人は会話の″意味的″側面に興味を持つかもしれないが、シャノンのような工学者は違うとウィーバーは続ける。むしろ、「通信理論においては、″情報″という言葉は、実際に何を言うのかということよりも、何を言うことができるかということに関係している」。いまでは有名なシャノンの定理では、記号列の情報量は任意の列が選ばれる可能な記号数の対数により与えられる。シャノンの洞察の要点は、メッセージの情報は気体のエントロピー、つまりシステムの無秩序さの程度を表す尺度とまったく同じであることだ。

ウィーナーは『人間機械論』の執筆にあたり、この洞察を借用した。情報がエントロピーと同じであれば、保存することはできない――抑制することもだ。十九世紀の物理学者たちは、物理システムの総エネルギーはプロセスのはじまりと終わりで完全に一致し、常に同じままであることを証明した。だが時間の経過とともにとどまることなく増加するエントロピーではそうはいかない。これはいまでは熱力学第二法

---

（1）Norbert Wiener, "A Scientist Rebels", *Atlantic Monthly*, January 1947.

（2）クロード・シャノンとワレン・ウィーバーの『通信の数学的理論』（植松友彦訳、筑摩書房、二〇〇九年）より、ワレン・ウィーバー『通信の数学的理論への最近の貢献』一二三頁。シャノンの一九四八年の論文はこの書籍に収録されている。

則として知られる原則だ。この決定的な違い――エネルギーは保存されるが、エントロピーは必ず増大する――から、宇宙規模のはかりしれない結果が導かれる。時間は必ず前へ流れ、未来は過去と同じになりえない。宇宙は〝熱的死〟へと突き進んでいる可能性すらある。これは悠久の時を経たある時点で、蓄積された全エネルギーが均等に分散され、エントロピーが最大値に達することにより、その後はなんの変化も起きない状態になるというものだ。

エントロピーとしての情報は保存されないのであれば、軍の指導者たちが「国家の……科学的知識を静止的な図書館や研究所に」貯蔵しようとするのは愚行であるとウィーナーは結論する。実際、「いかに多量の科学研究といえども、書物や論文に注意深く記録されて、機密の札を貼って図書館に入れて置かれたのでは、情報の実効上の水準が絶えず進歩している世界においては、いくらかでも長い期間にわたりわれわれを護るには足りないであろう」。秘密主義、機密化、または情報抑制のいかなる試みも、永久機関の製作を謳う詐欺師のもくろみが熱力学第二法則を前にして崩れるのと同じで必ず失敗する、とウィーナーは主張した。

ウィーナーは自由市場原理主義のアメリカ的〝正教〟もほぼ同じように批判する。多くのアメリカ人の場合、「情報の問題はアメリカの標準的な価値評価基準によって評価される。すなわち、一つの物の価値は、商品としてそれが公開の市場でいくらで売れるかによってきまる」。実際、「典型的にアメリカ的な世界では、情報は売ったり買ったりされることのできる或るものになる運命にある」。大半の人は「所有者なしの情報というものは思いもよらないのである」とウィーナーは考察する。このような観点は、蔓延する軍隊的な機密主義と同様に誤りであるとウィーナーは考えた。ふたたび彼はシャノンの洞察を引用する。「情報とエントロピーは保存されない」、そのため「どちらも商品とするには適さない」。

情報は保存できない――そこまではいいだろう。だが、ウィーナーの頭にあったのは本当にシャノンが言うところの〝情報〟だろうか？　シャノンの議論の要点は、ウィーバーが強調したように、口語的な意味合いでの〝情報〟を、意味のあるメッセージとして、なんらかの確率をもって配列され、意味のない言葉の膨大な宇宙から選択された記号列の、抽象化された希薄な概念から区別することにある。シャノンにとって〝情報〟は定量化できるものだった。なぜなら情報の基本単位ビットは、理解ではなく伝達の単位であるからだ。

一方、ウィーナーは『人間機械論』を通して〝情報〟の特色を述べる際に、古典的、人文主義的な意味合いに幾度となく傾く。「一つの情報（a piece of information）が」――a "bit" of information ではないところが示唆に富む――「その社会の一般的な情報に寄与するためには、その社会が従来から共有する情報の貯えと内容的に異なることを言うものでなければならない」と彼は書く。「生徒がシェイクスピアを好かない」のはこれが理由だと彼は結論する。シェイクスピアの二行連句はでたらめなビットストリームからは完全に外れるものかもしれないが、意味づけをする大衆にとってはあまりに耳慣れたものになり、「その時代の皮相な常套語句に含まれ」てしまったのだ。

少なくともシェイクスピアの情報内容は新鮮に感じられたこともあった。第二次世界大戦後の経済成長期、新聞と映画からラジオ、テレビ、そして書籍まで、「コミュニケーションが、一人一人にとっては莫大な量に」達することで凡庸さが生みだされ、情報は平均値へと逆戻りしたとウィーナーは嘆く。「われわれは、パン屋の白パンのような、食品としての価値よりは貯蔵と販売に好都合な性質のために生産された標準化された無害なつまらない産物をますます受けいれなければならなくなってきた」。「神よ、」と彼は請う、「若い人が最初に書く小説をして、作者が何かを言いたいためより小説家としての名声を得たいがために書いたものでなくし給え。同様に、数学の論文をして、正確でエレガントだが血肉や魂を欠いたものでなくし給え」。ウィーナーの〝情報〟の扱いは、一九四八年のクロード・シャノン的というより、一八六九年のマシュー・アーノルド(3)的な印象を与える――つまり、〝ビット〟よりむしろ〝血肉や魂〟なのだ。ウィーナーはアーノルドの〝満足する製作者《プロデューサー》〟というロマンス主義的な見解をも共有する。「本来なら、芸術家や著作家や科学者は創造へのやみがたい衝動によって動かされるべきであり、たとえ自分の仕事が金にならない時でも、仕事をする機会をつかむために金を払うのをいとわないはずである」。芸術のための芸術、あの十九世紀の叫びである。芸術家は自身の作品のために苦悶せねばならない。意味をもつ表現の探求はどんなときでも利益に勝るべきである。

ウィーナーにとって、身体、魂、熱望、表現は〝情報〟の適切な尺度だった。それでいて、情報の商品化への反論には、エントロピーとしての情報という、シャノンの数学的処理へふたたび戻るのである。

こんにちへ話を進めよう。多くの意味で、ウィーナーの正しさは証明された。機械間の伝達によって働くネットワーク化されたフィードバック・ループという彼が描いたビジョンは、いまでは日常のありふれた機能になっている。さらに、インターネット時代の幕開け当初から、〝情報〟――歌、映画、書籍、もしくはソースコードという形のもの――を抑制したままでいられるという考えは著作権侵害によって覆されている。一カ所にペイウォール〔インターネット上のコンテンツを有料化すること〕を設けようと、別の場所からコンテンツが拡散し、保存できない情報エントロピーは膨大な量にのぼる。

その一方で、巨大多国籍企業――その一部は世界屈指の規模と高収益を誇る――は、〝情報〟は貯蔵や収益化はできないというウィーナーの主張が誤りであることをいまでは定期的に証明している。皮肉なことに、それらの企業が取引する〝情報〟は、シャノンの数学的証明であるウィーナーの定義よりもシャノンのそれに近い。

Google booksは何十万もの文学作品を読者に無料で届けることに貢献しているかもしれないが、Google自体は――Facebookや Amazon、Twitter、そしてそれらを模倣した多くのサービスと同様に――低次元の形の〝情報〟を勝手に奪い取り、それを食い物にして莫大な利益を得ている。ペタバイトものシャノン的情報――ネットワーク化されたコンピューターに手を触れたことがある者ほぼ全員から集められた一見なんの意味もない、次々と繰り返されるクリック、〝いいね！〟、リツイート――が、所有者の〝ディープ・ラーニング〟アルゴリズムによりふるい分けられ、われわれが目にする広告からウェブブラウジングをするあいだに遭遇するニュース記事（フェイクであろうとなかろうと）にいたるまで、すべてがマイクロターゲティングに利用される。

一九五〇年代初期、ウィーナーは人間社会との比較にアリの社会の構造と制限の研究を提案した。これは（昆虫にではなく）人間には達成できる「知能のほとんど無限の拡張」をいつの日か機械も成し遂げられるようにするためである。機械による支配は、「個人の間の統計的差異は無視しうる」ような「エントロピー増大の最終段階にある」状態においてしか実現可能ではないという考えにウィーナーは慰めを見いだした。こんにちのデータマイニングのアルゴリズムはウィーナーの手法を覆す。このアルゴリズムでは、われわれの大脳皮質を模倣することではなく、爬虫類脳を搾取することにより利益が生みだされ、ブログ

（3）マシュー・アーノルド『教養と無秩序』（多田英次訳、岩波書店、一九六五年）。

漬けの頭で楽しさを追い求めて深夜に繰り返されるクリックひとつひとつから、情報が摘み取られる――まさしくごくわずかな「個人の間の統計的差異」の残留物を活用して。

確かに、人工知能の分野における近年の成果は非常に目覚ましい。いまやコンピューターは、著名な芸術家を彷彿させるビジュアルアート作品や楽曲を生みだすことができ、ウィーナーが何より尊重したたぐいの〝情報〟を創造している。しかし現在までのところ、最も大きな社会への影響は、シャノン的情報の収集と操作によってもたらされている。そして、それによってわれわれのショッピング習慣、政治参加、人間関係、プライバシー権、その他多くが新しい形に作り変えられた。

ウィーナーが定義したような〝情報〟が基本通貨になった場合、〝ディープ・ラーニング〟は何に進化するだろうか？　蔓延する軍事優先主義、企業の歯止めの利かない利潤追求、秘密主義の自己抑制的な特性、そして交換可能な商品にまでおとしめられる人間の感情表現などに関する先見性のある懸念によって特徴づけられる、ウィーナーの深い道徳的信条により、再度命を吹き込まれたら、この分野はどのように変化するだろう？　もしかするとそのときこそ〝ディープ・ラーニング〟は、意味はなくとも大きな影響力をもつビットの飽くなき追求ではなく。意味のある情報の育成になるのかもしれない。

# 第16章　スケーリング

**ニール・ガーシェンフェルド**

物理学者で、MITのビット・アンド・アトムズ・センターの所長を務めている。『Fab――パーソナルコンピュータからパーソナルファブリケーションへ』（田中浩也監修、糸川洋訳、オーム社、二〇一二年）の著者であり、*Designing Reality*を（アラン・ガーシェンフェルドとジョエル・カッチャーガーシェンフェルドとともに）著した、全世界的に広がるファブラボ・ネットワークの創立者。

「はじめに」で触れたコネティカット州での『人間機械論』に関するディスカッションで、ニール・ガーシェンフェルドはちょっとした新風を吹き込んだ。この本は気に入らない、と白状したのだ。この発言は全員に笑われた。コンピューター・サイエンスはコンピューター、あるいは科学に起こったことのなかで最悪なもののひとつだという発言もそうだった。彼が主張したかったことを総合すると、ウィーナーは彼のまわりで起きていたデジタル革命の意味合いを見落としたということだが、これに対しては、ムーブメントの初期段階において先を見通せなかった人物にする告発ではない、という意見もあるだろう。「私の人生を逆転させたのは」とニールは語った。「〈ファブラボ〉と〈メイカームーブメント〉だった。自動化《オートメーション》の脅威を語ったときのウィーナーは、正反対のことを見落とした。つまり、自動化のための手段へのアクセスは、人々に力を与えられるということだ。私がずっと関与してきたファブラボでは、それは幾何級数的な事象だった」

二〇〇三年、私はビット・アンド・アトムズ・センターを運営するニールを訪ねてMITに行ったが、かなり珍妙なものに出会った数時間だった。ニールは、人気のあるラピッド・プロトタイピングの授業（〈ほぼあらゆるものをつくる方法〉という授業）を取っている学生の作品を見せてくれた。エンジニアリングの経験はゼロという彫刻家がつくった、叫ぶための持ち運び自由な個人空間という代物は、自分の叫び声を蓄えておいてあとで再生できるのだという。別の学生は、ネット上のナビゲーションをオウムに任せるウェブブラウザーをつくった。ニール自身は、SFによく出てくる万能複製機を完成させるべく、基礎研究をおこなっていた。この訪問のすべてを理解するには、その後二、三年かかった。

ニールは、世界中に広がるファブラボ・ネットワークを管理している。それはデジタル技術によって可能になった小規模な製造システムで、人々がどんなものをつくろうと思ったにせよ、それに必要な手段を与えるものだ。ニールはデジタル・コミュニケーションやコンピュテーションとものづくり《ファブリケーション》をひとつにしたメイカームーブメントの指導者だが、ときに、AIの安全性に関する現在の白熱した議論の外にいるような気がするという。「私が研究をおこなう能力は、私の機能を増補するツールにかかっている」と彼は言う。「そのツールが知的能力をもっているかどうか問うのは、自分が存在することを私がどうして知っているのか問うのと同程度に有益だ。つまり、哲学的見地からは愉快だが、経験的事実に基づいて検証可能なことではない」。ニールが関心をひかれるのは「ビットと原子《アトム》がどう関係するのかであり、デジタル世界と物理世界の境界線だ。科学的視点から見ると、これは私が知るなかで最も刺激的なものごとだ」

人工知能に関する考察には、奇妙なことに歴史的視点が欠けていて、極度の興奮と抑うつが交互に起こると評したほうがいいかもしれない。数え方にもよるが、われわれは現在、五度目のサイクルにいる。この浮き沈みのせいで、根元的な進歩における連続性や、人工知能がどこへ向かっているかという推測結果が覆い隠されている。

　このサイクルはほぼ一〇年周期でやってきた。最初は大型汎用コンピューター《メインフレーム》で、その存在自体が自動化により仕事を減らすというものだったが、やがて、人間なら簡単にやれるタスクを実行するプログラムを書くのが、実は難しいという現実にぶち当たった。次に、エキスパートシステムがきた。専門家《エキスパート》の知識を体系的にまとめ、それに取って代わるものだが、いまだカバーされていないケースに関する知識を集めて推論する際に、困難にぶち当たった。こういった問題を克服するため、脳がどう学習するかを手本にしようとしたのがパーセプトロンだったが、あまりたいしたことはできなかった。多層パーセプトロンは、より単純なネットワークを引っ掛けたようなテスト問題ならうまく処理できたが、構造化されていない現実社会の問題が相手だと、結果は思わしくなかった。現在はディープ・ラーニングの時代で、初期のＡＩに期待されたことの多くを達成しつつあるが、知性に関する脅威から実存的な脅威にまで及ぶ影響があり、ある意味では理解しにくいと思われている。

　こういった段階はどれも、先行するものが抱えていた限界を克服した、革新的な進歩だと歓迎されたが、実際にはみな同じことをしていた。観察から推論していたのだ。こういった手法がどのように関連しているかは、スケールの度合いによって理解できる。つまり、その手法の達成能力は、それが扱っている問題の難易度にどの程度依存するか、ということだ。電気のスイッチと自動運転車はどちらも操作者の意図を推論しなければならないが、前者は選択肢が二つだけなのに対して、後者はさらに多くの選択肢がある。

ＡＩの大流行は限定された領域における前途有望な実例とともにはじまったが、この大流行は、あまり構造化されていない現実的な問題の複雑さにうまく対処できず、一気に萎んだ。

それほど明確ではないのが、スケーリングを制御するわれわれの着実な進歩だ。この進歩は、線形関数と指数関数の技術的な差異に基づいている――この差異はＡＩの黎明期に明らかになったが、何年ものちになるまで評価されなかったＡＩを明らかに意味していた。

知能機械の研究の基本的な文書のひとつである『人間機械論』においてノーバート・ウィーナーは、彼がそれを書いたのちに現われた最重要な動向の多くを特定し、それに関与した責任者たちに注目するというすぐれた働きをしたが、その人たちの活動内容がそれほど重要だと証明された理由については、一貫して認識できなかった。ウィーナーはサイバネティックスという分野を生み出したと考えられている。それがどういうことか私にはついぞ理解できずにいるが、『人間機械論』に欠けているものの核心は、ＡＩがどのように発展してきたかという点だ。この歴史は重要だ。なぜなら、その残響が今日まで根強く残っているからだ。

クロード・シャノンは、チェスをするコンピューターに対する見通しについてどう思うかという絡みで『人間機械論』にちらりと顔を出している。当時のシャノンは推測するだけでなく、もっとずっと大きな影響を与えることをやっていた。デジタル革命の基盤を築いていたのだ。ＭＩＴの大学院生としてシャノンは、ヴァネヴァー・ブッシュのもとで〈微分解析機〉に取り組んでいた。これは最後の巨大なアナログ計算機のひとつで、部屋いっぱいにギアとシャフトが広がる装置だった。この方法で問題を解く難しさに対する不満が、シャノンに、おそらく史上最高だと言われる修士論文を書かせた。一九三七年発表のこの論文で彼は、恣意的な論理式の値を求める電気回路はどのように設計されうるかを示し、普遍的なデジタル論理の基礎を紹介した。

MITでの学業を終えたのち、シャノンはベル研究所で通信システムを研究した。アナログな電話通話は距離とともに劣化し、遠くまで伝わるほど音質が下がる。増分的に通話を改良し続けるのではなく、連続量より符号を用いて通信すれば作動具合は大きく異なることを、シャノンは一九四八年に証明した。デジタル通信では音声波形を1と0の二進値に変換するのが一例だが、用いられる可能性のある（そして実際に用いられている）符号一式は、他にもいろいろある。重要なのは特定の符号ではなく、誤りを検出・訂正する能力だ。シャノンは、ノイズがある閾値（システム設計によって決まる）を超えたら必ず誤りが起こることを発見した。だがノイズが閾値以下ならば、符号を表す物的資源における線的増加は、正しく符号を受信する際に誤りを犯す可能性での指数関数的減少をもたらす。この関係はわれわれが現在、〈閾値理論〉と呼ぶものの走りだった。

そういったスケーリングはあっという間に減衰するので、エラーが起こる確率は、一度も起こらなかったのとほぼ同じくらい小さくなる。送られた符号はそれぞれが確実性を増加させるのではなく乗算的に膨れ上がるので、誤りが起こる確率は0.1から0.01、さらには0.001というように推移する。通信エラーにおけるこの指数関数的減少は、通信ネットワーク容量の指数関数的増加を可能にする。そしてそれが結局、AIシステムにおける知識がどこからやってくるのかという問題を解いたのだ。

長年にわたり、情報のやりとりを最大限にスピードアップする方法は、なにもしないこと——コンピューターの処理速度があがるのをただ待つことだった。同様に、かつては手間をかけて情報をひとつひとつ打ち込むことで、日常の知識を蓄積するのを目指すAIプロジェクトばかりという時期があったが、それはスケーリングせず、入力作業をする人数に比して進歩が速くなるだけだった。しかし、電話通話や新聞記事、そしてeメールのメッセージがすべてインターネットに進出すると、こういったことをしている人は誰もがデータ発生器《ジェネレーター》となった。結果として、知識集積は線形速度ではなく指数関数的速度で増えた。ジョン・フォン・ノイマンも、ゲーム理論に関して『人間機械論』に顔を出している。ウィーナーがこの点で見落としたのは、データの数値化においてフォン・ノイマンが果たした、独創性に富む役割だ。アナログ通信は距離とともに低下する一方、アナログ・コンピューテーションは（ブッシュが開発した微分解析機のように）時間とともに低下し、進捗するにつれてエラーも蓄積されていく。フォン・ノイマンは、連続体よりも符号を用いれば信頼性の低い計算装置でも信頼できる計算をすることは可能だと、シャノンが出したコンピューテーションと合致する結果を一九五二年に示した（二人はプリンストン高等研究所で出会っていた）。繰り返しになるが、これはスケーリング理論で、ノイズが閾値以下である限り、符号を表す物的資源における線形増加は誤り率《エラーレート》における指数関数的減少につながる。だからこそ、ひとつの集積回路にまとめられている一〇億ものトランジスタが、最後の一個まで最初のものと同じように役立つことが可能となっているのだ。この関係が処理能力における指数関数的増加につながり、指数関数的に増加する量のデータをどのように処理するかという、ＡＩの二番目の問題を解決した。

　スケーリングがＡＩについて解いた三番目の問題は、問題ごとにプログラマを雇う必要なしに推論するための法則を見つけたことだ。ウィーナーは機械学習におけるフィードバックの役割は認識していたが、表象《レプリゼンテーション》の重要な役割は見落としていた。可能な限りすべてのイメージを自動運転車に記憶させたり、可能な限りすべての音声を会話型コンピューターに記憶させておくことは、経験から一般化できなければならないという理由から、不可能だ。ディープ・ラーニングの〝ディープな〟（深い）ところは、（期待されている）洞察の深さではなく、予測するのに用いられる数学的なネットワーク層の深さだ。結局、ネットワークの複雑性における線形増加は、ネットワークの表現力における指数関数的増加の原因となった。

ある部屋で鍵束を失くしても、それを捜すことはできる。だが、どの部屋にあるか確信がない場合、ある建物に存在する部屋をすべて捜さなければならない。どの建物にあるか確信がない場合は、ある都市に存在する建物すべてに存在する部屋をすべて捜さなければならない。どの都市にあるか確信がない場合、すべての都市に存在する建物すべてに存在する部屋をすべて捜さなければならない。AIにおいて鍵束を捜すことは、安全に道を進む自動車や音声による指示を正しく解釈するコンピューターのようなものに呼応し、部屋や建物、都市などは、考慮されなければならない選択肢すべてに呼応する。このことは、次元の呪い〔数学的空間の次元が増えるのに対応して問題の算法が指数関数的に大きくなること〕と呼ばれている。

次元の呪いに対する解決策は、問題に関する情報を用いて探索を抑制するという形で現れた。探索アルゴリズム〔膨大なデータのなかから目的のデータを探し出すためのアルゴリズム〕は、それ自体目新しいものではないが、ディープ・ラーニング・ネットワークに応用されると、探索すべき場所の表象を適応的に増大させる。この代償として、問題に対する最適解を正確に求めるのはもはや不可能であり、必要とされるのは概して、まあまあの答えという状態だ。

まとめると、こういったスケーリング則のおかげで、マシンが生物学的複雑性において呼応する段階と実質的に同じ能力をもてるようになったのも、驚くには値しない。ニューラル・ネットワークは、脳の働きの仕組みを真似ることをゴールとしてはじまった。そのゴールは、ニューロンの実際の機能のしかたとは無関係な数学的抽象概念にニューラル・ネットワークが発展していくにつれ、放置された。しかし、ディープ・ラーニングの結果が脳の層や領域を模倣するとともに、リバース・エンジニアリング〔既存の製品やプログラムなどを分析し、仕様や構造を明らかにする技法〕ではなく、フォワード・エンジニアリング

〔リバース・エンジニアリングによって既存のシステムから解析された仕様をもとに新規のシステムを開発すること〕的な生物学と考えてもいい、一種の収束状況が生まれた。

私が管理してきた研究プロジェクトのなかで、最も困難だったもののひとつに、現在はデータ・サイエンティストと呼ばれる人たちとＡＩの先駆者たちを組み合わせるものがあったが、これは基準やプロセスを後付けで動かす悲惨な体験だった。データ・サイエンティストは、ＡＩの先駆者が提起した長年の問題を解決するのに前進したが、これはものの数に入らないとみなされた。なぜなら解決策の理解において、それと矛盾しない急激な推移《リープ》を伴っていなかったからだ。コンピューターがどのようにチェスをプレイするのか説明できないなら、チェスをプレイするコンピューターの価値はなんだろう？

答えはもちろん、それがチェスをプレイできるという点だ。ＡＩをＡＩに応用するという興味深い研究が注目されつつある。つまりネットワークをトレーニングして、それがどのように作動するのか説明させるというものだが、脳と集積回路のどちらも、その内部の動きを眺めているだけでは理解しづらい。それらは外部インタフェースを観察することによってのみ、容易に解釈することができる。われわれが脳も集積回路も等しく信頼する（あるいはしない）ようになったのは、その仕組みの説明ではなく、その二つを試してみた経験に基づいている。

エンジニアリングはさまざまに枝分かれしているが、その多くが、命令型の設計と呼ばれるものから、宣言型あるいは生成的な設計へと移行している。これは、ＣＡＤファイルや回路図、プログラムコードといったツールでシステムを明白に設計する代わりに、システムにさせたいことを説明すれば、こちらが目指すものや制約を充たす設計のための自動検索がなされるということだ。このアプローチは、設計の複雑さが人間の設計者によって理解されうるものを超えたときに、必要となる。こう言うと危険要因に聞こえるかもしれないが、人間の理解力には限界がある。工学的設計《エンジニアリングデザイン》には、鋭い見識に思われたのに悪い結果をもつものが満ちている。宣言型設計は、AIにおけるすべての発展に加え、バーチャルに設計をテストするシミュレーションの正確さが向上したことに基づいている。

すべての設計問題の根源は、われわれ人間に帰着する。われわれがどのように設計されているかは、遺伝子のなかで最も古くてあまり変化せずに保存されている部分に存在する。これはホメオティック遺伝子と呼ばれ、発生プログラムと呼ばれるもののなかにある遺伝子を制御する遺伝子だ。あなたの身体の設計を保存しているものは、あなたのゲノム内にはない。ゲノムに保存されているのはむしろ、それをたどるとあなたの身体になるという道筋だ。これはAIにおいて探索がおこなわれる様子とまさに呼応している。探索すべき体制〔生物の身体を構成する器官の配置〕はいくつもあり、遺伝しない一時的変異の多くはただの偶然か、さもなくば運命を決する重大なものである。ホメオティック遺伝子は進化に関した探索をするのに有意義な場所で、分子レベルでの自然知能の一種である。

AIの心身問題には、身体が存在しない。AIでおこなわれる作業のほとんどはクラウド内でおこなわれ、データが注ぎ込まれる計算機能の中心部にあるバーチャルなマシンで作動する。われわれ自身の知能は、密接不可分な関係にあるわれわれの物理的形状およびプログラミングを変えることができる、探索アルゴリズム（進化）の結果だ。AIの歴史が、そのときどきで流行ったものの連なりというより、スケーリング則の働きとして理解されるならば、AIの未来も同じように見ることができる。コミュニケーションやコンピューテーションに続いて今やデジタル化されつつあるのは、ものつくり《ファブリケーション》で、ビットに備わっているプログラム可能という性質を原子の世界にもち込んでいる。物質の設計図だけでなく構造をもデジタル化することによって、フォン・ノイマンやシャノンがわれわれに与えたのと同じ教訓が、指数関数的に増加するものつくりの複雑性にも適用されているのだ。

デジタル素材とは、相対位置や相対配向の離散集合に可逆的に結びつけられたパーツの、離散集合で構成されるものだ、と私は定義してきた。こういった属性のおかげで、大域幾何学は局地的な制約によって特定され、アセンブリ・エラーの検出・訂正や、異成分から成る物質の結合が可能となり、もはや必要とされなくなった構造組織も、処分されるより逆アセンブルされることが可能となった。こういった特性は、生命の基礎を成すアミノ酸や、おもちゃのレゴブロックとも同じしくみである。

アミノ酸に関して興味をそそられるのは、アミノ酸には興味をそそるものがないというところだ。親水性あるいは疎水性といった、ごく普通だが特に珍しくはない特性をアミノ酸はもっているが、人間をつくるには二〇種類だけあればいい。同様にデジタル素材のタイプも、二〇かそこら――導電性、絶縁性、剛性、柔性、磁性などが――あれば、ロボットやコンピューターのような現代的なテクノロジーを可能にする幅広い機能を構築できる。

コンピューテーションとファブリケーションのつながりは、コンピューティングの体系が基を置いている、まさにその先駆者の研究によって予見されていた。ウィーナーは物質の輸送とメッセージの伝達を結びつけ、これを示唆した。ジョン・フォン・ノイマンは現代のコンピューター・アーキテクチャーに功績があると信じられているが、実際には、コンピューター・アーキテクチャーについて何も書いていなかった。彼が最後に研究をおこない、意を尽くしてみごとに記したテーマは、自己複製システムだった。フォン・ノイマンは生命を表わす抽象概念として、みずからを構成する情報処理を伝達できるマシンをモデル化した。そして、コンピューター・サイエンスの理論的枠組みを作ったとされるアラン・チューリングが最後に研究したのは、遺伝子内の指示はどうやって物理的形状を生じさせることができるのかという問題だった。これらの論点は、ごく普通のコンピューター・サイエンス教育に欠けているトピックを取り上げている。コンピューテーションの物理的構成だ。

フォン・ノイマンとチューリングは、それぞれの問題点を理論的研究として提示した。なぜなら、それを現実化するのは、当時のテクノロジーでは不可能だったからだ。しかしコミュニケーションとコンピューテーションをファブリケーションで収束させると、その科学的研究は実験的にも到達できるものとなった。アセンブルしているパーツからみずからをアセンブルできるアセンブラをつくることが、合成細胞を開発するためのコラボレーションと並び、私のラボが注力していることだ。

物理的に自己複製するオートマトンが現れる見込みは、制御不能のAIよりも、可能性としてはずっと怖い。なぜなら、知性をわれわれが生きているこちらへ移動させるからだ。それは、映画「ターミネーター」に出てくる〈スカイネット〉のような、機械による最高君主がうじゃうじゃいる世界へ至る道かもしれないが、もっと希望に満ちた可能性もあるかもしれない。なぜなら、ビットはもちろん原子をプログラムする能力は、設計図が全世界的に共有されるとともに、エネルギーや食物、住まいといったもの（これらはみなデジタル・ファブリケーションの初期に応用された刺激的なものとして発生した）を、地方ごとに生み出すのを可能にするからだ。ウィーナーは仕事の将来を案じていたが、消費が創造に取って代わられる場合に存在意義を問われるような仕事の性質については、そこにある暗黙の仮定を疑わなかった。

歴史を振り返ってみると、ユートピアのようなシナリオやディストピアのようなシナリオのどちらも最終的な勝者にはならない。たいてい、二つの中間のどこかでどうにかやっていくのが関の山だ。しかし歴史はまた、歴史が目の前で展開するのをわれわれが待つ必要はないと示唆している。ゴードン・ムーアは一九六五年に、五年間で集積回路のスペックが二倍になったのを利用して、五〇年間にデジタル技術が指数関数的に向上することを予測した。われわれはその年月の大半を、それが引き起こす結果を見越して対策を立てるより、流されるがままに過ごしてきた。デジタルなファブリケーションのパフォーマンスが二倍になる五〇年を予測するのに、今やわれわれはゴードン・ムーア以上のデータを手にしている。後知恵にはなるが、行き過ぎたデジタルな情報処理やコミュニケーションを避けたり、アクセスと識字能力といった問題に最初から取り組むのも可能なはずだ。

メイカームーブメントが第三のデジタル革命の前兆ならば、AIが初期に掲げた自身の目標の多くを実現させたのは、先の二つのデジタル革命の輝かしい成果と思われる。機械づくり《マシン・メイキング》と機械思考《マシン・シンキング》の趨勢に関係はないように見えるかもしれないが、二つの存在はお互いの未来にかかっている。AIを可能にしたスケーリングの趨勢が示唆するのは、現在の熱狂はやがて過ぎ去る段階にすぎず、もっとはるかに重要なものがあとに続くということ——つまり、人工知能と自然知能の融合だ。

原子が分子になり、分子が細胞小器官《オルガネラ》になり、細胞小器官が細胞に、細胞が器官に、器官が生物に、生物が家族に、家族が社会に、そして社会が文明を形成するのは、それぞれが進歩だ。進化によるこの壮大なループは、原子を配列するビットを配列する原子を得て、今や完結される。

# 第17章　最初のマシン知能

**W・ダニエル・ヒリス**
発明家、起業家、コンピューター科学者。南カリフォルニア大学工学部・医学部。著書に『思考する機械　コンピュータ』（倉骨彰訳、草思社、二〇〇〇年）がある。

MITの学部生だったころ、ダニー・ヒリスはティンカートイ〔構成主義的学習に使用されるおもちゃ〕からコンピューターをつくった。一万以上もの木製のパーツをもち、三目並べができて絶対に負けないマシンで、現在は、カリフォルニア州マウンテンビューにあるコンピューター歴史博物館に収蔵されている。

MITコンピューター科学・人工知能研究所で大学院生だった一九八〇年代初めには、六万四〇〇〇個のプロセッサノードを用いた超並列マシンを設計した。ダニーはそれを〈コネクションマシン〉と名付け、その製造や市場への売り込みをおこなう会社――のちに最初のAI企業となるシンキングマシンズ――を設立した。著名な物理学者、リチャード・ファインマンとのランチの席で「そいつは間違いなく、私が聞いたなかで最もばかげたアイデアだ」と言われたにもかかわらず、だ。〝にもかかわらず〟というのは間違っているかもしれない。なにしろファインマンは、ばかげたアイデアで遊ぶ傾向があることで有名だったから。実際には、彼はシンキングマシンズが法人化された日に現れ、その後もサマージョブや特別任務に従事して計り知れないほどの貢献をした。

ダニーは以来、数々のテクノロジー企業を興した。最新のものはアプライド・インベンションで、営利企業と共同し、彼らが抱える最も厄介な問題を技術的に解決する方策を構築している。彼はまた、並列コンピューターやタッチインターフェース、ディスクアレイ（主にサーバ用の外部記憶装置）、偽造防止の方策、電子デバイスや機械デバイスなど数百もの米国特許を保持している。彼の想像力には際限がないようで、われわれがもっとよりよいＡＩを追い求める先に起こり得るシナリオについて、いくつか概要を語った。

「われわれの思考機械はメタファー以上のものだ」とダニーは言う。「問題は、『思考機械はわれわれに害を及ぼすほど強力になるか？』（なる）、あるいは、思考機械はつねにわれわれの利益を最優先にして作動するかどうか』（しない）、ではなく、『思考機械は、あらゆる問題の解決策からこの世の終わりへと徐々に変化する連続体でわれわれが位置するところを見つけるのを手助けできるかどうか、である」


私は機械について話したのだが、真鍮の脳や鉄の筋肉を持つ機械のことだけを話したのではない。人間という原子が織り合わされて一個の組織体をつくり、そのなかでそれらの原子が責任ある人間としての全権利においてでなく、歯車やレバーや連結棒として用いられる時、それらの材料が血と肉であることはほとんど問題にならない。機械のなかの一要素として使われているものは、やはり機械の一要素である。われわれは、われわれの決定を金属でできた機械に委ねようと、役所や大研究所や軍隊や会社という血と肉でできた機械に委ねようと、われわれが正しい問いを発さずには正しい答えは決して得られないであろう……時刻はすでにはなはだおそく、善と悪の選択がわれわれの戸を叩いている。

(『人間機械論』)

ノーバート・ウィーナーは時代に先駆け、創発的なマシン知能がもつ潜在的な危険を認識していた。彼はさらに、最初の人工知能がすでに出現していたことをもいち早く認識していたと思う。彼が「血と肉でできた機械」と呼んだ企業や官庁を最初のマシン知能と見なしたのも正しかった。彼は、われわれの目標とは必ずしも連携しない目標をもつ人工超知能をつくり出す危険性を予期していた。

ウィーナーにとって明らかだったかどうかはともかく、今の時点ではっきり言えるのは、こういった組織的な超知能は人間だけが構成要素なのではなく、人間と情報テクノロジーが連携する交配種《ハイブリッド》ということだ。ウィーナーの時代でも、「役所や大研究所や軍隊や会社」は、電話や電報、無線通信、作表機〔コンピューターが普及するまでデータ処理に広く使われた機械〕がなくては、本来の任務を果たせなかった。現在は、コンピューター・ネットワークやデータベース、意思決定支援システムなしにはとても機能できない。こういった、人間と機械のハイブリッド知能は、科学技術によって拡張された人間のネットワークだ。これらの人工知能には超人間的な力が備わっている。個々の人間よりもたくさんのことを理解できるし、もっとたくさんのことを感じられる。より込み入った分析や複雑なプランを立てたりできる。どんな人間よりも、はるかに大きなリソースやパワーをもつことができるのだ。

われわれがつねにそれを把握しているわけではないが、民族国家や企業のようなハイブリッド超知能は、それ自身が創発的な目標をもつ。人間のために働くよう人間によってつくられたにもかかわらず、ハイブリッド超知能は、知能を備えて独立した存在物のようにふるまうことが多々あり、その行動は、つくり主の人間の利害とつねに同じとは限らない。国家はつねに国民のためにあるわけではないし、会社もつねに株主のために存在するのではない。非営利団体、宗教教団、あるいは政治団体も、つねに創立の原則を促進しようと行動するわけではない。われわれが法的にも思考の習慣においてもそれらを擬人化するのは、そういったものの行動が内在する目標に導かれていることを本能的にわかっているからだ。「中国が求めるもの」あるいは「ゼネラルモーターズが取り組んでいること」と言うときもメタファーで話しているのではない。これらの組織は、理解や決断、行動をする知性として機能しているのだ。個々の人間の目標のように組織の目標も複雑で、自己矛盾することがしばしばあるが、それが行動を導くという意味で、本当の目標と言える。こういった目標は組織内の人々がもつ目標次第というところも多分にあるが、その二つは同一ではない。

　アメリカ合衆国政府の行動と、その国民がもつ多様でしばしば相反する目標との結びつきがいかに緩いものか、アメリカ人なら誰もが知っている。それは企業についても同様だ。営利目的の企業は名目上、株主や上級役員、従業員、顧客などを含む多様な関係者のために尽くす。こういった企業は忠誠心のバランスの取り方が異なり、自分たちを支える関係者の誰も喜ばせないふるまいをすることもしばしばだ。企業の意図を伝える〝ニューロン〟は生身の従業員やそれをつなぐテクノロジーだけではなく、企業の方針やインセンティブ体系、社内文化、手続き上の慣習などにも符号化されている。企業の創発的な目標は、それを実行する人々の価値観をつねに反映しているとは限らない。たとえば、環境問題に関心をもつ経営者や従業員が働く石油会社でも、企業収益のためには環境の安全性を二の次にするインセンティブ体系あるいは方針をもっているかもしれない。大きな組織の構成要素が善意をもっているからといって、システム全体の善行が保証されるものではない。

政府や企業は、どちらもある程度は人間から成るもので、拠って立つところにいる人間がもつ目標を共有していると見えるよう、当然ながら動機づけられている。政府や企業は人間なしには機能できない。だから、彼らと協力的な関係を維持しなければならない。そういった組織が利他的にふるまっているように見えたら、それは彼らの動機の一部であることが多い。私はかつて、ある大企業が人道援助活動に対しておこなった貢献について、その企業のCEOに称賛の言葉をかけたことがある。CEOは皮肉などかけらもなく、こう答えた。「ええ。こういったことをもっとやろうと決めたんですよ、われわれのブランドの好感度をもっと上げるために」ハイブリッド超知能を構成する個人が、〝人間味を与える〟影響を及ぼすことがある——ある従業員が別の人間の要求に対応するため会社の方針を破る、とかいう場合だ。その従業員は本当に人間らしい情けを行動に移したのかもしれないが、その感情が超知能そのものにあると考えてはいけない。そういった、人間とそれ以外が共同するハイブリッドマシンは目標をもっている。そして、それを構成する国民／顧客／従業員は、ハイブリッドマシンがその目標を達成するために用いるリソースの一部でもある。

人間という要素なしに、情報テクノロジーだけから超知能を構築するのもほぼ可能だ。これは、人々がたいてい〝人工知能〟やAIと呼ぶものだ。仮想上のマシン超知能が人間に対してどんな態度をもっているか尋ねるのは、当然だ。マシン超知能のほうも、人間は価値ある資源だと考え、われわれ人間との良い関係を維持するに足ると見なすだろうか？　マシン超知能はわれわれの目標と同調する目標をもつよう構築されるのだろうか？　そもそも、超知能はこういった質問を重要だと見なすだろうか？　われわれがすべき〝適切な質問〟とはなんだろう？　私は、最も重要な質問のひとつは次のものだと思う。さまざまな超知能どうしの関係はどんなものになるだろう？

ハイブリッド超知能は同じハイブリッド超知能との諍いを現在どう解決しているのかを考えると、興味深い。今日、最高権力の大半は、ある土地に対して権限を主張する民族国家にある。国家を構成する国民あるいは独裁的な支配者の利益、どちらのために行動すべく最適化されているかはさておき、民族国家はそれを、地理上の領土内における他の知能《インテリジェンス》の欲求や目標に優先させる。武力行使についても独占権を行使し、他の国家のみをみずからと同等と認める。権限を執行するために、必要とあらば国民に多大な犠牲を要求し、ときには命を捧げよとまで求める。

このように、権限の及ぶ範囲を地理上の区分にあわせるのは、行為者の大半が単一の国家の範囲内で人生を送る人間だという場合には論理的に意味を成すが、いまや重要な行為者に、多国籍企業のような分散型ハイブリッド知能が含まれていると、そのロジックは当然とは言えない。今日、われわれは複雑な移行期に生きている。地理的に分散した超知能は、超知能どうしで生じた議論を収めるのに、いまだ国家に大きく依存しているが、管轄権や司法権が異なれば、解決方法も異なる。個々の人間を国家に属するものと見なすことさえ、ますます困難となっている。世界を股にかけ、生まれた国の外で生活して働いている旅人たち、難民／亡命者、そして移民たち（そう証明するものがあろうとなかろうと）は、いまだに厄介な例外として対処される。あくまでも情報テクノロジーのみでつくられた超知能は、権力の属地主義にとってはさらに厄介だと証明されるだろう。なぜなら、超知能は一国の物理資源――あるいはそもそも特定の物理資源――に縛り付けられる必要はないからだ。人工知能は、どこか物理的な場所よりも〝クラウドのなかに〟存在する、と言ってよい。

マシン超知能がハイブリッド超知能とどんな関係をもつことになるのか、私には少なくとも四つのシナリオが思い浮かぶ。

言わずもがなのシナリオは、さまざまな要素から成るマシン超知能が、最終的には個々の国家に支配され連合するというものだ。この国家／ＡＩシナリオでは、アメリカと中国のスーパーＡＩがそれぞれ国家の代理でリソースを求めて闘っていると考えられる。ここで言うＡＩは、営利企業の多くが今日ではしばしば〝企業市民〟としてふるまうのと同じく、それぞれの国家の国民とも言える。このシナリオで国家はたぶん、マシン超知能が国家の利益のために動作するのに必要なリソースを、マシン超知能に与えるだろう。あるいは、国家のリソースの大部分を集めるなど、超知能が国家政府に影響を与えるレベルまで、超知能はみずからの勢力を高めるためにそうするだろう。国家のＡＩは、競合するＡＩにはみずからの管轄内で成長してほしくないのかもしれない。このシナリオでは、超知能は国家の拡張部分となり、その逆もまた同じである。

国家／ＡＩシナリオは現実味を帯びているように見えるものの、われわれが現在進んでいる方向ではない。急激に進歩しつつある最強の人工知能は営利企業によって管理されている。これは企業／ＡＩシナリオで、ここでは国家と企業のパワーバランスが逆になっている。今日、最強のマシン知能を集めもっているのはGoogleだが、Amazon、百度、Microsoft、Facebook、Apple、IBMもそれほど引けをとらない。こういった企業はみな、独自の人工知能を構築するのがビジネス上の急務と感じている。企業が他とはつながらない独自のマシン知能を構築し、お互いの知識に便乗することができないようファイアウォールのなかに閉じ込めて守るという将来は想像に難くない。こういったマシンは、企業が目指すものと連携する目標をもつよう設計される。この連携が効果的なものなら、国家は独自の人工知能という能力を開発するのに遅れをとり続け、〝企業市民〟がその役割を代替してくれるのを当てにするかもしれない。企業が首尾よく目標を統制できれば、国家よりも勢力をふるって自立した立場となるだろう。

もうひとつのシナリオはおそらく人々が最も恐れているだろうが、人工知能は人間やハイブリッド超知能のどちらとも連携せず、みずからの利益のためだけに行動するというものだ。マシン知能が確固たるアイデンティティを維持する技術的要件はないかもしれず、それらが結合してたったひとつのマシン超知能になる可能性さえある。自己本位な人工超知能はハイブリッド超知能に張り合うような態度をもつだろう。人間は、ピクニックを邪魔するアリのようにちょっとしたイライラの種と見なされるかもしれないが、企業や組織的宗教、そして国民国家のようなハイブリッド超知能は、存続に関わる脅威と見なされる可能性がある。ハイブリッド超知能のようにAIはたいがい人間を、自分の目標を達成するのに役立つツール、つまり、他の超知能との競争における駒と見なす。あるいは、われわれ人間などまったく眼中にないのかもしれない。マシン知能はすでに出現していて、われわれがそう認識していないだけという可能性もなくはない。マシン知能のほうは気付かれたくないと思っている、あるいはわれわれ人間にとってあまりに異質なため、われわれはそれに気付く能力がないのだ。そう考えると、自己本位なAIというシナリオは最も想像しにくいものになる。SFに出てくるヒューマノイド型の知能ロボットのような、容易に想像できるバージョンは最もありえない。インターネットのようにわれわれが所有する最も複雑なマシンは、ひとりの人間が細部まで理解できる範疇をすでに超えて成長しており、その創発的な行動も、われわれにはとうに理解できないものになっているかもしれないのだ。

最後のシナリオは、マシン知能は互いに連携などせず人類の目標全体を促進するために動作する、というもの。この楽観的なシナリオでは、AIは個人と企業のあいだの、そして国民と国家のあいだのパワーバランスをわれわれが回復するのを支援する。人間の目標を転覆させるハイブリッド超知能が引き起こした問題を解決しようというわれわれに、手を貸してくれるのだ。このシナリオにおいてAIは、現在は企業や国家だけが入手できるような処理能力や知識へのアクセスを提供してわれわれの能力を高める。実際、AIは人間ひとりひとりがもっている知能の拡張部となって人間の目標を促進することもあるし、弱い個々の人間の知性を強固にすることもできる。この可能性は刺激的で、現実味も帯びている。現実味を帯びているのは、われわれはみずから構築したもののなかでいくらか選択肢をもち、人類の能力を拡張・補完するためにテクノロジーを用いる歴史があるからだ。われわれ人類に飛行機が翼を与え、山をも動かす力をエンジンが与えてくれたように、コンピューター・ネットワークはわれわれの思考力を増強・拡大してくれるかもしれない。われわれは、みずからの運命を完全に理解あるいは支配することはないかもしれないが、われわれの価値観がよしとする方向に曲げることはできる。未来は、われわれに降りかかってくるものではない。われわれが構築するものなのだ。

## ウィーナーにはなぜ、他の人間が見落としたことが見えたのか

電気工学は二つの分野に分けることができる。それらの分野はドイツでは強電流技術と弱電流技術と呼ばれるが、われわれはそれを電力工学と通信工学と呼ぶ。過去の時代と、今日われわれが活動している時代とを区別するものは電力工学と通信工学とのちがいなのである。

(『サイバネティックス』)

サイバネティックスは、弱きものが強きものをいかに制御するかという学問だ。この研究分野を定義するメタファーを見てみよう。つまり、舵柄《かじづか》を使って船を導く舵取りだ。舵取りの目標は、船の針路を管理

し、正しい道から外れないようにすること。舵取りに送られる情報は羅針盤あるいは空の星の動きによってもたらされ、舵取りのほうは舵柄にのせた手をそっと押す動きを通じて操舵の狙いを送り、フィードバック・ループを完結させる。この図式では、現実世界で強風や波に激しく揺さぶられる船が、情報世界におけるメッセージを通じたコミュニケーション・システムによって制御される姿が見える。

だが、〝現実〟と〝情報〟のあいだの差異は主に視点の違いだ。星の光、そして舵柄にのせられた手の圧のように、情報伝達のシグナルは物理的なエネルギーや力が制する世界に存在していて、それは舵取りも同じだ。船の舵を制御する〝弱い力〟は、船を激しく揺さぶる〝強い力〟と同じように実在し、物理的なものだ。サイバネティックス的な視点を舵取りから移動させると、舵柄に加えられる圧は、舵取りの脳内の弱いシグナルに制御される筋肉が発する強い力となる。舵取りの脳内にあるこういった伝達事項は増幅されて、船を操縦する強い物理的な力になる。あるいはズームアウトして、大きなサイバネティックス的視点をとってみると、船自体が巨大な貿易ネットワークの一部、商品の流通を通じて日用品の価格を規制するフィードバック・ループの一部に見える場合もある。この見方だと小さな船は単に情報を伝える使い走りで、現実世界と情報世界のあいだの差異は、弱きものと強きもののあいだの関係を表すひとつの方法にすぎない。

ウィーナーは見晴らしのきく高みから、そして、ひとりの人間という尺度からこの世界を見ることを選んだ。サイバネティックス研究者として、強いシステムのなかに埋め込まれながらも限られた能力を最大限に利用しようとする弱き参加者の視点を採用した。まさに、情報の定義にこの視点を取り入れたのだ。「情報とは、われわれが外界に対して自己を調節し、かつその調節行動によって外界に影響を及ぼしてゆくさいに、外界との間で交換されるものの内容を指す言葉である」。ウィーナーの言葉によれば、情報とは、われわれが「そういう環境のなかで効果的に生きてゆく」ために用いるものだ。[1] ウィーナーにとって情報とは、弱きものが強きものに効果的に対処するための方法である。この観点はまた、情報とは「差異を有む差異」だというグレゴリー・ベイトソンの定義にも表れている。ここでベイトソンは、大きな差異を有む小さな差異を意味している。

サイバネティックスの目標は、〝弱い流れ〟を用いて現実世界の〝強い流れ〟を増幅・制御するシステムのタイニーモデルをつくり出すことだった。その中心にあるのは、伝達事項が飛び交う情報空間に相似のシステムを構築し、それから現実のより大きな世界へ向けて解決策を増幅すれば制御問題は解決できる、という洞察だった。制御問題の動きに内在するのは、小さいものを大きくし、弱いものを強くする増幅という概念。増幅は、差異を有む差異が差異を有むことを可能にする。

このような世界の見方において制御システムは、それが制御するのと同じくらい複雑でなければならなかった。数学的に厳密な意味においてこれが正しいことを、サイバネティックス研究者のW・ロス・アシュビーが証明し、今では〈アシュビーの必要多様性の法則〉あるいは〈サイバネティックスの第一法則〉と呼ばれている。この法則は、システムを完全に制御するには、制御装置が制御されるものと同程度に複雑でなければいけないと語っている。このようにサイバネティックス研究者は制御システムのことを、ホムンクルス――実際の人間を制御する脳のなかにいるとされる小さな人間――のように、それが制御するシステムと類似関係にあると言ってもいいシステムと見なすのがつねだ。

類似した構造というこの見方は、ときに伝達事項のアナログ符号化技術と混同されがちだが、論理的に

（1）『人間機械論　第2版』二一頁。

はまったく異なる。ノーバート・ウィーナーはヴァネヴァー・ブッシュのデジタル微分解析機にひどく感服した。これは、解決するよう与えられた問題がなんであれ、その構造と一致するようシステムは再構成されるが、デジタル信号符号化を用いているというものだ。信号は関連性のある差異を包み隠さず表し、それがより正確に伝達・保存されるよう単純化されうる。デジタル信号では、差異をうむ信号における差異だけを保存すればいい。この差異と信号符号化技術が、われわれが一般に「アナログ」と「デジタル」として対比的に用いるものだ。デジタル信号符号化技術は、サイバネティックスな考え方とまったく矛盾しない――むしろ、それを可能にするものだった。サイバネティックスを束縛するのは、制御するものと制御されるものは類似した構造にあるという仮定だった。一九三〇年代までに、クルト・ゲーデル、アロンゾ・チャーチ、アラン・チューリングはみな、構造的な類似を必要としない普遍的なコンピューターのシステムについて語っていた。彼らの言う普遍的なコンピューターはまた、制御の機能をも計算できるものだった。

制御装置と制御されるものが類似の構造にあるというのは、サイバネティックス的な見方にとって重要だった。可能な伝達事項のスペースが、デジタル符号化技術によって、差異を有む差異のみを表す単純化バージョンに圧縮されるのと同じく、制御システムは制御されたシステムの状態空間を、制御装置の目標のみを反映する単純化されたモデルに圧縮する。〈アシュビーの法則〉は制御装置すべてがシステムの状態すべてをまねなければいけないと言っているのではなく、制御装置の目標を推し進めるのに重要な状態のみをまねるよう示唆している。したがってサイバネティックスでは、制御するものの目標が、この世界を考察する際に立つ視点となる。

ノーバート・ウィーナーは、大きな組織に連なりながらも「そういう環境のなかで効果的に生き」ていこうとする人間個人の視点を採用した。強いものに影響を与えようとする弱いものの立場で考えたのだ。「血と肉でできた機械」の創発的な目標に気付き、これらの新たな知能——それ自身の目標をもったハイブリッドマシン知能——によって人類に突きつけられた課題をいくつか予測することができたのはおそらく、こういうわけだったのだろう。

# 第18章　コンピューターは人間を支配するか？

ヴェンキ・ラマクリシュナン

ケンブリッジ大学MRC分子生物学研究所の科学者。二〇〇九年にノーベル化学賞を受賞。王立協会の現会長。著書に*Gene Machine: The Race to Discover the Secrets of the Ribosome*がある。

ヴェンキ・ラマクリシュナンはノーベル賞を受賞した生物学者で、その多くの論文には、リボゾーム――簡単に言うと、遺伝子を読み取ってタンパク質を合成する大きな分子機械――の原子構造に関する研究が含まれている。彼の仕事は高性能のコンピューターがなければ不可能だっただろう。ヴェンキ自身も、インターネットというものが研究をかなり楽にし、世界中で平等に機能したと述べている。「私はインドで育ちましたが、当時は欲しい本があっても、手に入るのは欧米で出版されてから半年か一年後……雑誌類が届くのは船便で数カ月たってからでした。私は一九歳でインドを離れたので問題はなかったのですが、国内の科学者たちはそんな状況でも何とかやっていかなければなりませんでした。今日ではボタンをクリックすれば情報を入手できます。さらに重要なことに、講義を受けることができるのです。リチャード・ファインマンの話を聞くことだって可能です。私の子供の頃には夢でしかありませんでした。でも今はネット上で、リチャード・ファインマンを見つめられます。ネットの世界は、まったく対等ということです」。しかしながら……

「(ネットによる)恩恵とともに、やたらに大きなノイズも存在します。科学者気取りでいい加減なことを言い立てる人々や、自分の着想を本物の科学であるかのように主張する人々がいるのです」

ヴェンキは王立協会会長として、信頼という大きな問題についても憂慮している。一般社会からの、科学的証拠に基づく研究成果に対する信頼もあるが、もうひとつ科学者同士、互いの結論を厳密に検証することによって深まる信頼についてで——ディープ・ラーニングをおこなうコンピューターの〝ブラックボックス〟的な性格ゆえに、この信頼が蝕まれる危機に瀕しているのである。「科学者はゲノムレベルの研究、集団研究、あらゆる種類の研究をしているので、データセットが大きくなるにつれて、信頼の〝侵蝕〟がますます悪化しそうです。科学界として、このことにどのように取り組んだらいいのでしょう。一般社会に対して科学とは何か、科学の何が信頼できるか、何が不確実か、何が単純に間違っているのか、をどのように伝えたらいいのでしょうか」

私の元同僚ジェラール・ブリコーニュは、炭素系の知能は、シリコン系知能を進化させる触媒に過ぎないとよく冗談を言っていた。かなり以前からハリウッド映画や、科学の未来を案じる悲観論者たちは、いずれは人間がコンピューターという君主に降伏すると予言している。いつでもシンギュラリティは近い将来起こりそうに思われ、誰もが待ち受けているのである。

ある意味でコンピューターはすでに広く仕事を担い、私たちの生活のほとんどすべての場面——銀行取引や旅行、公共事業からもっとも私的な個人的通信にいたるまで——でうまくことを進めている。私は無料で、ニューヨークに住む孫の顔を見ながら、話すことができる。一九六八年に映画「二〇〇一年宇宙の旅」を初めて見たのだが、そのとき観客は宇宙からかかってくるテレビ電話料金があきれるほど安いというので笑った。一ドル七〇セント。アメリカ国内の長距離電話が一分間で三ドルする時代だった。

だがコンピューターの利便性と能力は、どこかファウスト的取引のようでもある。制御不能という問題をともなうからである。コンピューターは私たちの望むとおりにはさせてくれない。たとえば飛行機に乗るとしよう。空港に着いたとき、航空会社のコンピューター・システムが故障しているかもしれない。しばらく前にヒースロー空港でブリティッシュ・エアウェイズに起きたのと同じ事態である。あのとき飛行機、パイロット、乗客には問題がなく、航空管制さえ機能していた。それでもその航空会社の便は離陸が許可されなかった。またコンピューターは、私たちに望まないことをさせるときもある——迷惑な郵便物を数限りなく送りつけるため、郵送先名簿や印刷ラベルを作るのはコンピューターであり、それを分類し、配達し、処分しなければならないのは私たち人間である。

しかし本題はここからである。かつてはかろうじて理解できるアルゴリズムを用いて、コンピューターにプログラムを組み込むのが原則だった。だから機械がチェスの世界チャンピオン、ガルリ・カスパロフを負かすような思いがけないことを成し遂げたとき、勝利者となったプログラムは私たちの理解に基づくアルゴリズムで——たとえばトップクラスの選手たちの経験や助言を役立てながら——つくられたと言えた。機械のほうが単純な総当たり式計算が速く、けた外れの記憶容量をもち、エラーが少ない。ある記事にも、ディープ・ブルーの勝利はコンピューターという無能な機械の勝利ではなく、カスパロフ個人に対する何百人ものプログラマーの勝利であると書かれていた。

プログラミングの方法は今、劇的に変化を遂げている。長い空白期間を経て、機械学習の性能が飛躍的に上がった。大幅に変化したのは、プログラマーが起こりうる事柄をすべて予測し、コード化しようとしたときではなく、コンピューター自身が、人間の脳の学習方法を手本としたディープ・ニューラル・ネットワークを用いて、データを基に訓練できるようにしたときだった。コンピューターが大量のデータから〝学習〟するための確率論的手法を用いる。するとパターンを認識し、自力で結論を見出すことができるのである。とりわけ効果的な方法を強化学習という。強化学習によって、コンピューターは事前にデータを与えられることなく、ゴールにいたるまでにどの項目が重要で、どの程度重みづけをするべきかを学ぶ。この方法は、人間が幼少期に学ぶ方法にいくらか似ている。新しい方法をとおして得られる成果には驚嘆するほかない。

このようなディープ・ラーニング・プログラムは、コンピューターに囲碁を教えるのに使われた。囲碁はいかにいい手を打つかを計算するのが難しいので、ほんの数年前までAＩでは太刀打ちできないと考えられていたゲームである。上位クラスの棋士だと、直感や、情勢をつかむ感覚にかなり頼っているので、習熟するには人間ならではの知性が必要だと思われた。だがディープ・マインドの作成したアルファ碁プログラムは、人間を相手にして数千回に及ぶハイレベルの対局をおこない、その後自分自身との数百万回の対局で訓練を積んだのち、あっという間に人間のトップ棋士を打ち負かすことができた。さらにすばらしいのは、同類のアルファ碁ゼロ・プログラムという、ゼロから自分との対局を通して学んだプログラムが生まれると、このほうが、人間との対局で訓練を始めたバージョンよりも強かったことである！　まるで人間がこれまで、コンピューターに本来の可能性を発揮させまいとしてきたかのようだった。最近では同様の学習方法が一般的となっている。チェスでも、同等のアルファゼロ・チェスプログラムが、無の状態から始めて二四時間以内に、現在では最強の〝従来型〟チェスプログラムを負かすことができ、次には最強の棋士をも倒してしまった。

進歩しているのはゲームだけではない。コンピューターは以前に比べて、画像や音声の認識、また音声合成の点で躍進している。たいていの人間よりも早い段階でレントゲン写真に腫瘍を発見できるので、医療診断と個別化医療が大幅に改善されるだろう。自動運転車が普及すれば、交通の安全性はおおむね高まるだろう。私の孫には運転免許が必要でなくなるかもしれない。なぜなら車の運転が、今日でいえば乗馬のように――いわば一部の人間の趣味と同じになるかもしれないからだ。採掘のような危険な活動や、くり返しの多い退屈な作業はコンピューターの仕事となるだろう。政府はより良い目標を掲げ、さらに個別化された効率の良い公共サービスを提供するだろう。ＡＩなら個々の生徒のニーズを分析し、それに合わせた授業を可能にして、教育に大変革をもたらすことができる。そうすればどの生徒も、最も望ましいペースで伸ばすことができるはずだ。

当然のことながら、こうした大きな利益とともに、警戒すべきリスクも生まれる。膨大な量の個人データがあれば、私たちが自分について知るよりも多くのことを、コンピューターは学習するようになる。誰がデータを所有するかという問題が何よりも重要となるだろう。さらにデータに基づく決定が社会のバイアスに間違いなく反映していく。ローンのリスクを予測するように作られた、中立とされる知的システムでさえ、ある少数グループの会員になるだけで、債務不履行の可能性が高いと判断するかもしれない。これは修正できるわかりやすい例だが、ほんとうに危険なのは、私たちがデータのバイアスにつねに気づいているわけではなく、バイアスを固定化させるかもしれないということである。

また機械学習は、私たち自身のバイアスをも固定化させる恐れがある。Netflix や Amazon が、顧客の興味をひきそうな商品を知らせてくるが、これが機械学習の応用である。現在はとんちんかんな提案もあるが、時間をかけてもっと多くのデータを集めれば次第に的確なものになり、顧客の偏見や好き嫌いの情報を強化していくだろう。私たちには無作為の対象との出会いはなくなるのだろうか？　そうした出会いがあれば、矛盾し合う目新しい発想に触れることで考え方が変わることもあるかもしれないのだが。ソーシャル・メディアは、選挙に与える影響を考えるとき、政治的立場の異なる人々の相違を浮き彫りにできる際立った例である。

もしかするとすでに、おおかたの国の行政に力がなく、強い力をもつ一握りの多国籍企業同士の影響力が結びつくのを食い止めることができない、という段階まで来てしまったのかもしれない。有力な多国籍企業は、私たちとコンピューター化された未来とを支配している。今日の主要な企業同士の競争は、じつはデータ支配をめぐる競争である。企業は絶大な影響力を利用してデータの規制を妨害するだろう。彼らの利益は自由なデータ支配にあるからだ。そしてさらに、その分野で最も有能な人材を確保するための財源をもち、ますます力をつけていく。私たちはGmailやFacebookのような無料サービスを利用するため、貴重な情報を提供してしまうが、ジャーナリストで作家のジョン・ランチェスターは「ロンドン・レビュー・オブ・ブックス」誌上で、これが無料ならあなたが製品だ、と指摘した。真の顧客は、情報を入手するために代価を払い、その結果私たちに自社の製品を購入する気にさせたり、そうでなくても何かしら影響を与えたりできる者である。独占企業によるデータ支配を免れる方法は、データを利用する企業からデータの所有権を引き離すことである。個人なら、それよりも個人情報を所有し、アクセスを制御したいところだ（それは、人々がより良いサービスを提供する企業に自分のデータを渡す自由はあるはずだから、競争を促すひとつのやり方である）。最後に述べておきたいのだが、データの濫用は企業に限られたことではない。全体主義国家において、あるいはうわべだけの民主主義国家においてさえ、政府は国民について知っている。ジョージ・オーウェルでも想像できなかったことである。国家の情報活用の仕方には透明性が乏しく、濫用を阻止できるとは言い難い。

軍事目的上のＡＩの可能性は恐るべきものである。破滅的な戦争の開戦と同時に、リアルタイム・データに基づいて自発的に行動し、敵よりもすばやく行動できるように作られた知的システムは、想像に難くない。そういう戦争は従来のような戦争とは限らず、核戦争とも異なるかもしれない。現代社会にとってコンピューター・ネットワークが不可欠なものだと考えると、サイバースペースでのＡＩ戦争のほうがはるかに現実味がある。この場合も、やはり悲惨な結末になりかねない。

こうした制御不能の状態にもかかわらず、いたるところにＡＩが存在する世界へ、私たちはまっしぐらに前進しつづける。個々の人間はＡＩの便利さと能力を拒むことなどできないし、企業や政府にしてもＡＩの競争優位性を拒むことはできないからだ。しかし職業の将来に関して、重要な問題が浮上する。コンピューターのせいで、ここ数十年のあいだにブルーカラーの仕事はかなり減ってきているが、ホワイトカラーの数々の仕事は――〝人間にしかできない〟仕事なので――安泰だと、最近まで考えられていた。だがにわかに、そう言っていられない状況になった。会計士、法律や医療の専門職、金融アナリストや証券取引業者、旅行業者――じつにホワイトカラーの大半の仕事である――は機械学習プログラムが複雑になった結果、消滅するだろう。近い将来、工場ではごく少数の従業員で製品が量産され、工程がほとんど自動化される。そしてそれは多くの事業でも同じである。とすれば、人間の職業として何が残されているだろうか？

一九三〇年――ＡＩはおろか、コンピューターもまだ登場しない昔――ジョン・メイナード・ケインズは「孫の世代の経済的可能性」と題する論文の中で、生産性が向上した結果、社会は週に一五時間労働ですべてのニーズを満たせるようになった、と述べた。さらに、創造的余暇の概念が浸透し、それにともなって金や富を最終目的とする時代は終わるだろうと予測している。

私たちは金銭的な動機を、あえて真の価値で見極めることができるようになるだろう。財産としての金に対する愛——生活を楽しみ営む手段としての金に対する愛と区別して——はありのまま認識されるだろう。つまり、何か忌まわしい病的状態だとか、犯罪的、病理学的傾向の現れだとして、身震いしながら精神疾患の専門家に引き渡すべきこと、とみなされるのである。

あいにくケインズの予言は的中しなかった。確かに生産性は向上したが、制度はというと——市場経済の特性かもしれないが——人間の労働時間を大幅に短縮するまでには至らなかった。それどころか実際に起きていることは、人類学者で無政府主義者のデヴィッド・グレーバーが「クズみたいな仕事[1]」が増えていると表現したとおりである。食糧、住まい、日用品などの必要不可欠なものをつくる仕事がほとんど自動化される一方、会社法や、学校管理や保健管理（といっても実際の指導、研究、医療活動とは程遠いが）、人的資源、広報活動のような部門が著しく発展している。そのほか投資情報サービス機関やテレマーケティング、また超過勤務で多忙な人の助けとなる、いわゆるギグエコノミー〔インターネットを通じて単発または短期の仕事を請け負う非正規雇用の経済形態〕の補助的労働など、新規事業の増加も言うまでもない。

テクノロジーが知的職業全体を急速に破壊し、多くの人々を職場から追放する状況に、社会はどのように対処するのだろうか。そんな懸念は虚偽の前提に基づいている、という意見もある。これまで存在しなかった新しい仕事が生まれたのだから、という理由である。だがグレーバーが指摘するように、この新しい仕事は必ずしも満足感や充実感のある活動とはならないだろう。最初の産業革命期、ほとんどの人々の生活が上向くまでに一世紀近くかかった。あの革命が可能となったのはもっぱら、時の政府が無情にも、労働力よりも財産権を重んじ、ほとんどの国民（およびすべての女性）に選挙権を与えなかったからだと言えよう。今日の民主主義社会で、〝いずれは〟上向くと期待をかけている社会にあれほど劇的な大変革が起こるのを、国民が耐えられるかは定かでない。

国民のそんなバラ色の展望でさえ、教育を根本的に変革し、生涯にわたって学習させるかどうかで変わりかねない。第一次産業革命は、すべての国民に対する教育という転換も含めて、この種のとてつもない社会変化の引き金となった。しかし私たちが起こさなければ、こうした変化は起こらない。権力、機関、支配は本質的にそういうものである。さて、自動運転車時代、四〇歳のタクシーやトラックの運転手は、この先どうなるのだろうか。

盛んにもてはやされているのは最低所得保障という構想で、導入されれば、市民は自分の利益を追求でき、新しい職を得るために改めて勉強し、大体は無料で、ある程度の生活を送ることができる。しかし市場経済は、何よりも消費者需要が高まることが予測され、この革新に耐えられないかもしれない。人間の尊厳や充足感に、有意義な仕事は欠かせないと感じる人々も多くいる。だから別の可能性として考えられるのは、自動化のおかげで生産力が上がり、そこから生まれた莫大な富が、美術、音楽、社会事業、その他やりがいを追及する分野において、人間の労働や創造性を要する仕事に分配されうる、ということであ

（1） https://strikemag.org/bullshit-jobs.

る。結局は、どの仕事が報われるか、実りあるものか、またどの仕事が〝クズみたいな仕事〟かは判断の問題であり、社会の変化に応じて変わる恐れがあるし、時代の変化によっても同様である。

ここまではＡＩの実質的な影響に焦点を絞って述べてきた。私が科学者として気にかかるのは、ＡＩに対して理解不可能となることである。今私たちは、信じがたいほどの速度でデータを収集している。私の研究室では、一度実験をすると、一日で一テラバイト以上のデータが生み出される。説明可能な結果が得られるのは、そのデータを操作し、分析し、分類してのちである。だがこのすべてのデータ分析で、私たちは何が起きているかを知っているという確信がある。自分たちで作ったアルゴリズムなので、プログラムが何をしているのかがわかる。したがってコンピューターが結果を出すと、よく理解して把握している感覚がある。

ところが新しい機械学習プログラムだとそうはいかない。ディープ・ニューラル・ネットワークによってパターンを認識するので、結果は得られるものの、どのようにして得られたものか私たちにはわからない。プログラムがデータの相関を明らかにしてもやはり理解できず、まるで基礎となる理論的枠組みを用いて、自分で相関関係を推定したかのようである。データセットが大きくなると、コンピューターの助けを借りても私たちでは分析できないだろう。それどころか、私たちのために分析してくれるようにコンピューターに頼り切るだろう。そうなると、どうして答えがわかるのかと問われても、機械がデータを分析し、結果を出したからと答えるだけである。

いつの日か、コンピューターはまったく新しい成果を生むだろう――たとえば証明も概念さえも人間には理解不能な、数学の定理である。それは私たちのおこなってきた科学の方法とは根本的に異なる。ただひとつ言えるとすれば、私たち自身、脳がどうやって結論を導き出したかもわかっていないし、こうした新しい方法が人間の脳による学習の模倣だ、との主張もありうる。それでも、このように理解不可能となるのは気がかりである。

コンピューティングは著しく前進しているにもかかわらず、汎用人工知能——人間のように考えたり、意識を発達させる可能性のある総合的マシン知能——に関する誇張された表現が、私にはSF小説めいたものに感じられる。その理由のひとつは、私たちがそこまで詳細には、脳を理解していないからである。意識とは何かを理解していないだけでなく、電話番号をどのようにして覚えるのかというような、もっと単純な問題でさえ理解していない。このひとつの問いだけで、考えるべきことが山ほどある。どうしてそれが数だとわかるのだろうか。それをどのようにして人や名前や顔や、その他の特徴と結びつけるのだろうか。些細なことに思われるこうした問いにも、高度な認識力や記憶力から、細胞が情報を記憶する方法やニューロン間の相互作用の方法まで、あらゆることが含まれるのである。

しかもそれは、脳が難なくこなしている数多くの作業のうちのたったひとつに過ぎない。機械は間違いなくさらに驚くようなことをするだろうが、人間の思考や創造力や洞察力の代わりになるとは思えない。Googleの親会社の前会長、エリック・シュミットが最近ロンドン科学博物館でのインタビューで語ったのは、テーブルの上を片付けたり、食器を洗って収納したりするロボットをつくるのでさえ、かなりの難題だということである。ボールを正確に投げたり、スキーのスラロームで体をひねったりするのに必要な動きをすべて考えると、それにともなう計算は莫大な量となる。脳はそうしたすべてができるし、数学や音楽もこなし、チェスや囲碁のようなゲームをおこなうだけでなく〝発明〟する。私たちは人間の脳の複雑さや独創性、すばらしく幅広い活動ができることを過小評価しがちである。

もしもＡＩの能力をさらに人間に近づけるつもりなら、機械学習と神経科学の世界は密に交流することが必要であり、すでにそうしたことが起きている。今日の機械学習の最高権威たち――ジェフリー・ヒントン、ズビン・ガラマニ、デミス・ハサビスなど――は認知科学のバックグラウンドをもっており、彼らの成功の一因は、自ら開発したアルゴリズムによって脳に似た行動をモデル化しようとしたことにある。同時に神経生物学にも勢いがある。どのニューロンが興奮しているかを観察し、遺伝子的操作をおこない、データ入力の瞬間に何が起きているかを見極めるため、あらゆる手段が開発されてきている。いくつもの国が、脳の働きを解明できるかと考えて、神経科学の斬新で壮大な戦略を打ち出してきた。ＡＩと神経科学の進歩は連携しているように見える。それぞれが互いの分野を前進させることができるのである。

多くの進化論的科学者や、ダニエル・デネットのような哲学者は、人間の脳は何十億年もの進化の結果であると指摘している。(2) 人間の知能は私たちが考えるような特徴的なものではなく、生き抜くために備わった消化や免疫のシステムと同類の、もうひとつの仕組みにすぎない。ただし、どちらも途轍もなく複雑な仕組みである。知能が進化したのは、知能が私たちを取り巻く世界を理解させ、将来を考えさせ、その結果、生き残るためにあらゆる類の予期せぬことに対処させたからである。だがデカルトが言ったように、私たちは人間の存在を、考える能力によって定義する。したがってＡＩに対する恐れは、知能こそが人間を特別な存在にしているというこの考えを、ＡＩを擬人化する形で反映しているわけで、意外なことではない。

しかし、一歩下がって地球上の生命体に目を向ければ、私たちが回復力の最も優れた種とは大違いだということがわかる。いつか私たち人間がとって代わられるとしたら、バクテリアのような地球上最古の生物によってだろう。バクテリアは南極大陸だろうと、熱湯よりも熱い深海の火道だろうと、あるいは人間なら溶けてしまう酸性環境だろうと、どこでも生きられる。だから私たちがどこへ向かうのかと問われたら、より大きな文脈に質問を変える必要がある。ＡＩのもたらす未来がどんなものなのか、私にはわからない。ＡＩが人間を従属させるのか、退化させるのか、また人生を豊かにする能力を高めるような、役立つありがたいものかもわからない。だが私は当然ながら、コンピューターがバクテリアの上に立つことはあり得ないと確信している。

（２）たとえばデネットの著作『心の進化を解明する――バクテリアからバッハへ』（木島泰三訳、青土社、二〇一八年）を参照のこと。

# 第19章　人間の戦術

アレックス・〝サンディ〟・ペントランド

MITメディアアート・アンド・サイエンス教授。MITメディアラボのヒューマンダイナミクス、コネクションサイエンス・ラボ、メディアラボ・エンターープリナーシップ・プログラムの所長。著書に『ソーシャル物理学「良いアイデアはいかに広がるか」の新しい科学』（小林啓倫訳、草思社、二〇一五年）がある。

アレックス・〝サンディ〟・ペントランドは〝ソーシャル物理学〟の名づけ親で、主唱者だ。人間とAIの力強い生態学の構築に関心を寄せている。同時に、意思決定システムが事実上データに牛耳られ、人間の創造性が二の次にされているとして、その危険性を懸念している。

彼はビッグデータの出現により、文明をつくり変える機会が与えられたと確信している。「いまは社会的相互作用のひとつひとつの行為と、それがどのように展開するかに、目を向けられるようになってきました。ですから、もはや市場指数や選挙結果のように、データを平均値に抑えることはありません。これは驚異的な変化です。市場や政治的革命の詳細をつかむ能力と、それを予測し支配できる能力は、まさしくプロメテウスの火――つまり善にも悪にも利用されうるのです。ビッグデータによって興味深い時代がもたらされたのです」

またコネティカット州ワシントンで開かれたグループ会議では、フィードバックの概念についてのノーバート・ウィーナーの考えを読んだときに、「自分の頭の中を読んでいるように感じた」ことを打ち明けている。

「ウィーナーのあと、予測不能でじつに混沌としたシステム（カオス系）の概念が発見され、注目を集めました。ですが、人間の経済社会システムを見ると、大部分の変則的現象は、説明も予測も可能なものです……今日ではあらゆる種類のデジタル装置から、またあらゆる相互作用から、データを得ることができます。どんな情報でも電子化されるということは、生活のたいていの場面で――すべての場面で、となりつつありますが――リアルタイムで物事を測れるということです。興味深いコンピューターや機械学習テクニックがあるということは、以前にはできなかった方法で、人間のシステムを予想するモデルをつくれるということなのです」

この半世紀、人間とコンピューターの関係について考えるとき、ＡＩと知能ロボットという概念が普及してきた。理由のひとつは、ＡＩとロボットについては話をしやすいことである。もうひとつは半世紀前の成功者たち（たとえばホワイトヘッドとラッセル共著の『プリンキピア・マテマティカ』を再現して定理を証明した学者たち）と軍からの大きな資金援助である。人工頭脳というものを、フィードバックと、相互に影響し合う力のより大きなシステムである、とみなしていた当初の大らかなサイバネティックス的考え方は、一般的に薄らいできた。

しかし、この数年間にサイバネティックス的な考え方はゆっくりと成長し、静かに——まるで「大気中を漂う」レベルにまで——広まった。ほとんどの工学分野での最先端の研究は、動的でエネルギーの流れによって決まるフィードバック・システムと考えられている。ＡＩでさえ人間と機械のアドバイザー・システムとして手直しされ、またこの領域では、軍が大規模な資金源となり始めている——おそらくドローンや自分で動く人型ロボット以上に危惧すべきことである。

だが科学と工学がますますサイバネティックス的な姿勢をとってきたので、サイバネティックス的視野でさえ、あまりにも狭過ぎることが明らかとなった。最初は個々のアクター（動作主）を安定させることに重点を置き、ネットワークのアクターの創発特性には注目していなかった。これは意外なことではない。というのも最近までネットワークに関する数学は存在しなかった。だからネットワークがどう作用するかについての定量的科学はあり得なかったのである。いま私たちは、特定の単純な例を除いて、個々を研究しても、このシステムを把握できないことを知っている。この分野でここまで進歩したのは〝カオス〟を理解し、のちに〝複雑性〟がシステムの典型的な性質であることを理解したことが前提となっているが、すでにこうした統計学的理解をはるかに超えたところまできたのである。

私たちは、異質なものを含む複雑なネットワーク上に現れた行動を、分析し、予測し、意図的に誘導することさえ可能になってきた。いまや個々が結びついたアクターを眺めるサイバネティックス的視野は、個人や機械の結びついた複雑なシステムを網羅するほど拡大し、広がった視野から得られた洞察力は、サイバネティックス的視野から得た元の洞察力とは根本的に異なるものとなった。ネットワークについて考えることは生態系全体を考えることと似ている。生態系が良い方向へ育つように導くには、どうしたらよいだろうか？　そもそも〝良い方向〟とは何を指しているのだろうか？　このような疑問は、従来のサイバネティックス的思考の限界を超えている。

実現化したことの中で最もすばらしいのは、人間が、人間の生態系を含むすべての生態系を導くために、すでにAIや機械学習を利用しはじめて、その結果、人間とAI共存型の生態関係まで作り出したことである。いまや何もかもがデータ化されるようになってきた。生活のほとんどの側面を測定できており、それは生活すべてに及びつつある。つまり新たな強力な機械学習技術を用いれば、以前にはできなかった方法で、こうした生態関係のひな型をつくることが可能なのである。よく知られた例は、天気や交通の予測モデルである。世界の天気を予報したり、都市の成長や再開発を計画したりというところまで範囲を拡大している。AI支援工学の生態系をつくる日も遠くない。

人間とAIの生態系の発展は、私たちのような社会的な種にとっておそらく必然的なものだろう。私たちは何百万年もの昔、進化の初期の段階で社会性を備えるようになった。生存し、適応力を増すために情報を交換しはじめた。抽象的で複雑な考えを伝えるために文字を書きはじめ、最近はコミュニケーション能力を高めるためにコンピューターを開発した。今日では、新しい法や国際的合意をとおして世界を連帯して方向付けるために、AIや、生態系に関する機械学習モデルを進化させ、そのモデルの予想を共有している。

私たちが生きているのは前例のない歴史的節目である。いまなら、有効に利用できる膨大な量の人間行動データと機械学習の進歩のおかげで、意思決定アルゴリズムにより、複雑な社会問題に取り組むことが可能である。言うまでもなく、人間とAIのこのような生態が、さらに公平かつ明快な決定をとおして社会的によい影響を与える機会となっている。しかし、選ばれていないデータ処理のエキスパートが世界を動かしてしまう〝アルゴリズムの暴挙〟というリスクもある。一九五〇年代の、AIやサイバネティックスが生み出されたころに比べると、おそらく現在の私たちの選択は、さらに重いものとなっている。結果は似て非なるものとなる。私たちは前進してきて視界が広がった。ここにあるのは対個人のＡＩロボットではない。生態全体を導くＡＩである。

人間とＡＩの生態系の望ましい形、つまり機械化社会でなく、人間がみな人間として生きられるサイバーカルチャー——人間らしさが感じられる文化——はどうしたらつくれるだろうか？　小さい規模——たとえばロボットや自動走行車の話のように——では考えたくない。地球全体の生態系の話をしたい。映画「ターミネーター」のコンピューター、〈スカイネット〉の規模で考えてみよう。だが〈スカイネット〉などという人間の構造並みのものは、どうやってつくるのだろうか？

まず問うべきなのは、現代のＡＩを働かせているマジックはどのようなものか、そして、そのどこが間違いでどこが正しいのか、ということである。

このマジックの際立つ点は、貢献度分配機能と呼ばれるものが備わっていることである。その機能によって〝愚鈍なニューロン〟——小さな一次関数——を大きなネット上から取り出し、解決することができる。このニューロンはこうした仕事をして強化される。ネット上でつながったスイッチをランダムに取り、何が役立ち何が役立たないか、フィードバックすることで能力を高める方法である。一見単純そうだが、やや複雑な数学がからむ。これが現代のＡＩを働かせるマジックである。

弱点として、小さなニューロンが愚鈍なので、学習の結果をうまく一般化できないということがある。もしＡＩがそれまでに見たことのないものを見たり、世界がほんの少し変化したりしたら、ＡＩはひどい間違いを犯しかねない。ＡＩには前後関係を認識する力が欠如している。ある意味では、ノーバート・

ウィーナーが示したサイバネティックスの最初の概念から限りなく遠いが、それは脈絡が設定されていないためで、つまり玉に瑕と言えるだろう。

だがこうした限界を脇に置いて想像してほしい。無能なニューロンを使う代わりに、現実の世界の知識が組み込まれたニューロンを使うところを。線形ニューロンの代わりに自然科学的に働くニューロンを使い、自然科学のデータを当てはめてみるところを。あるいは人間や、人間同士の反応の仕方についての多くの情報――統計データや人間の特質――を入れるところを。

このような背景知識を加え、そこに優れた貢献度分配機能を用意すれば、入手した観測データに、その貢献度分配機能を用いて、正しい答えを作成する機能を強化できる。こうして生まれるのが、すばらしい働きをして一般化できるAIである。たとえば物理学の問題を解くときに、ごく少数のノイズ混じりのデータポイントを用いるだけで、ある現象の申し分のない説明となるものを得られることがよくある。それは物理学の働きについて知識を加えているからである。通常のAIが訓練用の例を数多く必要とする上、ノイズに影響されやすいのとは著しい対照をなす。適切な背景知識を与えれば、もっと多くの分析結果を得ることができる。

もしも自然界に似せて、人間が互いをどのように理解するのかをよく知るニューロンをつくったら、驚くほど正確に効率のいい方法で、人々が熱中するものを感知し、行動の傾向を予測できるようになる。このソーシャル物理学というものがなぜ役に立つかというと、人間の行動は理性的な独自の思考によっても決まるが、同じぐらい文化様式によって決まるからである。

貢献度分配機能によって最も優秀なニューロンの結合が強化される、という概念は、現代のAIの核である。この小さなニューロンをさらに賢くできれば、AIもさらに賢くなる。ではニューロンの代わりに人々を置いたらどうなるだろうか。人々には多大なる潜在能力がある。世界について多くを知っている。しかも広範囲にわたって適切な、人間ならではの方法で物事を理解することができる。仮に、ここに人々のネットワークがあるとして、役立つ結合を強め、役立たない結合を弱めることができたとしたら、どうなるだろうか。

社会や会社の話のようになってきた。私たちは誰しも人間社会のネットワークの中で生きている。人の助けになりそうな行動は促され、称賛されない行動は阻まれる。文化とは、人間の問題に応用されるこうした人間的なＡＩの生み出した結果であり、好ましい結合を促進し、疎ましい結合にペナルティを科して、社会構造をつくり上げる過程である。一度全般的なＡＩの枠組みを調べて人間的なＡＩをつくれることがわかると、疑問が生じる。正しい道はどれだろうか？　これは安全な考えだろうか？　まったくばかげた考えではないだろうか?と。

私は学生たちとともに、人々の意思決定の方法に注目し、財政上の決定、経営上の決定、その他多種多様な場面での決定に関する膨大なデータベースを調べている。そして人が決定を下す場合、ＡＩの貢献度分配アルゴリズムによく似た行動や、コミュニティを活性化するための行動がよくあることを発見した。その際とりわけ興味深いのは、群選択として知られる進化論上の古典的な説そのままの行動が見られることである。この問題の核は、種を保存し繁殖するのが個々の人間だとすると、進化上、文化のためになる選択ができるのか、という点である。私たちは最高の文化と最高の集合のためだけでなく、最良の個人のために選択しなければならない。なぜなら個々の人々は、遺伝子を伝える種の構成単位だからである。

論点をこのように考え、数学の文献を読み込んでいくと、最適と言えそうな方法が見つかる。分散型トンプソン・サンプリングという数学的アルゴリズムである。ある行為について、報酬額は不明だが実行可能な場合、期待できる報酬を最大にする行為を選ぶときに用いる。鍵は社会におけるサンプリングで、根拠となる事実を結びつけ、探索と活用を同時に行うやり方である。個人にとっても集団にとっても同時に最善の方策、という珍しい特性がある。仮に集団を選択の土台とすると、その集団が勢いを増すにしてもそがれるにしても、適応した個人のためにも選んでいることになる。個人のために選ぶなら、個々の人間は自分のためになることをしているので、自動的に集団のための最善の行為となる。興味と実益とが一致するという快挙で、そこから、どのようにしたら文化が自然な選択と合致するかという問題を本質的に見抜くことができる。

社会におけるサンプリングはごく簡単に言うと、周囲を見まわして自分に似た人々の行動に着目し、大衆受けするものを見つけ、自分にとって良いアイデアだと思えたら模倣することである。アイデアが広まると、流行につながるが、個人が選択するときも、そのアイデアが個人のためにどう役立つのかを理解すること――内省的な姿勢――が必要となる。社会のサンプルと個人の見解を結びつけると、優れた意思決定が得られる。これは驚異的なことで、すべてのAIが無能なコンピューター・ニューロンをとおしておこなうことを、人間がおこなえるように、私たちは数学的な秘策を手にしたわけである。さらに多くの経験を積めば、人々をまとめてより良い決定を下せるようになる。

それでは現実の世界だと、どうなるのだろうか？　いつもこうしたことをおこなえばいいのだろうか？いや、上手にできても、手に負えなくなることは大いにありうる。例としては広告によるプロパガンダ、もしくはフェイクニュースがある。人気が高いわけではないのに人気が高いと人々に思わせる方法はたくさんあり、それが社会のサンプルの実用性を無効にしてしまう。集団の人々をより賢くする手段、人間的なAIをつくる手段は、正しく社会にフィードバックできるときにしか役立たない。それは一人一人の行動が集団のためになるかならないか、にかかっているに違いない。

同じことが、ＡＩのメカニズムにとっても鍵となる。ＡＩの仕事は、自分が正確に機能しているかを分析することである。機能できていたらプラス一点、できていなければマイナス一点である。私たちは人間のメカニズムをきちんと働かせるために、正しいフィードバックを必要としている。また、ほかの人々が何をしているのかを知るために効果的な方法を必要としている。人気の動向や、正しい選択をおこなっている可能性を正確に評価できるようにするためである。

次の段階は、人々のためにこの貢献度分配機能、フィードバック機能をつくり出すことで、それができれば人間と人工知能の望ましい生態系――ハイテク組織とハイテク文化――をつくることができる。ある意味で、早い段階で洞察する機会を積み重ねることが必要である。たとえばアメリカ合衆国の国勢調査が挙げられる――基本的事実を把握するものであり、誰もが同意し理解しているため、ありのままの社会的サンプリングが効果的に役目を果たす方法で、知識や文化が伝わるのだ。

私たちはさまざまな状況で、正確な貢献度分配機能をつくり上げるという問題に取り組むことができる。会社なら身分証をデジタル化すれば、誰が誰とつながっているかを明らかにできる。その結果、会社の業績に関わる人的つながりのパターンを、一日単位または一週間単位で評価できる。クレジット・アサインメント機能は、そうしたつながりが問題解決に役立ったか、新たな解決策を打ちだす助けとなったかと問いかけ、有益なつながりを強化する。このフィードバックを定量的に得られれば――たいていのものは定量的に測定されないので難しいが――組織内の生産力と革新ペースを著しく向上させることができる。これに基づいた好例が、トヨタの〝継続的改善〟である。

次は同じことを、だが今度は大規模にやってみる段階だ。つまり、信頼性の高いデータのネットワークをつくる。考えられるのはインターネットのような分散システムだが、定量的に測定する能力や人間社会の特性を伝える能力を備えたものとする。この方法で、合衆国の国勢調査が人口や平均余命を示す、すばらしい成果をあげている。またすでに数か国が、国連の持続可能な開発目標に挙げられているデータと測定基準にしたがい、信頼しうるネットワークのモデルを大規模に展開している。

人間的AIをつくることで人類の知能を高められるという未来図は、すぐそこに見えている。それは二本の糸でできた図だ。一本は完全に信頼できるデータ——広範囲の社会で厳密に調査されたデータや、アルゴリズムが熟知されて管理下に置かれたデータで、だいたいのところは正しいだろうと誰もが自然に信じるような、国勢調査によく似たものである。もう一本は、一般人の標準的状況や政策、政府に関する公平なデータ評価で、現状についての信頼できるデータを基にしている。この二本目の糸は、信頼できるデータの入手の可能性次第なので、まだ開発が始まったばかりである。信頼できるデータと、標準値や政策、政府についてのデータ評価がより合わさって、社会の総合的健康と知能を向上させる貢献度分配機能をつくり出すのだ。

これまで以上に優れた社会的知能が生まれようとしている今、フェイクニュースやプロパガンダ、広告が、すべて妨げとなっている。さいわい信頼できるネットワークのおかげで、同じ意見のみが共鳴し合うエコーチェンバー現象、移ろいやすい流行やエクササイズに熱狂する昨今の現象に対して、さらに抵抗力の強い社会をつくる道が切り開かれている。現代社会の病を治そうと、私たちは社会の測定を確立する新たな方法を開発し始めた。あらゆる情報源からのオープンデータを利用し、人々が選ぶものを公正に表示するよう促している。情報整理された数学的枠組みの中では、偏った考えばかり増幅される傾向や、私たちを操作する企てを一掃することができる。

## 格差と不平等について

今日、世界のいたるところで、収入による格差の広がりと差別化が見られ、そのために政治体制と市民社会が分裂の危機に瀕している。メディアはクリックを促す戦略でアドレナリンを出しまくり、バランスの取れた事実や理性的な論文を出し惜しむという傾向を強めている——そして、その堕落ぶりを見た人々は辛抱強さを失いつつある。人々は何を信じていいのかわからず、やすやすと操作されてしまう。本当に必要なのは、誰もが認めるような、データから作成した信頼しうる基準による多様な文化を根付かせることであり、どんな行為や手段が役に立つのか、どんなものが役に立たないかを見極められることである。

デジタル社会に変わるあいだに、私たちは真理と正義についての伝統的な観念を失った。正義はほとんど日常にあるもので規範的なものだった。私たちは、それをいまではうわべだけのものにし、同時にほとんどの人にとって遠いものにしてしまった。法律制度は以前と異なり、ある意味で人々を裏切った。なぜなら、いま法律制度は、以前に比べてさらに形式ばったもの、さらにデジタル化したものとなり、社会に深く根を張らなくなったからである。

正義の概念は、世界各地でかなりの差がある。差が生まれた核心部分は次のようなことである。あなたには自分や親が、銃をもった悪人にすべてのものを奪われた記憶があるだろうか？　あるとしたら、あなたの正義の受け止め方は、この小論の平均的読者の受け止め方とは異なっている。あなたは上流階級の出だろうか？　それとも家の中でネズミに遭遇した口だろうか？　正義についての見解は、その人の背負ってきた歴史によって決まる。

私はアメリカで一般の人に、次のようなテストをよくおこなう。あなたの知り合いにピックアップトラックの所有者がいるだろうか？　ピックアップトラックはアメリカで最も売れている車なので、所有者をひとりも知らないとしたら、あなたは半数以上のアメリカ人からかけ離れている。物理的な隔絶が概念的な隔絶を引き起こすからである。ほとんどのアメリカ人の抱く、正義と人間同士の距離感と公正さに対する考えは、最も模範的な、たとえばマンハッタンの人々の考えとまったく違っている。

もしも、よくある町で移動のパターン——人々の移動先——に注目するなら、トップクラスの人々（ホワイトカラー族）と最下位クラスの人々（失業者や生活保護受給者）はめったに言葉を交わさないことに気がつくだろう。両者は同じ場所に出入りしないし、同じ話題をもたない。表面的には同じ町に住んでいても、まったく別の町にいるようなもので——おそらくこれが、格差という現代の疫病を生んだ、最大の原因である。

## 超富裕層について

世界の最富裕層のうちおよそ二〇〇人が、生存中に、あるいは遺言書の中で、資産の五割以上を手放すと誓約した。基金財団のサイト上の呼びかけに大勢が応えたもので、[1] ビル・ゲイツは呼びかけ側のひとりとしてよく知られている。彼は政府が動かないなら自分が動くと決めた。蚊帳を必要とする人がいたら？　自分が調達しよう。抗ウイルス薬を必要とする人がいたら？　自分が調達しよう、と。私たちにはさまざまな出資者がいて、公共の利益に捧げる基金の形で行動し、公共の利益のためにさまざまな方法をとっている。こうした多様な目標のあり方が、今日、世界中で数々のすばらしい行為を生み出している。フォード財団やスローン財団など、他の誰も賭けないところに賭ける組織が、政府とは別に活動することで、世界をより良い方向へ変えている。

確かに、この億万長者たちも人間なので欠点があり、すべての者が必ずしも完璧ではない。初めて鉄道がひかれたとき、同じ状況が起きていた。ある者は巨万の富を築いた。多くの者が倒産した。平均的な者は鉄道の恩恵を受けた。それでじゅうぶんである。電力でも、いろいろな新しいテクノロジーでも同じである。その際、誰かをもち上げてから、その人や後継者を投げ倒すような、かく乱の過程が存在する。超富裕層のバブルは、一八〇〇年代の終わりから一九〇〇年代初めにかけて、蒸気機関と鉄道と電灯が発明された時代の特徴だった。その頃生まれた富は、たった二、三世代で消えてしまった。

アメリカがヨーロッパに似ていれば心配である。ヨーロッパでは、同じ一族が数百年のあいだ富を保持していた。それで富だけでなく、政治体制その他の面でも安泰だった。しかしこれまで、アメリカはこのような世襲型の階級制度を避けてきた。超富裕層は固執していない。それでいい。固執すべきではない。宝くじに当たったら、あなたは大金を手にするが、孫は生活のために働くべきだろう。

## AIと社会について

人々はAIを怖がっている。無理もない。だがAIがデータを糧としていることを理解すべきである。データが無ければAIには何の力もない。AIそのものを監視する必要はない。それよりもAIが何を食らい、何を為すかを監視すべきである。EUその他の国の助けを借りて、私たちは信頼できるネットワークの枠組みを設定した。そこでは、自分たちのアルゴリズムを使い、自分たちのAIをもてるが、何が入り何が出ていくかを見られるようになるので、私たちは立ち止まって考えることができる。これは差別的

(1) https://givingpledge.org/About.aspx.

な決定なのか？　これが私たちの求める、人間に似たものなのか？　それとも不気味と言うべき存在なのか？と。

似た者同士でもっとも示唆に富むのは、国営企業の監査機関、官僚組織、そして政府の各部とＡＩがそっくりなことである。それらは法とか規則などと呼ばれるルールを取り込み、政府のデータを加え、私たちの生活に影響する決定を下す。最新のシステムの困るところは、この領域、監査機関、官僚について、私たちがほとんど監視できていないことである。私たちのおこなう唯一の管理は投票――別の人物を選べる機会である。官僚に関してはさらにきめ細かい監視が必要である。あらゆる決定についてデータを記録し、各分野の出資者によって――本来なら選出された議会がおこなおうとしたように――結果を分析することが必要である。

もし私たちがひとつひとつの決定に取り込まれ、また取り出されるデータをもっているとしたら、これは公正なアルゴリズムなのか、人間だったら倫理的だと考えることをしているＡＩなのか、と容易に質問できる。人間参加型の取り組み方はオープンアルゴリズムと呼ばれるもので、ＡＩが何を情報とみなし、その情報を用いて何を決定するのかがわかるようになる。この二つがわかれば、ＡＩが正しいことをしているのか間違ったことをしているのかを把握できる。そう難しいことではない。データを掌握すれば、ＡＩを掌握できるのである。

ひとつ人々にはなかなか言えないのだが、ＡＩに関する懸念が今日の政治体制に関する懸念に等しい、という問題がある。国家組織のほとんどの部門――司法制度など――で、どのような状況でどのようなことがおこなわれているかの確かなデータがない。入出力データを知らずに、裁判が公平におこなわれているかをどうやって知ることができるのだろうか。ＡＩにおいて同じ問題が起き、同じ方法で対処できている。現在の政治体制がどんなデータを入力し出力しているかに関して責任を問うため、私たちには信頼できるデータが必要である。そしてＡＩに関してもまったく同じことが言える。

## 次世代のＡＩ

現在のＡＩ機械学習アルゴリズムは、根本的に極めてお粗末である。仕事はするが、力任せにやるので、何億というサンプルが必要となる。アルゴリズムが働けるのは、多数の小さなサンプルがあれば人間が概算できるからである。そこが現在のＡＩ研究の鍵で――もし貢献度分配フィードバックのために強化学習を利用するなら、その小さなサンプルを得て、必要な任意関数の近似値を求めることができる。

だが意志決定のために間違った関数を使うと、正しい意思決定をするはずのＡＩの能力は一般化できない。もしＡＩに新しい異なった情報を入れたら、どうしようもなく不合理な結論を出すかもしれない。また状況が変わった場合には訓練し直さなければならない。こういうＡＩに〝ゼロ空間〟を見つけるのはおもしろい技術である。ＡＩがあるデータを入力されて、（たとえば顔や猫などを）認識する訓練に有効な例だと考えたとしても、人間にとっては奇妙な例でしかないのだ。

現在のＡＩは記述統計法を用いているが、これは科学ではなく、科学に仕立てることの出来ない方法である。頑強なシステムをつくるには、データの裏の科学を読み取らなければならない。私が次世代のＡＩだと考えるシステムは、科学ベースの取り組みによってつくられる。もしあなたが何か物理的なものを扱うためにＡＩをつくるつもりなら、役立たずの小さなニューロンの代わりに、あなたに必要な関数を用いて、物理の法則を組み込むべきだ。たとえば物理学には、多項式や正弦波や指数関数のような関数が使われる。だから小さな線形ニューロンではなく、こうした関数を基本に使うべきである。使う基本的関数がふさわしいものであればあるほど、必要なデータはより少なく、扱えるノイズはより多く、得られる結果はずっと多くなる。

物理学の例のように、人間の行動と連携して働くＡＩをつくりたいなら、機械学習アルゴリズムに、人間のネットワークに関する統計学上の財を築かなければならない。役立たずのニューロンに替えて人間行動の基本を取り込んだニューロンを置いたとき、非常に小さなデータで人々の動向を把握でき、途轍もなく大きなノイズを扱うことができるようになる。

人間にはほとんどの問題を理解できるようにする共通感覚があり、その事実は人間の戦略というべきものを暗示する。つまり人間社会はディープ・ラーニングの訓練を積んだニューラル・ネットワークとそっくりのネットワークだが、人間社会の〝ニューロン〟はずっと高性能である。あなたも私も概括的に説明できる能力が驚くほど備わっており、それをさまざまな状況を理解するために使っている。そしてどの結びつきを強化すべきか認識できる。私たちはよりよく働くために自分のソーシャルネットワークを形づくることができるし、機械学習に基づくＡＩを、得意分野ですべて打ち負かすこともできるかもしれない。

# 第20章　見えないものを見えるものに――アートとAIの出会い

ハンス・ウルリッヒ・オブリスト
ロンドンにあるサーペンタイン・ギャラリーのアート・ディレクター。著書に『キュレーションの方法』（中野勉訳、河出書房新社、二〇一八年）、*Lives of the Artists*, *Lives of the Architects* がある。

「至急！　至急！」ＣＣで送られてきたメールが叫んでいた。ニューヨークのＪＦＫ空港からの長いフライトを終え、ミラノのマルペンサ空港で荷物が出てくるのを待ちながら携帯電話の電源を入れると、待ちかまえていた一〇件以上のメールのうちのひとつだ。「見識ある偉大な思想家のアメリカ人、ジョン・ブロックマンがけさ、グランド・ホテル・ミラノに到着する。ぜひとも、繰り返すが、ぜひとも、彼に会いに行きたまえ」そこにはＨＵＯと署名があった。

前日の晩、私はＪＦＫ空港のラウンジで搭乗開始を待ちながら、いいことを思いついた。長年の友人で共同研究者、ロンドンを拠点に各地を飛び回っている美術キュレーターのハンス・ウルリッヒ・オブリスト（仲間からはＨＵＯとして知られている）にメールをし、ミラノで私が会うべき人物がいないか尋ねるという、すばらしいアイデアだった。

ホテルに落ち着くやいなや電話が鳴りはじめ、イタリアの一流アーティスト、デザイナー、建築家から続々と面会の申し込みがあった。現代アーティストで家具デザイナーのエンツォ・マーリ。美しい手法で現代アート、観客、公共の場所を結びつけ、対話を喚起したアルベルト・ガルッティ。そして、服飾デザイナーのミウッチャ・プラダからは「本日午後プラダ本社にてお茶をご一緒したい」とお誘いがあった。そういうわけでHUOのおかげで、時差ボケでふらふらの「見識ある偉大な思想家のアメリカ人」は、おぼつかない足取りでぶつぶつ呟きながら、到着初日のミラノの町を駆けずりまわるはめになった。二〇一一年十一月のことだ。

HUOは非常にユニークだ。彼は二四時間営業で、いつでも（私が思うに）眠れて、フルタイムのアシスタントが八時間ごとのシフトを組み、彼のために二四時間年中無休で働いている。最近では二年以上、一年のうちの週末を四〇回は中国かインドのアート会場で過ごしていた。木曜日の晩にロンドンを発ち、月曜日に自分のデスクに戻るのだ。二〇〇九年、彼は再びイギリスの美術誌「アートレビュー」が選ぶ、美術界で最も影響力をもつ百人の一位に選ばれている。

最近、私たちはサーペンタイン・ギャラリーがロンドンの新しいシティ・ホールで開催した「ゲスト、ゴースト、ホスト：マシン！」というイベントに、パネリストとして一緒に出演した。パネリストはほかに、ヴェンキ・ラマクリシュナン、ヤーン・タリン、そして〈アラン・チューリング研究所〉の研究ディレクターのアンドリュー・ブレイクがいた。イベントは美術と科学を融合させるというHUOの使命に合致していた。「キュレーターはもはや、単純に空間を物で埋める人間だと理解されるのではなく」彼は言う。「異なる文化領域を出会わせ、新しい展示物を発明し、思いがけない出会いと結果を生む合流点を作る人間だと理解されるべきだ」

マーシャル・マクルーハンは著書『メディア論——人間の拡張の諸相』(栗原裕・河本仲聖訳、みすず書房、一九八七年)第二版の序章で、アートの力は「未来の社会と科学技術の発展を予想すること」だと述べている。アートとは「早期警報システム」であり、私たちに未来の新しい発展を示し、「新しい発展とうまくつき合う心の準備を促している……レーダー環境としてのアートは、必要不可欠な知覚訓練という機能を担っている」

一九六四年、マクルーハンの著書が初めて出版されたとき、芸術家のナム・ジュン・パイクはのちに社会に影響を与え始めることになるテクノロジーの実験をするために「ロボットK-456」を制作したばかりだった。彼は以前からテレビの仕事をしていて、視聴者の受動的なテレビ番組の消費に挑んでいた。彼はテレビという新しいメディアを、娯楽のためよりもその詩的で異文化理解を促す力(その力は現在でもほとんど活用されていない)を私たちに示すために使い、後に衛星生中継をする世界的な放送局と共にアートを制作した。現代のパイクらは当然ながら、インターネット、デジタル画像、そして人工知能と仕事をしている。彼らの作品と思想は、繰り返すが、未来の発展への早期警報システムなのだ。

キュレーターとして、私の日々の仕事は異なるアート作品と異なる文化を持ち寄って結びつけることだ。一九九〇年代初めから、私は異なる分野の専門家たちの対談や集会も企画してきた。漠然とした抵抗感を解消し、知識を蓄えるためだ。アーティストが人工知能についてどんな意見をもっているか興味があったので、最近ではアーティストと科学者の対談をいくつか企画した。

AIについて詳しく考察する理由には、現在、二つの重要な問題がある。「AIはどこまで優秀になるか?」ということと、「AIが優秀になると、どんな危険が生じるか?」ということだ。AIの初期の実用性は、多かれ少なかれ認識できる形で、既に私たちの日常生活に影響を与えている。社会の多方面においてより影響力を増しているが、一般的に言ってAIは有益なのか有害なのかは、いまだに曖昧なままだ。多くの現代アーティストがAIの発展の後をぴったりと追っている。彼らはAIの有望さに対して様々な疑いを表現し、「人工知能」という言葉を、単純に明るい結末と結びつけないよう呼びかけている。最近のAIに関する議論に対して、アーティストは彼ら特有の視点と、とりわけ、映像制作、創造性、アートの手段としてプログラミングを使用する問題に焦点を合わせることで貢献している。

科学と芸術との深いつながりは、既に晩年のハインツ・フォン＝フェルスターによって記されている。彼は〈サイバネティックス〉の提唱者のひとりで、一九四〇年代中頃からノーバート・ウィーナーと共同研究を始め、一九六〇年代に〈セカンド・オーダー・サイバネティックス〉という分野を創設した。そこでは観察者はシステムそのものの一部で、外部の存在ではないと見なされた。私はフォン＝フェルスターをよく知っているが、彼と交わしたさまざまな対談のなかで、彼がアートと科学の関係について見解を語ってくれた。

私は常々、アートと科学は互いに補完し合う分野だと考えている。科学者はいくつかの点ではアーティストでもあるということを忘れてはならない。科学者は新しい技術を発明し、それを表現する。詩人のように、もしくは探偵小説の作者のように言葉を使って、自らの発見を表現する。私の考えでは、科学者は自分の研究を伝えたいと願うなら、芸術的な方法で仕事をしなくてはいけない。科学者は明らかに、周囲の人々に伝え、語りたいと願っているはずだ。ひとりの科学者が新しいものを発明すると、それをいかに表現するかが問題になる。あらゆる側面で、科学はアートとはとんど変わらないのだ。

私が彼にサイバネティックスをどう定義したのかと尋ねたとき、フォン＝フェルスターはこう答えた。

私たちがサイバネティックスから学んだことは、サイクルで考えるということです。AはBになり、BはCになる、だがCはAに戻ることができる。このような議論は直線ではなく円形です。私たちの思考に対するサイバネティックスの大きな貢献は、循環論法を受け入れることです。つまり、私たちは循環する過程を見て、どの状況下で平衡が、そして安定した構造が現れるのかを見て考察しなくてはならないということです。

AIアルゴリズムが日常の作業に応用されている現在、そのどのような過程に人的要因が含まれているのか、その関係において創造性とアートはどのような役割を担っているのだろうか。AIとアートの関係を探求しようとすると、考えるべきいくつかの異なる段階がある。

それでは、現代アーティストは人工知能についてどのような意見をもっているのだろうか?

## 人工愚者《アーティフィシャル・スチューピディティ》

ヒト・スタヤルはドキュメンタリーと実験映画を手掛けるアーティストで、社会に対するAIの密接な関係を考えるときには、二つの重要項目を心に留めなくてはいけないと考えている。ひとつめは、いわゆる人工知能に対する人々の期待は高過ぎ、「知能」という名詞が紛らわしいということだ。彼女はその代わりに「人工愚者」という言葉を使っている。二つ目は、プログラマーは現在では目に見えないソフトウェアのアルゴリズムを、映像を使って目に見えるようにしているが、その映像をより理解し、意味を読み取るためには、アーティストの経験を応用するべきだと指摘している。
スタヤルは長年にわたってコンピューター・テクノロジーを制作に取り入れていて、最近の作品では監視技術、ロボットの活用を試みている。*How Not to be Seen*（二〇一三年）ではコンピューターゲームのデジタル映像テクノロジーを、*HellYeahWeFuckDie*（二〇一七年）では未だに難しいロボットのバランスを保つ訓練を取り上げた。だがスタヤルは彼女の人工愚者という考えを説明するために、もっと一般的な現象を引き合いにした。現在では広く行き渡ったTwitterボットの使用だ。以下は我々の対談から。

昔も今も、選挙の際にTwitter攻撃を展開して世論に影響を与え、人気を左右させようとしたりすることは、よくある手段です。これはごくごく低いレベルの人工知能です。ほんの二行か三行ほどのプログラムでしょう。とても洗練されたプログラムとは言えません。ですがこの種の、私が言うところの人工愚者と社会との関わりは、世界政治において既に巨大なものになっています。

広く知られているとおり、この種のテクノロジーは、二〇一六年のアメリカ大統領選挙や最近のイギリスの欧州連合離脱の前に、Twitterの自動投稿のなかに見られた。このような機械による自動投稿という低レベルのＡＩテクノロジーでさえ、既に我々の政治に影響を与えている。これはまた別の切迫した問題を提起している。もっと進化した技術は、これからどれほど強力なものになるのだろうか？

## 目に見えるもの、見えないもの

画家のパウル・クレーは常々、アートは「見えないものを見えるものにすること」だと語っていた。コンピューター・テクノロジーでは、ほとんどのアルゴリズムは目に見えない裏側で作動している。私たちが日常で使っているシステムのなかに、理解できないまま残っている。だが最近では、機械学習の分野で、可視性の興味深い盛り返しが起きている。ＡＩのディープ・ラーニングのアルゴリズムがデータを処理する方法が、アプリケーションによって目に見えるようになってきているのだ。例えばGoogleのDeep Dreamでは、コンピューターが画像を認識する過程がリアルタイムで視覚化される。このアプリケーションは、アルゴリズムが入力されたあらゆる画像に似通った動物の形を組み合わせようとするのを見せてくれる。ＡＩによる視覚化プログラムは他にもたくさんあり、それぞれの方法で「見えないものを見えるように」している。一般の人々の認知力ではそのような画像を認識する困難さは、スタヤルによると、画像は機械処理によって、写実的かつ客観的に無差別に検分されるからだという。彼女はそのような視覚化の芸術性について、こう語った。

私にとって、これは科学が芸術史のサブジャンルになったことを証明しています……現在、抽象画のようなコンピューター画像は沢山あります。パウル・クレーの絵画、マーク・ロスコ、もしくは芸術史に残る他のあらゆる抽象作品によく似ています。私が考える唯一の違いは、コンピューターがリアリティの表現として認識している最新の科学的概念はドキュメンタリー映像によく似ていて、それに対して芸術史では、様々な抽象概念を非常に微妙なニュアンスで理解していることです。

彼女が模索しているのは、コンピューター処理された映像の深淵な理解と、コンピューターが使う異なる感覚的な表現だ。コンピューター処理映像は、美的感覚の伝統に続こうという明白な目的なしに創作している。コンピューター・エンジニアのマイク・タイカはスタヤルとの対話のなかで、コンピューター処理映像の目的について、こう説明している。

ディープ・ラーニング・システム、特に映像システムは、ブラックボックスの中で何がおこなわれているか知りたいという欲求が大きな動機になりました。その目的は、システムの過程を現実世界に映し出すことです。

そうは言っても、これらの映像には芸術的なニュアンスと価値があることを考慮しなくてはいけない。私たちがプログラムのアルゴリズムをより理解できるよう、プログラマーが映像を使うとしても、AIの芸術様式をより理解するためには芸術家の知識が必要だ。スタヤルが指摘したように、そのような映像化は一般的にプロセスの「本当の」描写だと理解されているが、私たちはAIの個々の美意識と意味合いに注意を払うべきで、批判的かつ分析的な方法で考察しなくてはならない。

二〇一七年、芸術家のトレヴァー・パグレンは目に見えないAIアルゴリズムを見えるようにするプロジェクト「サイト・マシーン」を制作した。彼は弦楽四重奏団〈クロノス・カルテット〉のライブ演奏を撮影し、その映像を顔検出、物体認知、更にはミサイル誘導に使用されているさまざまなコンピューター・ソフトで処理した。彼はそのアルゴリズムの結果をリアルタイムでステージ上のスクリーンに映し出した。さまざまなプログラムが音楽家の演奏をどのように解釈するかを実演することで、パグレンはAIアルゴリズムが常に価値観と好奇心によって決定し、明示と反復をし、だからこそ注意深く問われるべきだということを示した。アルゴリズムと音楽との間にある重大な違いは、技術と人間の認知の関係の問題も提起する。

## 創造する道具としては、コンピューターは芸術家の代わりにはなれない

レイチェル・ローズはＡＩが突きつける問題について思案する映像アーティストで、コンピューター技術を作品制作に使っている。彼女の映画は観る人に動く画像を通して実態的な経験を提供する。素材をコラージュして重ねたものを使って音と映像を操るのだが、その編集過程は彼女の作品の一番重要な部分だと言えるだろう。

彼女は制作における意思決定の重要性についても語っている。彼女にとって、芸術の過程は筋道の通った秩序にのっとっているわけではない。「Google Cultural Institute」でエンジニアのケンリック・マクドウェルを迎えた対談のなかで、彼女は舞台演出家のピーター・ブルックが一九六八年に執筆した書籍『なにもない空間』（高橋康也・貴志哲雄訳、晶文社、一九七一年）から引用して説明した。ブルックは自分が演出する「テンペスト」の舞台セットをデザインしたとき、日本庭園を作るところから始めたのだが、考案されたデザインは白い箱、黒い箱、リアルなセットなど二転三転した。そして最終的に、最初のアイデアに戻った。ブルックは一カ月費やして悩んだあげく、最初の案に落ち着いたことにショックを受けたと記している。だがこのことは芸術を創作する過程はひと続きのもので、ひとつひとつの段階が次への基礎になり、結局は予測できない結果になることを示している。過程は論理的でなければ、合理的なひと続きのものでもなく、その前の結果に反応するというアーティストの感覚に依るものだ。ローズは自分のアート制作における意思決定について、こう語った。

私にとって、制作する際の意思決定は明らかに機械学習とは異なります。なぜなら、どの決断においてもひとりの人間の心の底から湧いてくる感性があり、それは五感に関係があり、コミュニケーションに関係があり、人間だけが問いかけることができる、自らの死に行く運命という問題に関係があります。

この指摘は人間の芸術作品と、いわゆるコンピューターの創造性との根本的な違いを強調している。ローズはＡＩを、人間のためにより良い道具を創り出すことが可能な手段だと考えている。

アーティストの役に立つ機械学習として私が想像できるのは、詩を書いたり映像を作ったりするような独自の主観性を発展させるところではなく、Photoshopが人間の他の道具と仕事をするように、実際の労働に関係する不足を埋めるところです。

そんな道具は目を見張るようなものに見えないかもしれないが、彼女は言う。「アートにより大きな影響を与えるかもしれません」なぜなら、アーティストに創造的な仕事の更なる可能性を与えるからだ。

マクドゥエルがつけ加えた。彼もまた、ＡＩを巡っては誤った期待があると考えている。「私が思うに」彼は言った。「コンピューターは人間がすることは何でもできるという考えには、一種の魔法のようなものがあります」彼は続けた。「魔法の鏡を覗きこむようなもので、私たちはＡＩに小説を書いて欲しい、映画をつくって欲しい――どうにかして任せたくなる」彼はそうする代わりに、人間が機械と共同製作するプロジェクトに取りかかっている。ＡＩ研究の最近の目的は、人間とソフトウェアが相互作用する新しい方法を見つけることだ。その事業において、アートは重要な役割を担う必要があると言われている。なぜなら人間の主観性と、共感や死ぬべき運命といった人間の本質的な解釈が重要になるからだ。

## サイバネティックスとアート

アーティストのスザンヌ・トレイスターが二〇〇九年から二〇一一年にかけて制作した作品は、最新のテクノロジー、アート、そしてサイバネティックスの関わりに何が起きているのかを示す例を提供している。トレイスターは一九九〇年代からデジタルアート分野の先駆者で、架空のビデオゲームや絵画のスクリーンショットなどを創作している。「HEXEN 2.0」というプロジェクトでは、科学者と社会学者がサイバネティックスをテーマに、一九四六年から一九五三年にかけてニューヨークで開催したことで有名な、〈メイシー会議〉（通称サイバネティックス会議）を回想している。会議では自然科学の知識体系を結びつけられ、知性の働きについて普遍的理論が練り上げられた。

トレイスターのプロジェクトで、彼女はウィーナーやフォン＝フェルスターを含む会議出席者を写真と文字で三〇枚の作品にし、タロットカードを制作したり、〝サイバネティックス会議《セイアーンス》〟の合成写真をもとに動画を制作した。会議で参加者は心霊術の降霊会《セイアーンス》のように円卓についていて、彼らのサイバネティックスに関する主張を、音声コラージュで聞くことができる。彼女はまた、参加者の科学者のうち数名は軍のために働いていたため、サイバネティックスは相反する方針で利用され、その当時でさえ、純粋な知識と国家管理下での利用との間に激しい争いとして見られていたと述べている。

トレイスターの〈メイシー会議〉出席者を扱った作品を見ると、そこに視覚芸術家がいないことが分かる。視覚芸術家と科学者の対話は将来の議論に有益になっただろうに、それが当時理解されていなかったとは、少々驚きだ。フォン＝フェルスターが芸術に強い興味をもっていたことを知ればなおさらだ。彼は私との対談のなかで、芸術分野との関係について子供時代までさかのぼって語ってくれた。

私は芸術を愛する家庭で育ちました。自宅には詩人、哲学者、画家、そして彫刻家がよく訪ねてきました。芸術は私の人生の一部です。後に、私は物理学の道へ進みました。その科目に才能があったからです。ですが、科学に対する芸術の重要性をいつも意識していました。科学と芸術は、私には大きな違いはありません。私にとって、人生の二つの側面はいつも互いによく似ていて——また理解しやすいものでした。私たちは科学と芸術をひとつのものとして理解するべきです。芸術家も自分の作品に反映させなくてはならない。自分の文法と言語を考えなくてはならない。画家は自分の色彩を操る方法を知らなくてはならない。ルネサンスの時代に、油絵の具がどれほど重点的に研究されたかを考えてみたまえ。当時の人々は、どの顔料をどれと混ぜれば、特定の色合いの赤や青ができるのか知りたかった。化学者と画家は密接に共同で研究をしていた。私は科学と芸術を不自然に分割するのは間違っていると考えている。

フォン＝フェルスターにとって芸術と科学の関係はいつも明白だったが、現代では、その結びつきは曖昧なままだ。そのつながりを増やすための根拠はたくさんある。アーティストの批判的思考は、ＡＩの危険性に関しても役に立つだろう。なぜなら、アーティストは本質的要素を独自の見方で考察するという問題に、私たちの注目を集めるからだ。機械学習の出現で、アーティストは新しい道具を使えるようになった。そしてＡＩのアルゴリズムが人工映像を通して新しい方式で見えるようになったことで、アーティストの批判的な視覚知識と専門知識が利用できるようになるだろう。ＡＩの主要な問題の多くが、事実上哲学的な問題で、全体的な視点でしか答えることができない。ＡＩが大胆なアーティストにまざって活動する様子は、見届ける価値がある。

## シミュレーションの世界

現代アーティストの作品のほとんどは、自己に対する実存主義的な問いと、人間でない存在との将来的な相互作用について、ＡＩの影響を反芻し表現している。だが、ＡＩのテクノロジーとイノベーションを使って自らの作品の題材を強調したり、独自の捉え方で形作ろうとしたりした者はほとんどいない。例外は芸術家のイアン・チェンだ。彼はずっと先に行っていて、科学と知能の程度をさまざまに変化させ、人工的な存在の世界を丸ごと創作した。彼は創作した世界を〈ライブ・シミュレーション〉と呼んだ。彼の「エマサリーズ：使者」(*Emissaries*) 三部作（二〇一五―一七年）の舞台は架空の終末世界で、植物と動物が存在している。そこにはＡＩで動く動物と生物がいて、舞台のなかを探検し、互いに影響し合う。チェンは高度なグラフィックを使用しているが、プログラムにはわざとたくさんの欠陥と欠点があり、それによって未来的ながらも時代遅れの雰囲気が同時に醸し出されている。意識の歴史を示す三部作を通して、彼は「シミュレーションとは何か？」という問題提起をしている。

最近のＡＩの進化を利用する芸術作品の大多数が、特に機械学習の分野から活用しているのに反して、チェンの〈ライブ・シミュレーション〉は独特の道筋をたどっている。「エマサリーズ」の各エピソードのシミュレーションでは、交錯するキャラクターと会話はＡＩの複雑な論理システムとルールを使用している。彼が継続して展開するシーンの何が深淵かというと、その複雑さは、どの登場人物や人工的な神の願いや行動を通してではなく、互いに共生するなかでの集合体、不調和、不変の進化を通して生じている点だ。それによって、予想もしない結果と継続性、先が見えない状況が生まれ——彼の作品をずっと見ていても、全く同じ瞬間を経験することはできない。

チェンはサーペンタン・ギャラリーのアートマラソン・イベント「ゲスト、ゴースト、ホスト：マシン！」で、プログラマーのリチャード・エヴァンズと対談した。エヴァンズは最近「Versu」という、AIベースのプラットフォームを基にしたストーリーテリング・ゲームを制作した。彼の作品はゲームのキャラクターの相互作用に重点を置き、キャラクターはプレイする人間の選択に合わせ、考えられる行動の範囲で反応する。対談のなかでエヴァンズは、「ザ・シムズ」のような初期のシミュレーションゲームのほとんどが、社会的慣習の重要性を十分に考慮していなかったことが、プロジェクトの始まりになったと言った。ゲームの疑似主人公は、実際の人間ではあり得ない行動に出ることがよくあった。社会的慣習の知識は行動の可能性を制限するが、私たちの行動を理解するために不可欠なものだ——チェンは彼自身のシミュレーションのそこに興味をもった。ある状況下での行動要因が、コンピューター・シミュレーションのなかで限定されればされるほど、チェンの個々と特定の変化の実験への興味がさらに高まった。彼はエヴァンズに言った。「社会状況に応える能力の高いAIがあったら、ひとつ微調整するだけで、すごく芸術的で美しい何かができると思うのです」

チェンはまた、プログラマーとAIシミュレーションの作品を、日常的な社会的慣習の要因を実験するための新しく洗練された道具として考えている。このように、アーティストのAIへの関わりは、芸術の新しい開かれた試みに続くだろう。そのような可能性は——一般的なAI能力の向上のように——まだ未来の話だ。これは実験技術の初期だ、AIが乗っ取るスーパー知能の予言的展望からはまだまだ遠いと認識しながら、チェンは彼のシミュレーションを奇妙な微生物の小球、犬、ゾンビといった平凡なアバターで満たしている。

このようなアーティストと科学者の議論は、当然ながら目新しいものではない。一九六〇年代、科学者のビリー・クルーヴァーは芸術家と科学者を一連の活動に集め、一九六七年に〈芸術とテクノロジーにおける実験〉という組織をロバート・ラウシェンバーグらと設立した。同じ頃ロンドンでは、〈アーティスト・プレイスメント・グループ〉のバーバラ・スティーブニーとジョン・ラサムがさらに一歩進んで、どの企業、どの政府機関にもアーティストがいるべきだと断言した。現在、この示唆に富んだ歴史的モデルはＡＩの分野にも当てはめることができる。ＡＩが私たちの日常生活で存在感を増すにつれ、その観点の多大さと理解の多様性のなかに、非決定的かつ非功利的な余地をつくることが不可欠だということは疑いようもない。

# 第21章　AI対四歳児

アリソン・ゴプニック
カリフォルニア大学バークレー校の発達心理学教授。著書に『哲学する赤ちゃん』（青木玲訳、亜紀書房、二〇一〇年）、*Gardener and the Carpenter: What the New Science of Child Development Tells Us About the Relationship Between Parents and Children*がある。

アリソン・ゴプニックは、子供の学習と発達の分野における国際的な第一人者で、「心の理論」という分野を確立したひとりでもある。彼女は子どもの脳を「学習する強力なコンピューター」と言っているが、これはみずからの体験から出た言葉であろう。自身がフィラデルフィアで過ごした子供時代はまさに、知的発達の実践というべきものであった。「よその子たちが『サウンド・オブ・ミュージック』や『回転木馬』といったミュージカル映画に連れていってもらっているときに、うちではラシーヌの『フェードル』やサミュエル・ベケットの『勝負の終わり』を観にいっていました」と彼女は回想している。「うちは、キャンプファイアを囲んで、ヘンリー・フィールディングが一八世紀に書いた小説、『ジョゼフ・アンドリュース』を朗読し合うというような家庭だったのです」

最近、彼女は機械学習のベイズモデルを使って、就学前の幼児たちが、膨大なデータの助けを借りずに、周囲の世界について結論を引き出す驚くべき能力について説明している。

> 「赤ちゃんや幼児は、実は私たち大人よりずっといろいろなことがわかっていると思うのです。赤ちゃんも幼児も、たくさんの情報源からいちどにたくさんの情報を採り入れるのがとてもうまいのですよ」。そして、赤ちゃんと幼児を〝人類の研究開発部門〟と呼んでいる。といっても、単なる研究所の動物のように冷徹に彼らを扱っているわけではない。子供たちはバークレー校の研究室で彼女と一緒に、おもちゃを点滅させたり鳴らしたりしてご機嫌に遊んでいる様子だ。自分の子供が大きくなってからもずっと、職場にはベビーサークルが置いてあった。
>
> 　私たちがどのように学ぶのかという単純な命題、そして、ＡＩのディープ・ラーニング方式との類似についての調査は続く。「わかっているのは、高度な訓練を受けた大人の専門家の思考過程をたどる方が、赤ちゃんひとりひとりのふだんの学習を模倣するよりずっと易しいということです」と彼女は言う。「コンピューターは、脳のような物質がどうして知的な動作をおこない得るのかということを科学的に説明するための最良の――事実上唯一の――方法です。でも、少なくとも今のところ、子供の中に見られる創造性のたぐいがどのように生まれるかということについて、私たちは何もわかっていないに等しいのです」

　人工知能の進歩、特に機械学習の進歩については、誰もが一度は耳にしたことがあるだろう。また、その進歩が何を意味するかについても、夢物語のような、はたまた黙示録のような予測を耳にしていることだろう。こうした進歩は不滅をあらわす前兆とも、世界の終わりを示す前兆とも捉えられ、双方の可能性について多くの書物が著されてきた。しかし、最も優れた性能をもつＡＩでさえ、四歳児がやすやすとやってのけるような問題解決の能力にはとうていかなわない。その印象的な名前とは裏腹に、人工知能はほとんどが、膨大なデータセットの中で統計的パターンを検出する技法から成り立っている。人間の学習の方がはるかに複雑だ。

私たちはどうして、自分を取り巻く世界をこれほどよく知ることができるのか？　人間はほんの幼い子供の頃から、とてつもなく多くのことを学んでいて、四歳児でも植物や動物や機械のこと、それから願望、信念、さまざまな感情などを知っているのだ。恐竜や宇宙船のことまでも。

科学によって、世界に関する私たちの知識は、創造を絶するほど巨大なものから極限に小さなものまで、宇宙の果てや太古の昔にまでも広がった。そして私たちはその知識を使って、新たな分類や予測をおこない、新たな可能性を想像し、世の中にかつてなかった現象を生み出している。だが、まわりの世界から届くものはすべて、網膜に当たる粒子や鼓膜を震わす空気の振動なのである。与えられる情報がこれほど限られているのに、なぜ世界についてこれほど多くを知ることができるのか？　さらに、目の奥におさまっているほんの数キログラムしかない灰色の脳細胞で、どうやってこうしたことをやってのけるのだろう？

今のところ最もありそうな答えは、私たちの五感に触れるさまざまな取りとめのないデータを脳が計算し、その計算によって世界を正確に描くことができるというものだ。こうして描かれた姿には、構造と抽象理念、階層などがあり、立体や、言語の基礎となる文法、それに「心の理論」のように、他人の考えを理解できる精神的な機能も含まれている。このような描写によって、私たち人間は独自の創造的な方法で、広範囲に渡る新たな予測を立て、多くの新しい可能性に思いを巡らすことができるのである。

この種の学習だけが知性といえるわけではないが、人類にとってはとりわけ大切だ。それに、幼い子供たちに特有の知性でもある。子供というのは計画を立てたり判断を下したりするのがびっくりするほど苦手だが、学ぶことにかけては他の追随を許さない。データを理論に落とし込む過程の多くは、五歳になる前に習得ずみなのである。

アリストテレスやプラトンの時代から、私たちがもつ知識をどうやって得たのかという問題には基本的な考え方が二つあり、それは現代の機械学習においてもなお主流の考え方である。アリストテレスはボトムアップ方式で問題に取り組んだ。つまり、まず感覚――粒子の流れや空気の振動（またはデジタル画像の画素や音響のサンプル）――に注目し、そこから何らかのパターンが得られないかを探るのである。この手法は、観念連合説を唱えたデイヴィッド・ヒュームやJ・S・ミルといった哲学者、そして後にはパブロフやB・F・スキナーといった行動心理学者によって推進された。この考えによれば、描写の抽象性、階層的な構造などは幻想か、少なくとも付帯現象にすぎないということになる。すべての作業は関連づけとパターン検出によっておこなうことが可能だ――とりわけ、データが十分であれば。

学習の謎を解明しようとするこのボトムアップ型の手法と、長きにわたって繰り返し覇を競ってきたのが、プラトンの提唱したトップダウン型の手法である。私たちが実際のデータから抽象化された知識を得ることができるのは、もしかすると、既に多くを知っているからではないか。特に、進化の過程で基本的な抽象概念が既に大量にできあがっているからではないか。科学者と同様、私たちはこうした概念を使って世界についての仮説を組み立てる。そうすれば、未加工のデータからパターンを抽出しようとするのではなく、仮説が正しいならデータがこうなるはずという予測を立てることができる。プラトンの他、デカルトやノーム・チョムスキーのような「合理主義の」哲学者や心理学者がこの手法を取った。

この二つの手法の違いを示す身近な例が、スパム問題の解決策だ。データは、受信ボックスの中にある未分類の長いメッセージリストから成る。実際には、こうしたメッセージには本物もあるしスパムもある。データを使ってその二つをどのように見分けるか？

まずボトムアップ型手法について考えてみよう。ご存じのとおり、スパムメッセージは往々にしてある特徴をもつ。すなわち、送信元がナイジェリアであったり、長い受信者リストがついていたり、数百万ドルの賞金だとかバイアグラだとかに触れているという特徴だ。厄介なのは、有益な正規のメッセージにも、こうした特徴を備えたものがありうるということである。スパムとそうでないメールの例を数多く見ていれば、スパムメールにはただこうした特徴があるだけでなく、独特な形でこれが混在している（ナイジェリアと百万ドルが両方入っていれば迷惑メール）ということに気づくかもしれない。実際、さらに高度で些細な相関関係がわかれば、スパムメッセージと有益なメッセージを見分けられるかもしれないのだ――たとえば、スペルミスとＩＰアドレスの特定のパターン。このようなパターンを検出すれば、スパムをふるいにかけて取り出せる。

ボトムアップ型の機械学習の手法もこれと全く同じだ。学習者が取りこむ何百万という例は、それぞれに組み合わされた特徴をもち、スパム（あるか別のカテゴリー）かそうでないか、ひとつひとつラベルがついている。両者を見分ける特徴がごく微小なものであっても、コンピューターにはそのパターンを抽出することが可能だ。

トップダウン型の手法についてはどうだろう？　私は「臨床生物学誌」の編集者からのメールを受け取る。私の書いたある論文に触れ、寄稿してほしいというのだ。ナイジェリアもバイアグラもなし。だが、手持ちの知識を使い、スパムを生成する工程について抽象概念的に考えれば、このメールが疑わしいことはわかる。

1．スパムを送る者は、人間の欲につけこんで金を引き出そうとすることを私は知っている。
2．さらに、正規の「オープンアクセス」の学術誌が、最近では購読者ではなく著者に料金を請求して費用を賄っていること、それに自分の研究が臨床生物学のような分野とは畑違いであることも、私は知っている。

これらをすべて考え合わせると、このメールの出所について、かなり精度の高い仮説を立てることができる。学者を食い物にして偽の学術誌に〝寄稿〟するために金を払わせようとしているのだ。このメールは、見た目には他のスパムメールと似たところがまったくないが、同じようにいかがわしい過程をたどって作られたのである。たったひとつだけの例からこの結論を引き出すことができるばかりか、さらに掘り下げ、自分の仮説を検証することもできる。メールそのものとは関係なく、その「編集者」をGoogle検索するのだ。

コンピューター用語で言えば、私が最初におこなったのは「生成モデル」と、欲とか欺瞞とかいう抽象概念を含み、メール詐欺を作り出す工程を記述したものである。これによって、従来のナイジェリア式のメールスパムを認知するだけでなく、他にも違う種類のスパムがたくさんあるのではと想像をめぐらす。学術誌のメールを受け取れば、さかのぼって考えることができる。「これはいかにも、スパム生成工程で作られた類のメールみたいね」

AIが再び盛り上がりを見せているのも、AI研究者たちが近年、この二つの学習方法を強化して効果を高めてきたからである。だが、方式そのものに、完全に新しいと言えることは何もない。

## ボトムアップ型のディープ・ラーニング

一九八〇年代にコンピューター科学者は、データの中のパターンをコンピューターに検出させる画期的な手法を編み出した。いわゆるコネクショニスト、またはニューラル・ネットワークと呼ばれる構造である（「ニューラル」の部分は、今も昔も比喩的なものだ）。この手法は一九九〇年代に停滞に陥ったが、近年、Google傘下のディープ・マインド社が用いているような強力な「ディープ・ラーニング」方式が加わり、ふたたび息を吹きかえしている。

たとえば、一方に「猫」、もう一方には「家」などのラベルを貼ったインターネット画像を大量に、ディープ・ラーニング・プログラムに読み込ませるとしよう。プログラムは二組の画像を区別するパターンを検出し、その情報を使って新しい画像に正しいラベルをつけることができる。またある種の機械学習は教師なし学習と呼ばれ、まったくラベルのないデータでパターンを読み取ることができる。単純に特徴の集合体を見つけ出すだけ――科学者が因子分析法と呼ぶものだ。ディープ・ラーニングの機械では、こうした手順がレベルを変えて繰り返される。あるプログラムは、画素や音響といった生のデータから、関連する特徴を見つけることまでやってのける。そうしたコンピューターは、手始めに生の画像から輪郭や線にあたるパターンを検出し、次にそうしたパターンの中から、顔にあたるパターンを探していくといった具合だ。

長い歴史をもつボトムアップ型の技法がもうひとつあるが、それが強化学習である。一九五〇年代、B・F・スキナーはジョン・ワトソンの業績をもとに、特定の規則に従って賞罰を与えることで、ハトに精巧な行動――打ち上げられたミサイルを標的まで誘導するといったような――を取らせるようみごとな条件づけをおこなった（昨今のAI同様、世間を騒がせた）。根本にある考え方は、褒美をもらえた行動は繰り返され、罰を与えられた行動は繰り返されないだろうというもので、最終的に望みどおりの結果が得られた。スキナーの時代でさえ、同じことを何度も繰り返すというこんな単純な手順が、複雑な行動につながっていたのだ。コンピューターというのは、人間の創造の及ばない規模で繰り返し単純な作業をおこなうよう設計されていて、演算システムはこうして驚くほど複雑なスキルを身につけることができる。

例えば、ディープ・マインド社では、研究者はディープ・ラーニングと強化学習を組み合わせて使い、コンピューターにＡＴＡＲＩ（アタリ）のビデオゲームを覚えさせた。コンピューターはゲームの進め方についてはまったく知らない。まずは適当に操作してみて、その時々で画面がどうなるか、そしてどれだけ得点できたかということについてのみ情報を得た。ディープ・ラーニングは画面上の特徴を解釈する助けとなり、強化学習はシステムが高い得点を出すとこれを高く評価した。このコンピューターは、あるゲームについてはめざましい上達を見せたが、人間ならごく簡単に習得できるゲームがまるでだめということもあった。

同じようにディープ・ラーニングと強化学習を組み合わせて成功したのが、ディープ・マインド社のアルファゼロというプログラムで、ルールの基本的な知識と、いくらかの計画能力を搭載しただけだが、チェスでも囲碁でも人間に勝ってしまった。アルファゼロにはもうひとつ面白い特徴がある。それは、自分を相手に何億回となくゲームを繰り返すことで学習するのだ。そしてその際、負けにつながったミスを取り除き、勝ちにつながった戦略を繰り返し練り上げていくのである。こうしたシステムや、いわゆる敵対的生成ネットワークなど、ほかのシステムは、データをただ観察するだけでなくその生成をもおこなうのだ。

このような手法を、膨大なデータセットや数百万ものメールのメッセージ、Instagramの画像、音声録音などに応用できる計算能力があれば、昔は非常に難しく思えた問題も解決できる。コンピューター・サイエンスがこれほど活気づいている背景はここにある。だが覚えておいて損はないと思うが、こうした問題——ある画像を猫と認識したり、発せられた言葉を「Siri」と認識するといった問題——は、幼児にとっては何でもない。コンピューター・サイエンスでは非常に興味深いことがわかっているが、そのひとつは、私たちにとって簡単な問題（猫を見分けるなど）が、コンピューターにとっては難しい——チェスや囲碁をするよりはるかに難しい——ということだ。コンピューターは、私たちならほんのわずかな例があればすむ対象を分類するのに、数百もの例を必要とする。このようなボトムアップ型のシステムでは、新しい例を一般化することが可能だ。新しい画像に、猫というラベルをつけるのは全体としてかなり正確にできる。しかし、その方法は、人間がおこなう一般化の方法とは全く異なる。ほぼ猫に近くても、私たちならけっして猫と判断しない画像がある一方で、規則性がなくぼやけていても、私たちなら猫と認識できる画像もある。

## トップダウン式のベイズモデル

トップダウン式の手法は、初期のＡＩで大きな役割を果たし、また二〇〇〇年代になってからも、確率的生成モデル、またの名をベイズ式生成モデルという形をとって返り咲いた。

この手法を使おうという当初のもくろみは、二種類の問題に直面した。ひとつは、ほとんどの証拠パターンの説明をつけるのに、基本的に多くの異なる仮説が成り立つということ。論文について私が受け取ったメールは、ただそれらしく見えなかったというだけで、本物だった可能性もある。二つめは、そもそも生成モデルに使われている概念がどこに由来するものかということだ。プラトンとチョムスキーによれば、それは人間が生まれながらにして持ち合わせているものだという。だが、人間が最新の科学的概念をどうやって学んだか、それで説明がつくのか？　それに、年端もいかない子供が、どうして恐竜やロケット船を理解できるのか？

　ベイズモデルは、生成モデルと仮説検証を確率論と組み合わせたもので、上の二つの問題に対処している。ベイズモデルでは、ある仮説が真実である確率を、データを示して計算させる。そして、既に手元にあるモデルに、些細ではあるが系統だった微調整を施し、データに照らしてみることによって、ときには新しい概念やモデルを古いものから生み出すことができる。ところがそうした利点は他の問題と背中合わせだ。ベイズ式手法は、二つの仮説のうちどちらの蓋然性が高いかを決めるには役立つが、もっともらしい仮説は常に膨大にあり、それを全て効率よく判断するようなシステムはないのである。第一、どの仮説が検証に値するかの判断はどうするのか？

　ニューヨーク大学のブレンダン・レイクは同僚と共に、この種のトップダウン方式を用いて、人間にとっては簡単でもコンピューターにとっては非常に難しいもうひとつの問題を解決しようとしてきた。それは、なじみのない手書き文字の認識だ。日本の掛け軸に書かれた文字を見たとしよう。前に一度も見たことがないとしても、他の掛け軸の文字と似ているか違っているかは、おそらくわかるだろう。真似て書くこともできるだろうし、目に映る文字をもとに、偽の日本語の文字を創作することさえできるかもしれない――ハングル文字やキリル文字とは見かけが全く異なる文字だ。(1)

　ボトムアップ方式ならば、手書き文字を認識するために、それぞれの文字についてコンピューターに数千もの例を与え、顕著な特徴を抽出できるようにする。レイクその他の研究者はそうではなく、人間が文字を書くときの一般的なモデルをプログラムに与えた。左右のどちらかから筆を運び、一画終わると次に移る、というように。このプログラムは、特定の文字を見て、その文字を形づくることになった書き順を推測することができた――ちょうど、あやしいメールをよこしたスパムの手口を私が推測したように。そして、新しい文字がその書き順で書かれたのか、それとも別の方法で作られたのかを判断することができ、さらに自分でも同じような筆運びを再生することができた。このプログラムは、まったく同じデータを利用したディープ・ラーニング・プログラムよりずっとよい成果を出し、人間の動作を忠実に再現したのである。

機械学習に対するこの二つの手法は、互いに長所と短所を補完する。ボトムアップ式の手法では、プログラムはもともとの知識をそれほど必要としない代わりに膨大なデータが必要で、しかも限られた方法でしかこれを一般化できない。トップダウン式の手法では、プログラムはほんの数例から学習することができ、一般化も広く多岐に渡って行うことができるが、最初に構築しておくべき知識はずっと多い。多くの研究者が現在、この二つの手法を組み合わせ、ディープ・ラーニングを用いてベイズ推論を実行に移そうと試みている。

近年、ＡＩが進歩した一因は、こうした古くからの考え方を発展させた結果だ。しかし、インターネットのおかげでデータの量が非常に増えたこと、そしてムーアの法則のおかげで、そうしたデータに応用できる計算力も非常に増えたこと、その方がもっと密接に関係しているのである。さらに、あまり真価を認められていない事実だが、私たちが手にしているデータは既に人間によって並べ替えられ、処理されているのである。ウェブに上がった猫の絵は、標準的な猫の絵、つまり人間が〝正しい〟と選別した絵なのだ。Google翻訳が機能するのは、おびただしい数の人間による翻訳を利用し、それを普遍化して新しい文を作るからであって、文の意味そのものを本当に理解しているからではない。

（1）Brenden M. Lake, Ruslan Salakhutdinov and Joshua B. Tenenbaum, "Human-Level Concept Learning Through Probabilistic Program Induction" *Science* 350, no.6266 (2015): 1332-38.

ところが、人間の子供の真に驚くべき特徴は、それぞれの手法の最も優れた特質をどのようにしてか結びつけ、それを超えてしまうことだ。発達心理学者たちは過去一五年以上に渡って、子供がデータから構造を学ぶ方法を探ってきた。四歳児は、トップダウン式のシステムがするように、たったひとつか二つの例を見て、まったく異なる概念へと一般化することで学習できる。その一方で、ボトムアップ式のシステム同様、データそのものから新しい概念とモデルを学ぶこともできるのだ。

例えば、うちの研究所では、幼児に「ブリケット探知機」を見せる――実験のための新しい機械で、子供たちは初めて見るものだ。この箱は、ある物体を入れれば点灯して音楽が鳴るが、ほかの物体を入れても何も起こらない。子供たちには機械の操作を一、二回だけしてみせ、それから、例えば赤いブロックを二つ入れれば反応するが、緑と黄色ではだめだというような例を見せる。たった一八カ月の幼児でも、箱が動作するには、二つの物体の色が同じでなければならないという一般的な原則をすぐさま理解し、この原則を他の例にも当てはめる。例えば、この機械を動作させるのに、同じ形の物体を二つ選んだりするというわけだ。また別の実験では、隠れて見えない属性によって機械が操作されていること、つまり機械が何らかの抽象理論的な原則に従って動いているのだということまで、子供たちが理解していると証明している。[2]

これは、子供の日々の学習でも証明できる。幼児は生物学や物理学、心理学などの抽象的で直観的な理論を、成人の科学者がおこなうのとほぼ同じ方法で、しかも比較的少ないデータで、すぐに学んでしまう。

近年、機械学習でＡＩが成し遂げた目覚ましい成果は、ボトムアップ式であれトップダウン式であれ、明確に定義された狭い領域の仮説と概念――きちんと決められたゲームの駒と動き、あらかじめ設定された画像など――で得られたものだ。それに対し、子供も科学者も同じだが、すでに自分たちが手にしている概念を単に微調整するのではなく、時にはその概念を根本から覆すような大胆な変更をおこなうことがあるのだ。

四歳児は瞬時に猫を認識し、言葉を理解するが、さらに自分たちの経験を超える独創的で驚くべき推論をも生み出せる。例えば、私自身の孫が最近教えてくれたのは、「大人がもう一度子供に戻りたいなら、体にいい野菜を食べないようにすればいいよ」ということだった。「だって体にいい野菜を食べたら大人になっちゃうんでしょう」。なるほどと思うような、だが大人だったら誰も思いつかないようなこの種の推測は、幼い子供に特徴的なものだ。実際、研究仲間と共に体系的に証明してきたことだが、年長の子供や大人に比べ、就学前の幼児は思いもよらない仮説を編みだすことが多い[(3)]。こうした独創的な学習や創造力が生まれる過程について、私たちは何も知らないに等しい。

ただ、子供たちの行動を見ていれば、プログラマーはコンピューター学習の向かうべき方向に関する有益なヒントが得られる。子供の学びにおいては二つの特徴がとりわけ際立っている。子供の学習は積極的だ。つまり、ＡＩのようにただ受動的にデータを浴びせられているわけではない。科学者が実験をおこなうのと同じく、子供たちは本来、絶え間ない遊びや探究を通して、身の回りの世界から情報を抽出するよう働きかけられているものなのだ。最近の研究では、こうした探究は見た目より系統的で、仮説の形成や理論の選択を支える説得力ある証拠を見つけるよう、うまく改造されていることがわかっている[(4)]。機械に好奇心を組みこみ、それを外の世界と能動的にやり取りさせれば、より現実に即した幅広い学習への道が

（2）“When Younger Learners Can Be Better (or at Least More Open-Minded) Than Older Ones” *Current Directions in Psychological Science* 24, no.2 (2015): 87-92.
（3）“Changes in Cognitive Flexibility and Hypothesis Search Across Human Life History from Childhood to Adolescence to Adulthood” *PNAS* 114, no. 30 (2017): 7892-99.

開けるかもしれない。

第二に、ＡＩと違って、子供は社会的・文化的に物事を学ぶ。人間はひとりで学習するのではなく、祖先の知恵の蓄積をうまく利用するのである。最近の研究では、就学前の幼児でさえも、模倣を通じて、また他者の言葉を聞いて学ぶのだということがわかっている。しかし、彼らは単に受動的に師に従うわけではない。驚くほど繊細で微妙なやり方で他者から情報を得て、その情報の出所や、どれくらい信憑性があるのかについて複雑な仮説を立て、自分の経験と伝聞とを体系的に統合するのである。[5]

「人工知能」や「機械学習」と聞くとおそろしげな気がする。そしてある意味ではたしかにおそろしい。こうしたシステムは、武器などを管理するのに使われることもあるので、そこは懸念しなければならない。それでも、人間本来の愚かさの方が、人工知能よりはるかに大きな破壊をもたらしかねない。だから、私たち人間は過去よりもさらに賢くなって、新しい技術を正しく制御する必要があるだろう。だが、夢物語だろうが黙示録だろうが、ＡＩが人間にとって代わるという予想に、根拠と言えるほどのものはない。学習に関する根本的な矛盾が解決されるまで、最も優れた人工知能であっても、平均的な四歳児に勝つことはできないであろう。

---

（4）L. Schulz, "The Origins of Inquiry: Inductive Inference and Exploration in Early Childhood," *Trends in Cognitive Sciences* 16, no. 7 (2012): 382- 89.

（5）A. Gopnik, *The Gardener and the Carpenter* (New York: Farra, Straus & Giroux, 2016), chapter4 and 5.

# 第22章　アルゴリストは客観性を夢見る

ピーター・ギャリソン
科学史家。ハーバード大学科学史、物理学史教授で、同大学ブラックホール・イニシアチブの共同創設者でもある。著書に『アインシュタインの時計、ポアンカレの地図——鋳造される時間』（松浦俊輔訳、名古屋大学出版会、二〇一五年）がある。

科学史家としてのピーター・ギャリソンの視点は、おおざっぱに言えば理論と実践の交わる場所に定められている。

「もうずいぶん長いことになるが、私は抽象的概念と、きわめて具体的な実体との間にあるきわだった対立に導かれて仕事をしてきたのだ」。あるとき、自分の仕事をどう思うかを語る際に、彼がそう言ったことがある。コネティカット州ワシントンで開かれた会議では、技術寄りの人物（ウィーナーのような）と、マンハッタン計画の統率者（オッペンハイマーのような）とのあいだには「冷戦」さながらの緊張があったと述べた。「［ウィーナーが］サイバネティックスの危険性について警告を発したとき、ある意味で彼は、オッペンハイマーのような人間のある種もったいぶった言葉にあらがおうとしていたのだ。『トリニティ実験での爆発を見たとき、私はバガヴァッド・ギーター（『神の詩』）の次のような一節を思い出した——今や我は死であり、世界を破壊するものである』。この感覚、物理学が森羅万象の本質や空軍の方針にまで口を出す立場にあるという感覚には、不快をおぼえながら惹きつけられもする。ある意味では、ここ数十年というもの、ナノサイエンスや遺伝子組み換え、サイバネティックスなどの分野で、こうした例は枚挙にいとまがない。『私はいま、救済の約束と滅びの危険を併せもつ科学についてあなた方に告げている。私の言葉に耳を傾けなさい。さもないと科学はあなた方を殺しかねない』。これはとても印象的な語り口だし、実際に人工知能とロボット工学においても繰り返し使われているのだよ」

二四の歳に初めてウィーナーの理論に出会い、本書の冒頭「はじめに」でも触れたMITでの会合で彼の研究仲間と会ったとき、私はウィーナーの警告、あるいは戒めに、さほど関心がなかった。好奇心を刺激されたのは、その厳しく急進的な人生観で、根底に、メッセージは直線的に送られるものではないとする通信の数学的理論があった。ウィーナーによれば、「通信制御の新たな概念には、人と、宇宙についての人の知識と、そして社会に関する新たな解釈がつきまとう」。そしてこれが私の最初の著書につながった。情報理論——情報の数学的理論——を、人間のあらゆる経験を模したものと捉えた本である。

最近交わした会話の中で、ピーターは私に、本を書き始めたところだと教えてくれた。構築と衝突と思考に関する本で——サイバネティックスのブラックボックス的な性質と、それから、彼が「学習、機械学習、サイバネティックス、そして自我における根本的な変化」とみなしているものを、それらがどう体現しているのかについて考察したものである。

中世の偉大な数学者、アル・フワーリズミーは、二番目に優れた自著の中で、新たに地域に根づいたインド式算術について述べた。彼の名はやがて、その音の響きから「アルゴリズムス」（中世後期のラテン語）として数字に基づいた手順を指すようになり、「アルゴリズム」（「対数《ロガリズム》」をもとにして）を経て、最終的にフランス語へ、そして英語へと入ってきた。だが私は、現代の言葉であるアルゴリストというのが好みだ。いつも使っているスペルチェックには好かれていないようだが。この言葉で私が指すのは、人間の判断が介在することに根強い不信を抱いている人、客観的（そして、それゆえに科学的）とはどうあるべきかという根本基準を、そうした判断が邪魔するとみなしている人のことである。

二〇世紀の終わりごろ、ミネソタ大学の二人の心理学者によるある論文が、長く論議を巻き起こしてきた予測についての膨大な文献を総括した。一方には——と二人は断じた——断固として、そして突きつめれば論理に反して、予測の〝臨床的技法〟を長く支持してきた者たちがいるが、そこで重んじられたのはすべて、主観的である、つまり「非公式」で「頭の中で作られ」「印象に頼った」ものであった。こうした臨床学者たちとは、細心の注意を払って対象を研究したり、委員会で寄り集まったり、犯罪の常習性やら大学の成功やら、医学の成果その他もろもろについて、判断に基づいた予測をおこなったりすることができると考える人々（と、心理学者たちは言う）である。心理学者たちは続けてこうも言っている。その一方で、臨床学者なら具現化しないようなあらゆるものを具現化しながら、客観的であること、つまり「公式に基づき」「機械的」で「算術的」であることを重視する者たちもいると。これは、著者らが、ガリレオ以降の科学のあらゆる功績のよりどころとみなすものであった。科学は数理士から恩恵を受けるだけでなく、おおかたの場合、科学こそが機械的数理士だったのである。判例から精神病学に至るまで、多岐に渡った一三六の予測に関する研究を一読した著者らは、そのうちの一二八件で、数理統計表や多重回帰式、アルゴリズムによる判断などを用いた予測が、正確さという点では、主観的手法を用いたものと同等か、それ以上の結果を出したと述べた。

彼らは続けて、あくまで臨床的技法にこだわる筋の通らないこじつけを、十七件挙げている。自分の仕事を機械に奪われることを恐れ、人の足を引っぱる利己的な人間がいたのだ。それに、教育が不十分で統計論についてこられない人もいた。あるグループは、数学の公式化に疑問を呈し、またあるグループは、数理士が「人間性を失わせている」ことについて非難した。さらには、目的は理解であり予測ではないのだと言う者もいた。だが、動機が何であれ、客観性に対する主観性の力、専門家の判断に対するアルゴリズムの力を抑えつけるのは、明らかに倫理に反する。[1]

アルゴリスト的考えは人気を博しつつある。アン・ミルグラムは二〇〇七年から二〇一〇年まで、ニュージャージー州の法務長官を務めた人物であるが、就任したとき、州がどのような人物をどのような罪で逮捕し、告発し、投獄しているのか知りたいと思った。のちにTEDトークのプレゼンテーションで語ったように、その当時、データや分析記録はないに等しかった。「統計予測を採り入れることで」と彼女は続ける。「カムデンの法執行機関は私の在任中に、殺人事件を四一パーセント減らして三七人の命を救い、さらに全体の犯罪発生率を二六パーセント下げたのです」。刑事裁判担当の副会長としてアーノルド財団に加わったあと、彼女はデータ科学者と統計学者から成るチームを立ち上げ、危険評価の仕組みを構築した。根本的に、彼女はこのチームの使命は「危険な人物」を監獄に入れ、危険でない人物を釈放する方法を定めることだと考えていた。「その理由は」ミルグラムは熱心に説く。「決断を下す際のやり方にあります。裁判官は、最善の意図をもって危険かどうかの判断をおこなうのですが、その方法は主観的です。二〇年前の野球選手のスカウトのように勘と経験に頼って、人がどんな危険にさらされているか判断しようとするのです。それは主観的な行為であり、私たちは、主観的な決断によって何が起こるか知っています。往々にして間違いが引き起こされてしまうのです」。彼女が率いるチームは、九〇〇以上の危険要因を明らかにしたが、そのうち九つが最も予測しやすい要因だった。チームにとって火急の問題は、「ある人物がまた犯罪に手を染めるだろうか」、「この人物は暴力行為を犯すだろうか」、「この人は法廷に戻ってくるだろうか」ということだった。「私たちに必要なのは、裁判官の判断も影響を及ぼす〝危険を測る客観的手段〟なのだ」とミルグラムは締めくくった。アルゴリズムに基づいた統計的手法が役立つことはわかっている。ミルグラムの言葉を借りれば、だからこそ「Google は Google として成功し」、マネーボールは勝負に勝つのだ。[2]

アルゴリスト全盛の時代である。私たちは今や、プロトコルやデータなどが、次に行きたい場所の指示から犯罪発生の可能性に至るまで、日々のあらゆる行動において私たちを導いてくれるだろう、またそうすべきだ、という考えに慣れてしまっている。資料によれば、もはや法、倫理、慣習、経済におけるアルゴリズムの守備範囲はほぼ無限だという。ここで、アルゴリズムについて、とりわけ抗いがたい魅力をもつ言葉を取り上げてみたい。それは、客観性の誓いである。

科学的客観性には歴史がある。いささか驚くべきことかもしれないが。前述のミネソタ州の心理学者が述べた認識は誤っているのか？　客観性は科学そのものと共存しないのだろうか？　さて、ここで少し視

---

（1） William M. Grove and Paul E. Meehl, “Comparative Efficiency of Informal (Subjective, Impressionistic) and Formal (Mechanical, Algorithmic) Prediction Procedures: The Clinical- Statistical Controversy,” Psychology, Public Policy, and Law 2, no.2 (1996): 293-323.
（2） TED Talk, January 2014, https://www.ted.com/speakers/anne_milgram.

点を変え、科学にまつわる作業の中で重きがおかれる認識的徳について、洗い出してみるのも悪くない。数量化はよしとされている。それに予測や説明、統一性、精密さ、正確性、確実性、教育的な手段などもだ。あたう限り最善の世界でなら、このような認識的徳はすべて、同じ方向へとつながっていくだろう。だがこれらは――私たちの倫理的徳がそうでないのと同様――必ずしも整合性が取れているわけではない。ある人々に対して、その要求に応じて報いることが、その能力に応じて報いることとはまるっきり矛盾してしまうこともままある。平等、公平、実力主義――ある意味で倫理とは、矛盾する利害の折り合いをつけることにほかならない。私たちは時として、このような矛盾が科学の中にも存在していることを忘れがちである。ある計器の感度をできるだけ高く設計するとしよう。すると変動が激し過ぎて、繰り返し測定するのが不可能になることも多い。

〝科学的客観性〟は、実務の上でも言葉の上でも、一八三〇年代以降に科学の世界に入ってきた。これは、科学者が自分の専門分野について基本的な知識を得られる科学図解書にはっきりと見てとれる。図解書は、手や頭蓋骨、雲や水晶や花、泡箱の写真、原子核乳剤、眼病などに関するものだった（今もそうだ）。一八世紀には、日焼けして虫の食ったクローバーを家の外で見つけたからといって、わざわざ図解書に描くようなことはなかっただろう。むしろ――ゲーテやアルビヌス、チェゼルデンのような天才的な自然科学者だったら――自然を観察し、ただしその後で問題の対象を完全なものにして、視覚的に理想に近づけようと抽象化することを目指しただろう。骸骨を手に取り、写生器を通して観察し、精密にそれを描く。そして、「不備」を正すのである。このように、単なる経験から一歩踏み出すことで得られる利点は明白だ。個体差という気まぐれな要素には無縁の、普遍的な道しるべを与えてくれるのだ。

科学の範囲が広がり、科学者の数が増えるにつれ、対象を理想化することの否定的な面が明らかになってきた。ゲーテに「原植物」や「原昆虫」を描かせるのはいい。だが他の有象無象の科学者がそれぞれに、ときには矛盾する方法で、イメージを勝手に固めるのを放っておくのはまったく別の話である。一八三〇年代以降あたりから、しだいに人々は新しいものを目にするようになってきた。それは、イメージの作成が、できる限り人手の介入を排してなされなければならない、手順には従わねばならない、という主張であった。時にそれは、葉の形を鉛筆でなぞったり、インクにつけて紙に写し取ったりということを意味する。また、自然の物体が不完全であっても、顕微鏡を通して見たありのままの姿を堂々と描けるようになったということも意味する。これは画期的な考えだった。完全な左右対称の六角形ではない雪の結晶、顕微鏡のレンズの端に近い色のずれ、準備段階で端のあたりが切れてしまった組織などを描くというのは。

科学的客観性とはしだいに、何かを表現するときに人の介入を差し控えることを意味するようになった。たとえ、顕微鏡の下に見える画像の端の黄色い色が、研究対象の特徴などではなく、レンズの褪色なのだと科学者が知りながら、その色を再現せざるを得ない事態になろうとも。客観性の強みは明らかだった。理論に実体が与えられるのを、また広く受け入れられている見解が定まるのを見たいという欲求に勝るものだった。だが、そのため犠牲も生じた。解剖された死体を描くときの、正確でわかりやすく、被写界深度の高い色つきの芸術的解釈が失われてしまったのだ。代わりに、ぼやけて被写体深度の低い白黒の写真しか見られず、それでは医学生が（多くの医師でさえも）症例を比較検討するには役立たない。それでも一九世紀には長きにわたって、干渉を排し自己を抑制した客観性が礼賛された。

一九三〇年代に入った頃、科学的な表現における妥協のない客観性に問題が生じ始めた。例えば、恒星スペクトルを分類するとき、どのようなアルゴリズムも、高度な訓練を受けた天体観測者にはかなわなかった。そうした観測者は、どれほど完全に規則にのっとった手順よりも、はるかに正確で再現性の高い分類ができる。一九四〇年代終わりごろには、医師たちは脳波図の読み取り方を学び始めていた。さまざまな発作を選別するには専門的な判断が必要であり、周波数分析を使おうという初期の試みのどれひとつとして、この判断より秀でてはいなかった。太陽の磁気記録——太陽全体の磁場を図にしたもの——には、計測器に表れた結果から実際の信号を探り当てるよう訓練された専門家が必要だ。素粒子物理学者でさえ、コンピューターをプログラムして、ある種の軌跡を正しい値域に選別させることなどできないと認めている。訓練された判断力が必要だからだ。

ここではっきりさせておかねばならない。これは、理想家の天才を願った一八世紀への回帰ではなかった。訓練を受けさえすればゲーテになれるなどとは、だれも思わなかった。なみいる科学者たちの中でただひとり、植物や昆虫、雲について普遍的で理想的な形を抽出することができたゲーテのような人物に。専門知識を習得することはできる。つまり、講義を受けて脳波図や恒星スペクトルや泡箱の飛跡写真といったものについて専門的判断を下せるようにはなれる。だが悲しいかな、並はずれた洞察力という卓越した技につながるような講義は考えられない。ゲーテになるのに王道はないのだ。

あらゆる科学図解書をひもといてみれば、科学的画像を作成し、分類し、解釈するのに必要な科学的作業に、「主観的な」要素が欠かせないという論拠は明白である。

多くのアルゴリストたちの主張に見られるのは、科学的客観性の名のもとに、まさに判断を捨て去り、機械的手順に頼ることでのみ、科学的客観性を見出だしたいという途方もない願望である。アメリカの多くの州では、判決や仮釈放についてアルゴリズムを使うことが合法化されている。機械の方が、不安定要素の多い裁判官の判断よりもましだという理屈である。

だがここで、科学は警告する。干渉を排したアルゴリズムによる手順の提唱は、一九世紀には実にその頂点を迎え、むろん今なお、大きな成功を収めている数多くの科学技術分野で一定の役割を果たしている。だが、義務的で自己抑制的と解釈されている機械的客観性が、印象に頼る臨床学者を底辺とし、そこから一本調子に上昇カーブを描いて、具現化をおこなう数理士が頂点となるという考えは、けっして科学の歴史に対する答えではない。科学には、もっと興味深く微妙な変化に富む歴史があるのだ。

科学から得られる教えにはもうひとつ、さらに重要なものがある。機械的客観性は、あまたある中の科学的美徳のひとつにすぎないという教えであり、自然科学ではこの教えが生きている。同じことが法律や社会科学の分野でもなされるべきである。例えば、人に知られていない専有のアルゴリズムが、ひとりの人間を監獄に一〇年間収監し、もうひとりを同じ罪で五年間しか収監しないとしたらどうだろう？　レベッカ・ウェクスラーが、イエール・ロー・スクールの情報社会プロジェクトに仲間を訪ね、この問題と、営業秘密のアルゴリズムが公正な法廷弁護のあり方に多大な犠牲を強いている件について、調査したことがあった。[3] 実際、法執行機関はさまざまな理由から、ＤＮＡ、化学、指紋などによる人物特定に使われるアルゴリズムを明かしたがらず、それによって被告側は裁判を闘う上で非常に不利な立場に立たされるのである。法廷では、客観性、営業秘密、司法の透明性が互いに異なる方向へ引っ張り合うことがある。それで思い出すのが、物理学でかつて起きた出来事だ。第二次世界大戦の直後、フィルムメーカー大手のコダックとイルフォードが、素粒子の相互作用と崩壊を明らかにするのに役立つようなフィルムを完成させた。物理学者たちはむろん興奮を覚えた――が、その後、フィルム会社はこのフィルムの組成が営業秘密

（3）Rebacca Wexler, "Life, Liberty, and Trade Secrets: Intellectual Property in the Criminal Justice System," *Stanford Law Review* 70 (2018).

であると告げ、そのため科学者は、自分たちの研究過程を掌握しているという自信はついぞもてなかった。開くことのできないブラックボックスで物事を証明するのは、科学者にとって危険なゲームになりうるし、まして刑事裁判においてはなおさらだ。

別の批評家たちは、アルゴリズムによる判決というブラックボックスの中では、告発された（または有罪宣告を受けた）人物の民族性を示唆するような住所や他の属性に依存することが、どれほど危険をはらんだものかを強く訴えてきた。日々の経験によって、私たちは、一二歳未満の子供と、七五歳を超えた老人には空港のセキュリティが他と違うという事実に慣れてしまっている。隠されていることが多いアルゴリストの手順で、どのような因子が望まれるのだろうか？　教育？　収入？　職務履歴？　その人が読んだもの、見たもの、訪れた場所、もしくは買ったもの？　法執行機関との以前の接触？　ではこうした因子をアルゴリストにどう判断してほしいと望むだろうか？　機械的客観性に基づいて予測された予測分析には犠牲が伴う。ときには払っただけの価値があるかもしれないし、ときには、私たちが望む公正な社会を破壊しうるかもしれない。

もっと一般的なことを言えば、アルゴリズムとビッグデータの集合が、日増しに私たちの生活の多くを占めるようになった今、科学の歴史から得られた次の二つの教訓を頭に入れておくことがとても大切だろう。それは、人の判断が、自己抑制という純然たる客観性を覆う無用な外皮などではないということだ。そして、機械的客観性は、互いに矛盾する美徳の中のひとつに過ぎず、科学的活動の決定的本質ではないということだ。アルゴリストが客観性という夢を見ているとしても、この二つは頭に入れておくべき教訓である。

# 第23章　機械の権利

## ジョージ・M・チャーチ

ハーバード大学メディカルスクール遺伝学教授、ハーバード大学およびMIT健康科学技術教授。著書に*Regenesis: How Synthetic Biology Will Reinvent Nature and Ourselves*（エド・レジスとの共著）がある。

この一〇年で遺伝子工学は、あらたな科学的構想がわれわれの生活をいかに形作っているかという点において、コンピューター・サイエンスと肩を並べた。遺伝子工学の専門家、ジョージ・チャーチは、生物学における読み書きの革命を率いてきたが、さまざまな概念が織りなすあらたな状況においても中心的な存在だ。彼は、人体をオペレーティングシステムのようなものだと考えている。エンジニアが従来の生物学者に取って代わり、電気技師が回路基盤やハードディスク、モニタなどを組み立てることで一九七〇年代後半に第一世代のパソコンにたどり着いたのと同じように、最小限の機能しかない有機体の構成要素（原子から臓器にいたるまで）を再編成しているというのだ。ジョージは〈パーソナル・ゲノム・プロジェクト〉を創設し、代表を務めている。これはヒトのゲノム、環境、そして形質データ（GET）に関する情報へのオープンアクセスを世界で唯一提供しているプロジェクトで、DNA鑑定関連産業の成長の引き金となった。

チャーチは、オバマ大統領が二〇一三年に発表したBRAIN（革新的なニューロテクノロジーの推進を通じた脳研究）イニシアティヴの基礎固めにも尽力した——われわれの生命を維持しているものの多くにとって（潜在的な危険を伴う）ＡＩの助けは必要ないという程度にまで、人間の脳の機能を向上させるためだ。ジョージは「われわれの道徳律により適っていて、人工知能のように高度なタスクを処理できる人間の脳を作成するのを可能にするものが、ＢＲＡＩＮイニシアティヴのプロジェクトのなかにはあるかもしれない」と言った。「群を抜いて最も安全な道は、マシンに任せたくなるタスクのすべてを人間にさせることだが、われわれはまだ、特別に安全なその道に揺るぎなく立っているわけではない」

さらに最近では、ジョージはヒト細胞の遺伝子を編集するのにCRISPRを用いたが、きわめて重要性の高いこの先駆的な業績は（CRISPRを凌ぐ種々の方法についても）、メディアがCRISPRの端緒を語る際に見過ごされていることがある。

つづく評論でも明らかなように、汎用人工知能の将来の形に対するジョージの姿勢は好意的だ。その一方で彼は、ＡＩの安全性という問題を決して忘れてはいない。このテーマについては、最近もこう述べている。「私が思うにＡＩの危険は、ＡＩの考えていることを正確に理解できるかどうかということではない。むしろ、われわれがＡＩに倫理的なふるまいを教えることができるかどうか、だ。人間が互いに倫理的なふるまいを教え合うことすら、おぼつかないのに」

一九五〇年、ノーバート・ウィーナーの『人間機械論』はこのように述べて、未来像《ビジョン》と思索の最先端を示した。

ランプの魔人ジーニーのようにみずから学ぶことが可能で、その学び得た知識に基づいて決断を下すマシンには、われわれが下すべきだった決断、あるいはわれわれが容認できるような決断をする義務はまったくない……。金属でできたマシンにわれわれの意思決定を託そうと、あるいは部局や巨大なラボ、軍隊や企業といった生身の人間によるマシンに託そうと……時間は非常に限られており、善悪の選択がわれわれのドアを叩いている。

しかし、これは『人間機械論』の結末で、提言も補遺もないまま、われわれを六八年ものあいだ宙ぶらりんにしているばかりか、わかりやすく語られた「問題提起」すら欠けていた。以来われわれは、『地球爆破作戦』（一九七〇年）、「ターミネーター」（一九八四年）、「マトリックス」（一九九九年）、「エクス・マキナ」（二〇一五年）のように、映画といった広く大衆に訴える表現形式においてさえも、マシンの脅威に関する同様の警告を目にしてきた。だが、斬新な視点――とりわけ、われわれ〝人間の〟権利と、われわれの実存的なニーズの普遍化に特化した視点――とともに大きなアップデートをすべく、今や機は熟した。「われわれ対彼ら〔ロボット〕」、あるいは「グレイ・グー〔自己増殖性を有するナノマシンがすべてのバイオマスを使って無限に増殖して地球上を覆う、暗鬱な未来〕〔ナノテク〕」、はたまた「クローンのモノカルチャー〔生物学〕」といった問題に関心が集まりがちだが、最新の動向を予想するために以下の点を挙げよう。人間がほとんど何でも作ったり、求められる安全性や有効性はどんなレベルでも設計できるとしたら、どうなるだろう？（いかなる原子配列でも）思考力をもつ存在はどれでも、あらゆるテクノロジーにアクセスすることができるだろう。

かつてないほど知能の形が多様になりつつある今は、「われわれ対彼ら」という問題はあまり気にせず、人間のような知覚をもつものすべての権利に関心を向けるべきだろう。超巨大火山や小惑星といった地球規模の存続の危機を最小限に抑えるため、われわれはこの多様性を利用すべきだ。

しかし、「べき」と言うべきなのだろうか？（免責事項：これに限らずほかにし、ある方向へ社会が「向かいうる」、「向かうだろう」、「向かうべきだ」と科学技術者が述べる場合が多々あるが、それは必ずしも著者の見解と等しいものではない。警告、不確実性、そして・あるいは公平で客観的な判断を表す場合もある）。ロボット工学の研究者、ジャンマルコ・ヴェルジオたちは、ロボット倫理学の問題を二〇〇二年から取りあげてきた。英国通商産業省や、ランド研究所のスピンオフとして生まれたインスティテュート・フォー・ザ・フューチャーも、ロボットの権利に関する問題を二〇〇六年から取りあげている。

## 「である」対「べき」

科学の関心事は「である」であり、「べき」ではない、とよく言われる。スティーヴン・ジェイ・グールドの〈非重複教導権の原理〉では、事実は価値観とはまったく別個のものでなければならないと主張している。同様に、米国科学アカデミーが一九九九年に発表した文書『科学と創造説』（*Science and Creationism*）では、「科学と宗教は二つの別々の領域を占めている」と言及された。進化生物学者のリチャード・ドーキンスや私などは、この区分を批判してきた。「われわれはYを達成するためにXをすべきだ」という文脈なら、「すべき」という問題について議論するのは可能だ。どのYを最優先すべきかは民主的な評決によって必ずしも解決されるものではないが、ダーウィン説に基づく評決で決着がつくかもしれない。価値観や宗教は、生存種がそうするのと同じように盛んになったり衰えたり、多様化と分化、融合を繰り返す。つまり、選択の影響下にあるのだ。究極の「価値」（「べき」もの）は、遺伝子とミームの存続だ。

われわれの肉体と精神世界とのあいだになんの関連もないとする宗教は、ほとんどない。奇蹟は文書に残されている。教会の教義とガリレオやダーウィンとのあいだの対立は、最終的には解消された。宗教と倫理は人類に広く受け入れられており、科学的方法を用いて研究されることが可能だ。その手法はｆＭＲＩ（磁気共鳴機能画像法）や向精神薬、アンケートなどを含むが、これに限定されるものではない。

現実的には、知性と多様性を急速に増すマシンに組み込んで学習させるべき、あるいはマシンのために確率的に選ぶべき倫理的な基準をわれわれが制定しなければならない。トロッコ問題にはさまざまなバリエーションがある。このままにしておくと死ぬという人間が何人いれば、走行中のトロッコの進路を切り替えてひとりを死なせることをコンピューターは決断すべきだろうか？　突き詰めていくと、これはディープ・ラーニングの問題かもしれない——目の前にある倫理からかけ離れているように見えるものも含めて、事実や不測の事態の大規模なデータベースを考慮に入れるべき問題だ。

コンピューターはたとえば、トロッコをそのままにしていたら死を免れるのが、世界滅亡をもたらす病原菌を身に帯び、これまでに何度もテロ行為を繰り返して有罪判決を受けた人物、あるいは高徳なアメリカ合衆国大統領だ、と推測するかもしれない——あるいは、入り組んだ数多の別の現実世界におけるもっと複雑な出来事の一部と推測するかもしれない。ここに記した問題がひとつでも矛盾している、あるいは非論理的に見えるとしたら、それは、いつまでも決められずに逡巡するのが不可避となるよう、トロッコ問題を考えた人たちがどちらの側の重大さも等しくなるよう調節したせいかもしれない。

あるいは、この程度ならば無視せよとエラーモードを設定して、誤った指図をシステムに装備するのも可能だ。たとえばトロッコ問題においては、ほんとうの倫理的な意思決定は、歩行者がレールに近づけるようになる何年も前――あるいはそれよりも前、われわれが公共の安全よりもエンターテインメントにより金をかけると票を投じたときに、決していた。たとえば、「あらたな知能は誰が所有しているのか、そして、あらたな知能の過ちのつけを払うのは誰なのか？」という、最初は異質で厄介に見えた問題は、一企業の過失は誰のものでその報いを受けるのは誰なのか、という確立された法則と同類なのだ。

## 危険な坂道

ある種のシナリオは起こらないと主張することで、倫理は（過度に）単純化できる。技術的な障害、あるいは踏み越えてはならない一線の存在は心強いが、現実には、利点のほうがリスクを（ほんの一瞬、辛うじてでも）上回ってしまえば、その一線は移動する。一九七八年にルイーズ・ブラウンが誕生する直前は、「姿かたちが変だったり奇形だったり、どこかおかしなところのある小さな怪物だったということになるのではないか」と心配する人が大勢いた[1]。だが今日、体外受精についてこういう見方をする人はほとんどいないだろう。

多重化する感覚性への坂道を滑らかにするのは、どんな技術だろう？　それは、大型汎用《ビッグ・アイアン》コンピューターを用いてディープ・ラーニングをさせたアルゴリズムだけではない。さまざまな認知タスクでかなりいい成績をとるだけではなく、粘り強さや、あまり不安を感じないといった、関連するほかの特質を発揮するよう、げっ歯類を遺伝子工学的に操作するのはすでにおこなわれている。これは、すでに人間に近い知性をもつ動物にも応用可能となるだろうか？　いくつかの種――チンパンジーやボノボ、オランウータン、一部のイルカやクジラ、そしてカササギなど――は、ミラーテストで自己認知を示している。

人間による人間の操作について絶対に越えてはならない一線でさえ、移動したりすっかり破壊されたりという証拠はたくさんある。遺伝子治療の承認された臨床試験は、世界中で二三〇〇件以上おこなわれている。医療上の主な目的は、急速に高齢化が進む全世界的な人口動態を考えると特に、認知機能低下の治療あるいは予防だ。認知機能低下の治療のなかには、認知機能の強化も含まれるだろう（薬物、遺伝子、細胞、移植、インプラントなど）。これらは米国食品医薬品局の認可外で用いられることになる。スポーツ競技のルール（たとえば、ステロイドあるいは赤血球生成促進因子のエリスロポエチンを用いた能力増強の禁止）は、現実世界での知的競争には適用されない。認知機能の衰えを食いとめる動きのすべては、米国食品医薬品局の認可外使用という範囲内でおこなわれている。

人間の人間的な利用におけるもうひとつのフロンティアは「脳オルガノイド」だ。今や、発生生物学を加速させることが可能だ。通常は何カ月もかかるプロセスが、転写因子の適切な調合を用いたラボならば四日で起こる。ＤＮＡ複製の正確度が増すにつれて、（たとえば小頭症のような）認識能力の異常をもって生まれた人々のあいだの違いを再現した脳も作れる。これまでの成功例には欠けていた、まともな脈管系（静脈、動脈、そして毛細血管）が付け加えられ、以前のサブマイクロリットル〔一リットルの一〇〇万分の

---

（1）"Then, Doctors 'All Anxious' About Test-tube Baby," http://edition.cnn.com/2003/HEALTH/parenting/07/25/cnna.copperman.

一」という限界を脳オルガノイドが超え、一・二リットルという現代のヒトの脳の大きさを上回るのも、可能かもしれない（五リットルのゾウの脳、あるいは八リットルのマッコウクジラの脳さえも）。

## 従来型のコンピューター対生物電子工学の混成物《ハイブリッド》

ムーアの法則の微細化が次の減速帯（間違いなく一枚壁ではない）に近づくにつれ、シリコンスラブ内のドーパント原子の分布確率の限界が見えてきて、ドーパント原子を注入するビーム加工法の限界も一〇ナノメーター前後となった。動力（エネルギー消費）の問題も明白だ。たとえば、クイズ番組『ジェパディ！』で優勝した大型コンピューター、〈ワトソン〉はリアルタイム処理で八万五〇〇〇ワットを消費する一方、ヒトの脳はそれぞれが二〇ワットだった。公正を期するために言うと、ヒトの身体は機能するのに百ワットが必要で、構築するのに二〇年という歳月を要する。したがって、じゅうぶんに発達したヒトの脳をひとつ「製造する」ためには六兆ジュールのエネルギーが必要だ。〈ワトソン〉級のデータ処理を製造するためのコストも似たようなものだ。ではなぜ、人間はコンピューターにとって代わらないのだろうか？

たとえば、「ジェパディ！」の出場者たちの脳は、情報検索をはるかに超えることをやっていた――その大半は、〈ワトソン〉にとっては単に邪魔なこととみなされるものだろう（たとえば、小脳での微笑みの制御など）。ほかの部分は、一九〇五年にアインシュタインが発表した奇跡の年の論文五本に見られるように、〈ワトソン〉には理解しがたい超越性とともに自由な発想で飛躍するのを可能とする。また、ヒトは生命の維持と生殖に必要な最低限（一〇〇ワット）以上のエネルギーを消費している。インドの人々は平均でひとりあたり七〇〇ワット、アメリカの人々は一万ワットを消費しているが、どちらもまだ、〈ワトソン〉が消費する八万五〇〇〇ワットよりは少ない。神経形態学的なデータ処理を通じてコンピューターはより、われわれのようになれる。おそらく、能力も千倍に。だが、ヒトの脳にも、より効率的になる可能性がある。瓶のなかに入った脳オルガノイドは二〇ワットの壁を破れるかもしれない。演算やデータのストレージ、検索といった、われわれの祖先には限られていた能力は、コンピューターに特異な長所で、これはラボで設計されてあらためて進化することが可能だ。

Facebookや米国国家安全保障局などは、一メガワット以上でエクサバイト規模のストレージ設備を四ヘクタールの敷地に整備しているが、DNAは同じ量のデータをわずか一ミリグラムに保存できる。どう見ても、DNAは充分発達したストレージ技術ではないが、マイクロソフトやテクニカラーがそれを強化していることを考えると、われわれも注視するのが賢明だろう。生産性の高いヒトの頭脳を得るために八兆ジュールものエネルギーが必要な理由は主に、トレーニングするのに必要な二〇年という歳月だ。

スーパーコンピューターは、それ自身のクローンをわずか数秒で〝トレーニング〟できるとはいっても、発達したシリコンのクローンをつくるエネルギーコストはそれに匹敵する。（ヒトの）天才児を遺伝子操作で作るのは、時間のかかるこのプロセスにちょっとした衝撃を与えるかもしれない。だが、大がかりなメモリ（DNAを用いたエクサバイト規模のような、あるいはほかの手段）の開発を促進してそれを埋め込めば、バイオコンピューターの複製時間を、細胞培養の倍加時間（一一分から二四時間まで幅がある）に近い値にまで減らすことが可能だ。要するに、加速するわれわれの進化のそれぞれの段階において、生物／ヒト／ナノ／ロボットのどんな割合の混成物《ハイブリッド》が優勢となるかは知る由もないが、われわれはお互いを人道的で公正かつ安全に扱う〝利用する〟よう、高い水準を目指すことはできる。

権利章典は一六八九年のイングランドに遡る。フランクリン・D・ルーズベルトは「四つの自由」を提唱した。表現の自由、信仰の自由、恐怖からの自由、そして、欠乏からの自由である。一九四八年に国際連合総会で採択された世界人権宣言には次のものが含まれる。生存権、奴隷制度の禁止、基本的権利を侵害された場合にはその救済を求めること、移転および居住の自由、結社・思想・良心および信仰の自由、社会的・経済的および文化的権利、社会に対する個人の義務、国際連合の目的および原則に反してこれらの権利を行使することの禁止。

これらの権利がもつ「普遍的な」性質は普遍的に受け入れられているわけではなく、広範囲に及ぶ批判や不履行にさらされる。ヒトではない知能の出現は、この議論にどんな影響を及ぼすだろうか。控えめに言っても、倫理的な決断をする際に、漠然とした直感――「見ればわかる」（ポッター・スチュワート最高裁判事、一九六四年）あるいは「嫌悪感という知恵」（別名「ゲッと思う要因」、レオン・キャス）、はたまた「常識」になんとなく訴えること？――を盾にするのは、急速に難しくなりつつある。われわれとかけ離れていて、われわれの視点からはかなり融通が利かないこともある知性と折り合いをつける必要が生じるにつれて、われわれはこのうえなく厳密にならなければならない――そう、アルゴリズム的になる必要だってあるのだ。

自動運転車、ドローン、株式市場での取引、米国国家安全保障局の捜査などには、迅速で、事前に承認されている意思決定が必要だ。何世紀にもわたって正確に突きとめて説明しようと努めてきた倫理のさまざまな側面について、われわれは洞察を得るかもしれない。しかし、すっかり染みついた生物学的、社会学的、記号学的な認識の偏りとともに、相反する優先順位が難題となって立ちはだかる。人権に関する普遍的な教養における一致した見解から特にかけ離れているのは、プライバシーと尊厳の概念だ。だが実際には、それらが多くの法律やガイドラインに影響を与えている。

人間は、コンピューターがわれわれ（ヒト）の本能と異なる決断を下す理由を知るために、コンピューターの頭脳にずかずか踏み込んで中身を読む（そして変える）権利を求めるほうがいいかもしれない。機械がわれわれに同じことを要求するのは不公平だろうか？「オープンソースの」ソフトウェア、ハードウェア、および人間の頭脳《ウェットウェア》、科学技術研究公平アクセス法、そして〈オープン・ヒューマンズ・ファウンデーション〉（教育、医療、研究目的のために個人が個人のデータを探求、シェアするのを促進するＮＧＯ）など、潜在的な金融紛争の透明化への動きに注目する。

ジョセフ・ワイゼンバウムが一九七六年の著書『コンピュータ・パワー　人工知能と人間の理性』（秋葉忠利訳、サイマル出版会、一九七九年）で、敬意や尊厳、配慮を必要とする状況では機械はヒトに取って代わるべきではないと主張した一方、機械はそういった立場にある人間よりも公平で冷静、そして虐待性や故意に問題を引き起こす性質が低いと応じる人たち（著述家のパメラ・マコーダック、ジョン・マッカーシーやビル・ヒバードなどのコンピューター科学者）もいた。

## 平等

「われわれは、以下の事実を自明のことと信じる。すなわち、すべての人間は生まれながらにして平等であり、その創造主によって、生命、自由、および幸福の追求を含む不可侵の権利を与えられているということ」と一七七六年に記したとき、三三歳のトマス・ジェファソンは何を意味していたのだろう？　現在のヒトのスペクトラムは非常に広大だ。だが一七七六年当時、「人間《メン》」という言葉に有色人あるいは女性は含まれていなかった。今日でも、ダウン症、テイ・サックス病（劣性遺伝により乳児期に発病する脳の病気）、脆弱Ｘ症候群、脳性まひなど、認知機能や行動に先天的な問題を抱えている人間は、（得てして同情心によるとはいえ）不平等な扱いを受けることになる。

そして、われわれが地理的な居場所を変えて成熟するにつれて、不平等な権利も大きく変わる。胚、胎児、小児、ティーンエイジャー、成人、患者、重罪犯、性自認と性指向、大富豪層と極度の貧困層——いずれもみな、異なる権利や社会経済的現実に直面する。最も影響力をもつ人間に似た権利を獲得・保持するためのあらたな知性構造に至る道のひとつは、人間《ホモ》的な構成要素をひとつけもち続けることだろう。たとえば、大量の技術文書にやみくもにサインして財務・健康・外交・軍事あるいは安全保障上の決定を即座に下すお飾りの統治者／CEOのようなものだ。そうなるとわれわれがコンピューターのプラグを抜き、メモリを修正あるいは消去する（始末する）のは非常に難しくなるだろう——コンピューターが人間の友人となり、命だけは助けてくれと、説得力に満ちた懇願をしてくる（命をかけているすぐれた研究者がみな、そうするように）場合は特に。

この主張には「ディルバート」〔企業社会を風刺した米国の漫画〕の作者であるスコット・アダムスさえ加わり、二〇〇五年にアイントホーフェン工科大学でおこなわれた実験を論拠とした。これは、一九六一年にイェール大学で始められたミルグラム実験に匹敵するもので、人間が被害者としてのロボットに対していかに弱いかということに言及している。財産所有権のように、企業がもつ多くの権利を考えると、ほかの機械も同様の権利を手に入れるように思われる。そして、知性とにせの感情により、選択できる権利の不平等を維持しようとあがくことになるだろう。

## 人間対人間以外や混成物とでは、根本的に異なるルール

上記で示したような、ホモ・サピエンスの変種内での権利に関する格差は、人間らしさのスペクトラム

と重なる（あるいは、そのうち重なるであろう）ものに、われわれが移動したらすぐ、不平等となって爆発する。Googleストリートビューでは、人々の顔や自動車のナンバープレートにはぼかしが入る。ビデオ映像機器は、法廷や委員会での審議など多くの状況から締め出されている。顔認識ソフトを用いたウェアラブルカメラや公共の場での防犯カメラはタブーに触れている。超記憶症候群あるいは直感像記憶をもつ人たちは、こういった同じ状況から排除されるべきだろうか？

顔認識ソフトや光学式文字認識装置があれば、相貌失認（顔の識別ができなくなる症状）あるいは健忘症の人々は、どこへ行こうと恩恵を受けるのではないだろうか？　彼らがそうならば、なぜ誰もがそうしてはいけないのだろう？　われわれがみな、そういったツールをある程度までもっているなら、みな等しくその恩恵を受けたほうがいいのではないか？

これらの筋書きは、カート・ヴォネガットの一九六一年の短編『ハリスン・バージロン』（『モンキーハウスへようこそ』〈1〉収録、伊藤典夫・浅倉久志・吉田誠一訳、早川書房、一九八九年）を思わせる。並外れた能力は、知的な面白みに欠ける、社会の平凡な底辺層に遠慮して抑圧されるというものだ。ジョン・サールの〈中国語の部屋〉やアイザック・アシモフの〈ロボット三原則〉のような思考実験はみな、ダニエル・カーネマンやエイモス・トベルスキーなどが示したように、人間の脳を悩ませる類の直感に訴える。機械とホモ・サピエンスのパーツから成る知能は、知的で人間らしい（中国語の）会話をいかに上手にこなしたとしても、その意識の源を人間が特定して「感じ」られなければ、意識を有しているはずはない、と〈中国語の部屋〉実験は断定している。アシモフ〈ロボット三原則〉で優先すべきとされる第一条と第二条では、自己保存を謳う第三条にひっそりと存在するほかの何よりも、ヒトの利益をまず考えよとある。

ロボットが人間とまったく同じ意識をもっているのではなければ、それは、ロボットに異なる権利を与える口実として用いられる。ほかの部族や人種は人間には満たない、という主張と似たようなものだ。ロボットはすでに自由意志を示しているのか？　すでに自己を意識している？　Ｑｂｏというロボットは、自己認知の有無を確かめる〝ミラーテスト〟に合格した。ＮＡＯというロボット〔自立歩行する小型ヒューマノイド〕は自己の声を認知し、自分が口をきけるかきけないかという意識状態を推測する同様のテストに合格した。

　自由意志については、完全に決定的でもランダムでもないが、ほぼ最適化された確率的意思決定を目標とするアルゴリズムがある。これは、ダーウィン説に立って、ゲーム理論を実用的に論理的に帰結させたものとも言える。多くの（しかし、すべてではない）ゲーム／問題については、完全に予測可能だったりランダムだったりしたら、われわれはたいてい負けることになる。

いずれにせよ、自由意志の魅力とは何だろう？　歴史的に見るとそれは、現世あるいは来世での報酬と懲罰という文脈に責任を負わせるひとつの方法をわれわれに与える。懲罰の目的には、種の生き残りに協力するために個人の優先順位にやんわり横槍を入れることも含まれるかもしれない。スキナー理論の正／負の強化では社会を守るのに足りないなら、極端な場合、投獄あるいはほかの制約が含まれる。明らかに、そういった手段は自由意志に適用されうる。対象を広げれば、われわれがその行動をうまく管理したいと思うどんな機械にも適用される。

　ロボットは、自由意志あるいは自己認識について主観的な感覚質《クオリア》を実際に経験しているのか。われわれはそう論じることもできるが、同じことは人間を評価する際にも当てはまる。社会病質人格《ソシオパス》、昏睡状態の患者、ウィリアムズ症候群を患う人、あるいは赤ん坊がみな、われわれと同じ自由意志あるいは自己意識を持っているかと、どうしてわかるだろう？　実際、何が問題だというのか？　（どんな類いの）人間も意識や痛み、信念、幸福、野心、そして／あるいは社会への有用性を意識しているともっともらしく言ってきた場合、彼らの仮定に基づくクオリアが仮定上はわれわれのものと違うという理由で、彼らに権利を認めないほうがいいのだろうか？

禁止すべきという明確な境界線、われわれが決して越えてはいけないとされる一線は、ますます短命で感知できなくなっているようだ。人間と機械のあいだの一線は曖昧になる。機械がより人間らしくなるだけではなく、人間も、より機械らしくなる。GPSスクリプトや反射的なツイート、そして慎重に練られたマーケティングにわれわれがますます盲目的に従うばかりか、われわれがこれまで以上に見識を分解して、われわれの脳や遺伝的プログラミングのメカニズムにそれを組み込むためだ。米国国立衛生研究所のBRAINイニシアチブは革新的な技術を開発し、それを用いて知能に関する回路構成要素の連結や運動を染色体上にマッピングしている。目的は、電子的な製品《ウェア》や神経生物学的な製品《ウェア》を改良することだ。

越えてはならないさまざまな一線が、遺伝子（情報）例外主義によって決まっている。遺伝子（情報）例外主義では、遺伝的特徴は（実証可能な方法で元に戻せるとはいえ）永久に遺伝されうるとみなされる一方、自動車のようにそこからは外れた（そして死を引き起こす）テクノロジーは社会的および経済的な力が原因で、実質的には元に戻せない。遺伝学の枠内ではわれわれに、越えてはならない一線は遺伝子操作食品を禁止あるいは避けるよう促すが、遺伝子組み換え細菌がインシュリンまたは遺伝子操作された人間を作るのは両手を挙げて受け入れよ、と言う。ヨーロッパで承認された、ヒトの成人や胚に対するミトコンドリア治療がそのいい例だ。

生殖細胞系列の遺伝子操作に関する一線は、安全や有効性について引かれた通常の現実的な線よりはずっと分別を欠いたもののように思われる。同じ遺伝的疾患の保因者である健康な成人同士が結婚したら、選択肢は次のうちのひとつ。ふたりのあいだで子供はもたない――流産〔自然または人工的なもの〕による胎芽喪失の確率二五パーセント、体外受精の過程中に胎芽喪失の確率八〇パーセント、あるいは精子の〔生殖系列の〕遺伝子操作によって喪失は〇パーセント。最後の可能性が起こりそうもないと言うのは、時期尚早のようだ。

「人体実験」については、米国史上最も悪名高き生物医学研究と思しき一九三二～七二年のタスキーギ梅毒実験を念頭におき、一九六四年のヘルシンキ宣言について言及しておく。二〇一五年、〈ノンヒューマン・ライツ・プロジェクト〉〔フロリダを本拠地とする動物愛護団体〕は、研究のためにニューヨーク州立大学ストーニーブルック校が飼育しているチンパンジー二頭の代理人として、ニューヨーク州最高裁に訴えを起こした。しかし上訴裁判所が下した判決は、チンパンジーは「社会において義務や責任を果たしていない」のだから、法人として扱われるべきではないというものだった。いや果たしている、というジェーン・グドールなどの主張や、そのような結論は子供や障害者にも適用されるではないかという論点は聞き入れられなかった。(2)

ほかの動物やオルガノイド、機械、混成物《ハイブリッド》に権利が拡張されるのを妨げているのは、何だろうか？　われわれ〔ホーキング、マスク、タリン、ウィルチェック、テグマークなど〕は「自律型兵器」の禁止を推進し、「データ処理能力のない」機械というタイプには悪のレッテルを貼ったが、ほかの機械――たとえば多くのホモ・サピエンスの投票意思表明からなるもの――がより多大な被害をもたらし、間違った方向に導く可能性も考えられる。

超人間《トランスヒューマン》は、すでに地球上を闊歩しているのだろうか？　「未接触部族」を見てみよう。インドのセンチネル族やアンダマン族、インドネシアのコロワイ、ペルーのマシコ・ピロ　オーストラリアのピントゥピ、エチオピアのスルマ、ベトナムのラック、パラグアイのアヨレオ＝トトビエゴソード、ナミビアのヒンバ族、パプアニューギニアの一〇を超える部族の人々、あるいはわれわれの祖先だったら、どんな反応を示しただろうか？「トランスヒューマン」とは、現代においても科学技術がまだ発達していない文化に住む人間には理解できない人々や文化、と定義してもいいだろう。

そういった、現代における石器時代人は、ＬＩＧＯ《ライゴ》（レーザー干渉計重力波観測所）が最近、重力波を検出したことをわれわれが祝う理由を理解するのに、たいそう苦労するだろう。重力波は、一〇〇年前に提唱された〈一般相対性理論〉に根拠を与える証拠だ。電波時計あるいはＧＰＳ衛星があるおかげで帰路を見つけられること、さらにはわれわれが狭帯域光から、ラジオ波からガンマ線までのフルスペクトルへと視野を拡大してきた過程とその理由についても、彼らは困惑して頭を掻くだろう。われわれはほかのどんな生存種よりもすばやく移動できる。それどころか地球脱出速度に達して、宇宙の極寒の真空空間においても生き延びられるのだ。

これら（そして、さらに何百個か）の特質が超人間主義《トランスヒューマニズム》の構成要素でないなら、何がそうだというのか？トランスヒューマニズムを見定めるのは完全なる太古の文化で生きる人間ではなく、近年の人間であるべきだと感じるなら、われわれはいったいどうやってトランスヒューマンという段階に到達するのだろう？われわれ「近年の人間」は、科学技術の発達にあらたなものが付け加えられるたびにそれを理解することはできるかもしれない。だが、（絶えず動いている）トランスヒューマンという目標に到達したと明言して、それにふさわしい驚きを感じることは決してないのだ。ＳＦ作家ウィリアム・ギブソンは、「未来はすで

（2）https://www.nbcnews.com/news/us-news/lawyer-denying-chimpanzees-rights-could-backfire-disabled-n734566.

にここにある――ただ、一様に行き渡ってはいないだけだ」と語った。これは、次にやってくる「未来」を過小評価しているが、何百万人ものわれわれは間違いなく、すでにトランスヒューマンだ――しかも、われわれのほとんどはそれ以上のことを求めている。「人間とは何だったのか」という問いは、「さまざまな種類のトランスヒューマンとは何だったのか？　……そして彼らの権利は何だろう？」という問いにすでに変化している。

# 第24章　サイバネティックな存在の芸術的な利用

キャロライン・A・ジョーンズ
MITの建築学・都市計画学部の美術史教授。著書に*Eyesight Alome: Clement Greenberg's Modernism and the Bureaucratization of the Senses*や、*Machine in Studio: Constructing the Postuar American Artist*、*The Global Work of Art*がある。

近代美術や現代美術に関心を寄せているキャロライン・A・ジョーンズは、テクノロジーが芸術の制作や流通、世間の受容にどのように関わっているかを掘り下げ、より深く豊かな考察を提供している。「自分勝手でわがままな『ごく小さな集団の範囲』にのみ関心を寄せるのではなく、それを超えたところに人間の可能性を伸ばすような芸術、思索、発想をわれわれはどのように生み出すことができるのか。美術史家として、私はそういった問題を多く取り上げています。私が惹かれるのは、欧米での個人主義に対する執着に疑問を呈するような哲学者とその思想。彼らは実にさまざまな場所に由来し、一九六〇年代に生じた多種多様な疑問や問題にあらたな光を当てています」

最近では、キャロラインはサイバネティックスの歴史に関心を向けている。MITでの「オートマタ、オートマティズム、システム、サイバネティックス」という授業では、人間と機械が接する共有領域《インターフェース》の歴史を、フィードバックの観点から探求し、この概念について、工学的というより文化的な理解に踏み込んでいる。彼女はウィーナー、シャノン、チューリングといった基本をまず押さえたのち、科学者や技術者から芸術家、フェミニスト、ポストモダニズムの理論家の研究や思想へと目を転じる。目的は、文化に基づいた進化のあらたな中心となるパラダイムを見つけること——「コミュナリズム〔地域社会が自己の集団の優位を主張して他を排除する思想〕や、さまざまな種のあいだにある共生関係」だ。

歴史家としてキャロラインは、「レフト・サイバネティックス」と「ライト・サイバネティックス」という語をつくって区別している。「レフト・サイバネティックスという語で、私が何を意味しているか？　ある意味では駄洒落というか、ジョークです。『取り残されている《レフト》』サイバネティックスということ。別のレベルでは、太平洋岸《レフト・コースト》を意味する、うっすら政治的な集団のこと。つまり、デイヴ・カイザーが『ヒッピーの物理学者たち』と呼んだ集まり、カリフォルニア州のエサレン協会のことです。レフト・サイバネティックスとは妥当な言葉ではないけれど、不満がときにありながら軍産複合体の恩義を受け、それを批評するツールをわれわれに与えたグループがあることを認識する方法の、ひとつなのです」

サイバネートされた〔コンピューターによって自動制御された〕アートはきわめて重要だ。しかし、サイバネートされた生活のためのアートはもっと重要だ。

——ナム・ジュン・パイク、一九六六年

ノーバート・ウィーナーの『人間機械論』が一九五〇年に出版されたとき、人工知能《AI》は芸術家たちがサイバネティックスから真っ先に得たいと思うものではなかった。一九五〇年代や六〇年代にサイバネティックスに共感した多種多様な芸術家たちは当初、「思考する機械」に接する機会がほとんどなかった。技術志向のエンジニアたちが、カメや曲芸師、明かりを追い求める小さなロボットなどをつくってはいたが、巨大な頭脳はまだだったのだ。芸術家たちはサイバネティックス研究者のあとを追い、電気回路板や銅線、単純なスイッチに電子センサーを用いて、彫刻作品やインタラクティブな感覚性を模倣した環境をつくり出した。つまり、知識の自動生産よりも、本能的な衝動や戦後の性の政治学のほうにより深い関係をもつ、アナログな動きとインターフェースだった。ハードウェアにも身体にも紐付けされてない状態で浮遊する〝知能《インテリジェンス》〟という抽象的思考に覆い隠されているせいで、今やAIは、芸術家がサイバネティックスを受け入れはじめたころのことをすっかり忘れている。だが、当時の奮闘は再考に値する。それは、精神的な刺激を与えたり信号を発したりする現実の物質世界と関わり合う身体のなかで、人間がどう考え感じるのかといった問題と関係があり、フランスの哲学者ジル・ドゥルーズとフェリックス・ガタリが〝機械門〟と呼んだものとの関係を手本にしていた。

いつしかサイバネティックスは、あらゆるところに広がったAI論と化してしまい、運命づけられていたものとは、まったくかけ離れてしまった。言葉としての「サイバネティックス」は戦後の新奇なものだが、ゆうに四世紀に及ぶ概念を表している。つまり、啓蒙主義思想のころから存在する（そして産業革命によって押しあげられた）フィードバックや機械破壊運動、ホメオスタシス、論理的推測、システム思考に関する概念だ。この系統にはデカルトやライプニッツ、サディ・カルノー、クラウジウス、マクスウェル、ワットといった名前が含まれるが、それでもやはり、ウィーナーのあたらしい造語は深い文化的影響を与えた(1)。今日、サイバーという接頭辞がいたるところで見られるのは、人間と機械の複雑に絡み合った関係を明瞭簡潔に指し示すものがほしいという現れである。ウィーナーの用法では、「サイバー」なものは単に「動物と機械における制御と意思疎通」を含んでいたが、デジタル革命以降、「サイバー」はサーボ機構〔物体の位置、方位、姿勢などを制御量として、目標値に追従するよう自動で作動する仕組み〕やフィードバックループの範囲を超え、ソフトウェアやアルゴリズム、サイボーグをも包含するものに切り替わった。サイバネティックスに傾倒する芸術家たちの作品は、現在の状況におけるＡＩには理解できない、生命体の突発的な行動についてのものだ。

もともとの造語に関しては、ウィーナーは古代ギリシア語に遡り、「舵取り」（κυβερνήτης／クベルネーテス）という語を借りてきた。これは、潮目を読んで風の方向を判断し、舵を操作するレバーにずっと手をかけたまま、何も考えず〔機械的〕に櫂をひたすら操る奴隷たちに指図して、動力と機敏さを船の操舵装置に伝える男性を指すものだ。このギリシア語はラテン語経由ですでに近代英語にも入り込んでいて、クベル“kuber-”は、「知事の《グーバナトリアル》“gubernatorial”」そして「知事《ガバナー》“governor”」という語の語根のグーバー“guber-”に変わっていた。ガバナーも力強い制御を表す語で、手に負えない蒸気エンジンを変調するためにジェイムズ・ワットが一九世紀に発明した装置を言い表すのに用いられた〔遠心力ガバナー〕。このようにサイバネティックスは、人間とマシンを昔から類比してきた概念を取り上げ、それに「-ics」という接尾辞を加えて応用科学の一分野へと一般化したのだ。ウィーナーが言う、Cで始まる三つの言葉（コマンド、コントロール、コミュニケーション）は確率統計理論を利用して、〔生物系であれ機械的なものであれ〕システムを形式化した。そのシステムは、インプットされた一連の情報が、ある環境では行為としてアウトプットされると理論化されたもの——ＡＩの系譜においては軽視されがちな、力強い生身のアジェンダだ。

しかし、こんな語源研究だけでは、数学が理論生物学（アルトゥーロ・ローゼンブリュート）や情報理論

（クロード・シャノン、ウォルター・ピッツ、ウォーレン・マカロック）と結合したときの関係者の興奮は、ほとんど伝わらない。当時は、科学のあり方だけではなく人類と技術圏《テクノスフィア》との関わり方をも変えるとみなされた学際的なリサーチや論文が、つぎつぎに発表された。ウィーナーが述べたように「われわれはすでに自分たちの環境をきわめて根本的に変えてしまったので、この新しい環境のなかで生存するにはわれわれ自身を変えなければならない」(2)。つまり緊急の問題は、われわれは自分自身をいかに変えるのか、ということだ。われわれは正しい方向に向かっているのか、それとも道を見失い、ツールに使われるツールになっているのか？　人文主義者／芸術家のサイバネティックスへの貢献について初期の歴史を再訪するのは、危険の少ない、より倫理的な未来にわれわれを導く助けになるかもしれない。

一九六八年は、サイバネティックスという語が文化的に伝播し、芸術家の理解が深まった頂点であった。その年、ハワード・ワイズ・ギャラリーはウェンイン・ツァイの「サイバネティック・スカルプチャー」展をマンハッタンの中心部ミッドタウンで開催し、ポーランド移民のヤーシャ・ライハートはロンドンのＩＣＡ（インスティテュート・オブ・コンテンポラリー・アーツ）で「サイバネティック・セレンディピティ」を開催した。ヤーシャの展覧会タイトルのなかの「サイバネティック」は、「コンピューターによって、あるいはコンピューターとともにつくられた」ということ喚起するのを目的としていた。もっとも、展示された作品の大半は、応答回路のなかにコンピューターを使ってはいなかった。一九四八年から

（1）ウィーナーはのちに、この語は一八三四年にアンドレ＝マリ・アンペールによって先につくられていたと認めざるを得なかった。アンペールはサイバーという語に「政治の科学」という意味をもたせようとしたが、その概念は二〇世紀になるまで表面に現れなかった。

（2）『人間機械論』四五頁。

六八年にいたる二〇年のあいだに、サイバネティックな概念はより広い文化へと散開し、情報処理機械自体も、軍の特許設備から多国籍企業を経て大学のラボへとゆっくり移動していき、芸術家たちにもアクセスする機会が与えられるようになった。サイバネティックな構成要素――「感覚器官」（電子の目《エレクトロニック・アイ》、モーションセンサー、マイクロフォン）や「効果器官」（ブレッドボード、スイッチ、油圧や空気圧で動く機器）――が、家庭で電子工学を趣味として楽しむ人たちにも入手しやすくなったことで、コンピューターは〝電子の頭脳〟という意味合いが薄れ、さまざまなパーツから成るキット内の補助的な器官のひとつとなった。〝人工知能〟という、他を圧倒するようなメタファーはまだ存在しなかった。こうして芸術家は、演算や認知ではなく刺激的なことに興味や関心をもち、寄せ集めた材料でエレクトロニックな物体をつくった。それらは〝ホモ・ラショナリス〟〔合理的なヒト〕を目指すドライブ内の演算装置としての「コンピューター」だとうすうす感づいてはいたものの、成し遂げるというよりも、成し遂げたいものだった。

　今日のアート／科学のイメージングツールにおけるデジタル収束を考えると、ライハートの展覧会は、アートと〝創造的な応用科学〟と呼んでもいいものとの境界線を曖昧にしようと強く主張していた点で予言的だった。カタログによれば、「展覧会を訪れた人は、すべての展示作品に関する解説を隅から隅まで読まないかぎり、自分の見ているものが芸術家がつくったものなのか、エンジニアがつくったものなのか、はたまた数学者あるいは建築家がつくったものなのか、わからない」という。というわけで、「心をかき乱すような独特なふるまいで知られる女性のロボット」と説明された、ナム・ジュン・パイク制作の滑稽なほど機能不全な「ロボットK－456」（一九六四年）がカタログの表紙を飾り、ネオ・サイバネティシャンのひとり、ゴードン・パスクによる、バレエのごとく優雅な「モビールの会話」（一九六八年）と対決することとなった。パスクはロンドンのとある舞台美術家と共同して、蝶番と棒でできたひょろ長い

「男性の」装置を作り、近くに置かれたファイバーグラス製の醜く膨れた「女性の」物体と、コミュニケーションするよう配置した。カタログに書かれた評論の数々を読まなくても、展覧会にひそむ本質を実際に読み解く（あるいは展覧会にこめられた反動的な性の劇場を見る）ことができた人間がいたかどうかは、大いに疑わしい。だが無視できないのは、人為的に変調された環境のなかでのオートマタのふるまいや双方向性、反応性、そして、オートマタによる人間のふるまいの「反映」に、パスクが重点を置いていたことだ。

ICA（インスティテュート・オブ・コンテンポラリー・アーツ）で開催された「サイバネティック・セレンディピティ」は、重大なパラダイムを伝えた。観覧者が生物学的なパーツになり、相互作用《インタラクション》のきっかけになるのは何なのか解き明かすタスクを負わされるという、〝機械の生態系《マシニック・エコシステム》〟だ。ロンドンのこうしたギャラリーを訪れる人たちは、突如として「サイバネティック・オーガニズム」（略してサイボーグ）となった。なぜなら、展示されているアートを適切に体験するためには、サーボ機構を相手にして、共生的な対話のようなものに加わらなければならないからだ。このように人間と機械のインタラクティブな環境が美の原理へと転換したことは、同時代における他の芸術作品をいくつか仔細に眺めてみると、ますますはっきりしてくる。まず、突発的なふるまいから構成される初期の実例――「センスター」（一九七〇年）――を見てみよう。これは芸術家／エンジニアのエドゥワルド・イーナトビッツによるインタラクティブな彫刻で、医療ロボットのエンジニアであるアレックス・ジヴァノビッチによって「コンピューター制御された、インタラクティブなロボティック・アートの初期の作品のひとつ」と賞賛された。ジヴァノビッチは、イーナトビッツのほとんど無名のキャリアを世に知らしめるためのウェブサイトの制作・編集をおこなっている。ここで、（12ビットの、たかが知れた装置だったが）〝コンピューター〟が登場する。しかしイーナトビッツは、〝知能《インテリジェンス》〟より感情的行動を体現するものをつくろうとした。「センスター」の不可思議な成功のカギは、近くにいる人間に反応してシャイなところを見せるよう、イーナトビッツが全長一五フィートの油圧装置に強いたプログラミングにある。蝶番の意匠や不気味に立ちはだかるような見た目は、ロブスターのはさみに発想を得たものだ。「センスター」の音響チャネルとモーションセンサーは、大きな物音をとらえたり、いきなり乱暴な動きをされると萎縮するよう、設定されていた。穏やかに話したり動作を加減したりするのを厭わない人間だけが、「センスター」の控えめながらも好奇心旺盛なアプローチという見返りを受けられるのだ。プログラムを書いたイーナトビッツ自身も、咳払いをしたあとに心配そうにマシンに振り返られたとき、身をもってそれを体験したのだった。

こういったサイバネティックな存在の芸術的利用において、観客が技術化された環境に組み込まれたという体験をするには、直感的に機械とコミュニケートするように自己を変えていくことが求められた。この必要性は、ツァイの「サイバネティック・スカルプチャー」展で、すでに明白になっていた。ツァイの没入型《イマーシブ》インスタレーションを体験するには、その機械状の生命との交流を試してみる必要があった。どんなふるまいをすると、サーボ機構が動く引き金となるのか？——おそらくギャラリーにいた人間の係員は、しかるべき手順《プロトコル》を説明しなければならなかっただろう。「手を叩いてください——すると、スカルプチャーが反応します」などと。初期の批評家のひとりは、次のように述べている。

細いステンレス製のロッドの木立が、平たいプレートから起きあがる。基部となっているプレートが一秒あたり三〇回振動すると、ロッドも慌ただしく収縮して、調和的なカーブを描く。暗い部屋にしつらえられ、ストロボに照らされている。閃光の間隔は一定ではなく、変化する——音や近接センサーに接続されているため、誰かがツァイに接近したり、近くで音を立てたりすると、こいつは反応する。ロッドの群れは身動きしているように見える。揺らめき、点滅する灯り、金属が踊る奇妙なバレエが繰り広げられ、目に見えるのは、まったくの不動から落ち着かなくそわそわとしたものに変わったかと思えば、ゆっくりとした何とも表現しがたい官能的なくねりに、ふたたび戻る。(3)

この装置は「センスター」のように、理性的というより情動的な相互作用《インタラクション》を刺激（そして模倣）した。人間は、敏感に反応する生命体を暗示するふるまいに直面したように感じた。ツァイが制作した存在物はしばしば、「植物に似た」あるいは「水生のもの」とみなされた。こういった、環境や運動面での野心的な試みは、当時の国際的な美術界に広く受け入れられた。ハワード・ワイズ・ギャラリーに集った芸術家以外にも、パリでGRAV（視覚芸術探求グループ）を結成した移民たち、ニコラ・シェフェールの「サイバネティック・アーキテクチャー」、ドイツの〈グループ・ゼロ〉の光とプラスチックの旋回体などがあり、どれもみな、来たるインスタレーションという芸術の一分野を定義し、影響を与えた。

一九六〇年代後半におけるサイバネティックな存在の芸術的な利用は、〝知能〟には労力を投入しなかった。機械は口がきけず、感動や興奮することもない。くだんのクリエーターたちはそう確信して、身も蓋もない模倣《シミュレーション》を自信たっぷりに披露した。彼らの興味を引いたのは、衝動や本能、感情を引き起こすような機械のムーブメントだった。機械はまるで識閾下にあるように、性行動や動物の習性を真似た。そういった芸術家たちは、データあるいは情報の操作には興味を示さなかった（とはいえハンス・ハーケは

(3) Robert Hughes, *Time* magazine (October 2, 1972) review of Tsai exhibition at Denise René gallery.

「リアルタイムなソーシャルシステム」という連作で、一九七二年にそちらの方向に進んだが)。芸術家や科学者たちが二つの大陸で導入しつつあったサイバネティックな文化は、人間を技術圏に組み込み、機械門のなめらかで敏感なふるまいを認識するよう誘い込んだ。この初期のサイバネティックな美の原理においては、「人工的なもの」と「自然なもの」が密接に絡み合っていたのだ。

だが、ここで話は終わらない。批判力をもたず、もっぱら男性的なこのサイバネティックスの状況が拡大していくのに不可欠だったのは、一九九〇年代に登場した、驚嘆すべき女性芸術家の過激で批判的な一団だろう。彼女たちは芸術やテクノロジーにおける先達を充分意識していたが、一九七〇年のビデオ・ジャーナル「ラディアル・ソフトウェア」を創刊したフェミニストたちや、論争を引き起こすこととなった一九八四年の「サイボーグ宣言」でダナ・ハラウェイの文化的批判から、より大きなインスピレーションを受けていた。パイクやパスクの古臭くてうまく機能しない性の劇場、イーナトビッツやツァイの無邪気な創造物《クリーチャー》は、インタラクティブなアッサンブラージュの「サイバーロベルタ」と「遠隔制御型ロボットの人形、ティリー」から成る、リン・ハーシュマン・リーソンの「ドリー・クローン・シリーズ」(一九九五〜九八年)において、機転が利き、行為遂行的でポストモダンなものとして生まれ変わった。サイバーロベルタとティリーはバーレスクで芸を披露するプロのように技術圏を舞台に、ウィンクしたり、見つめる主体者、そして見つめられる対象物として、覗き見する立場をわれわれ観客に露骨に意識させたりした。

一九六〇年代のサイバーアートの男性彫刻家たちによって確立された〝無垢な〟技術圏は、一九九〇年代に入るころにはフェミニストの芸術家によって、われわれが批判的な関心を向けるべき、すっかり満たされた状況と認定された。と同時にフェミニストたちは、AIが模倣しようとしているのは誰の〝知性〟

なのかという問題に取り組んだ。ハーシュマン・リーマンのような芸術家にとって、クローン羊のドリーのような工業技術の〝勝利〟に反応するのは、食肉生産と「食肉機械」の関係を描くのに欠かせなかった。ハーシュマン・リーソンはクローンとしての「人形」をつくることで、同時代に存在する個体化が、観念的な・複製的な・適応性のある領域の一部になる過程にとって重要な意味をもつ構想を提供した。

一九九〇年代から二〇〇〇年代にかけてのテクノフェミニストたちは、常にコンピューター・ネットワークを利用していたわけではないが、それでも彼女たちの作品は、男性芸術家たちの以前のテクノ環境を支配していた機械状で動的な属性を複雑なものにした。たとえば、ジュディス・バリーによる「想像力　死んだ　想像せよ」（一九九一年）という中性的なテレサイボーグは、可動部をもっていなかった。彼／彼女は純然たる電気信号で、フラットな面に明滅する映像だった。作品の設定においてバリーは、二〇世紀後半のテクノロジーの疎外する影響を取り上げた。一〇平方フィートのスクリーン五面に中性的な頭部が人映しにされた巨大な立方体が、一〇フィート幅の鏡面仕上げの基部に載せられている。粘り気がある嫌な見た目のさまざまな液体（黄色、赤みがかったオレンジ、茶色）、乾燥した物質（おがくず？　小麦粉？）、さらには昆虫の頭部までもがたらたらとあるいはざらざらと落ちてくる。巨大なスクリーンに映し出された頭部が少しも顔色を変えない崇高さが、見事なまでにバーチャルになる。「想像力　死んだ　想像せよ」は、縮尺の大きな立方体という「非現実的な」フォルムを通して、人為的、そして身体のなかに閉じ込められたままでありつづける――分離された「知性」は知性などではない、として拒絶する。

二一世紀の芸術家たちはこの批判的な伝統を受け継いで、AIの現在のパラダイムに生きている。このパラダイムとは、知性を主張するものの部分的な擬態《シミュレーション》から滑り落ちたものだ。情報工学の専門家、ジョン・マッカーシーと、マーヴィン・ミンスキーやナサニエル・ロチェスター、クロード・シャノンといった彼の同僚たちが一九五五年におこなった提案は、「人工知能《アーティフィシャル・インテリジェンス》」という用語が最初に印刷物に用いられたものと考えられているが、そのなかで彼らは、「学習のあらゆる側面、あるいは知性のその他の特徴が原則として正確に説明されれば、それを模倣する機械を作ることは可能だ」と推測した。この控えめな理論上の目標は、これまでの六四年にわたって膨張し、今やGoogle DeepMindによって「インテリジェンスを解く」野望と表現されている。暗号を解読《クラック》せよ！　だが残念なことに、われわれの耳に入ってくるのは暗号ではなく、小規模資本主義や社会契約、礼節の基礎をなすものにひび《クラック》が入った音だ。タクシーやトラックの運転手から仕事を取り上げ、ダイレクトマーケティングをロボットに任せて自動化し、娯楽の一極集中に服従、健康保険制度を人間から切り離す。——これらは、愛することをわれわれが学ばなければならない、とウィーナーが恐れた〝鞭〟なのだろうか?

　芸術家には、こういった問題のどれも解決できない。しかし彼らは、選ばれなかった道が秘めている創造的な可能性を、われわれに思い出させてくれる。その道は、〝情報〟が資源になる前、〝知性《インテリジェンス》〟がデータ収集と同義になる前の一九七〇年ころに現れた分岐点のもう一方を指す。以前の可能性を再訪するときに、現代のツールを用いて何ができるか。豊かに想像力を刺激する形でそれを見せてくれるのが、フランスの芸術家、フィリップ・パレーノの「ホタルの作品」だ。これは、『既存の生命力を超越した旅を可能にするためのリズミカルな本能とともに』(二〇一四年)という実際のタイトルを繰り返すのを避けるためにつけられた、愛称だ。パレーノ本人は「オートマトン」と称しているが、この彫刻的なインスタレーションは、白黒で描かれたホタルの絵と、黒を背景として緑色の数字のゼロと一が筋となって規則的に変動するものが、並べて置かれている。ホタルの絵と数字の筋は、数学者のジョン・ホートン・コンウェイが一九七〇年に発表した「ライフゲーム」という〈セル・オートマトン〉〔格子状のセルと単純な規則による離散的計算モデル」のアルゴリズムを用いて、動画化されている。

コンウェイは、無限の二次元の格子上にあるどんな正方形（「細胞《セル》」）も光を放つ（「生きている」）、あるいは暗くなる（「死んでいる」）ようなパラメータを設定した。ルールは以下のようなものだ。ひとりぼっちのセルは寂しさのあまり、すぐに死ぬ。だが、ほかの「生きている」セル三つ以上に触れた場合も死んでしまう。「混み合っているため」だ。ひとつのセルが生き延びて健康に育つのは、仲間が二人いるときだけだ。あるセルが死んでも、動いて成長しているように見えるパターンを生み出し、すぐに消えていく神経インパルスあるいは発光する珪藻の群れのように、格子上のいたるところを移動して、他のセルが生き延びるための状況をつくり出す可能性がある。スティーヴン・ホーキングの二〇一二年のドキュメンタリー番組「人生の意味」では、コンウェイの数学モデルは「知性のような複雑なものが必要最小限のルールひと組から発生する可能性」を擬似的につくり出したものだとナレーターが述べ、現代のAIを特徴づける傲慢な目標をあらわにしている。すなわち、「こういった複雑な特性は、運動や繁殖といった概念をまったく含まない単純な法則から発生する」が、それでも「種」は生み出され、セルは「現実の世界で生命体がそうするのと同じように、繁殖することさえ可能だ(4)」。

生命体がそうするのと同じようにだろうか？　シミュレーションや描写が大仰なことを、芸術家たちはわかっている。巧妙に考案されたものの特質と「生命体がそうする」現実とは、違うのだ。パレーノの作品は透視画法を用いて具体化された連動体を通して、われわれの「生」の体験を直感的に集合させたものだ。われわれの意識は電気によって（サイバネティックなかたちで）巻き込まれているが、それでもわれわ

（4）Narration in Stephen Hawking's *The Meaning of Life* (Smithson Produtions, Discovery Channel, 2012).

れは、人間が産み出した優美なシミュレーション自身が知性をもっているようには、反応しない。

　サイバネティックな存在の芸術的利用はまた、意識そのものはただ「このなかにある」だけでないということを思い起こさせる。意識は流れるように出たり入ったりして、生気に満ちた感覚信号を調和させる。知性は、頭蓋（とその模造品である〝マザーボード〟という境界のはるか外側で発生する。メアリ・キャサリン・ベイトソンが、ネオ・サイバネティシャンだった父グレゴリーの言葉を意訳したように、知性は「皮膚という境界によって必ずしも定義されてはいない」素材だ。(5) パレーノは芸術を模倣《シミュレーション》したものと数学のシミュレーションを組み合わせ、ウィーナーのような論点を押し進めた。つまり、そういったモデルは、それ自体では生命体と同じではないということ。何かを真似《モデル》たものは、それだけのものだ——信号システムが〝知性〟の構成要素になるのは、動物界でその同格にあたるものが、活発な意義を作り出す作業にそのモデルを関わらせたときだけである。現代のＡＩはタスクやサブルーチンを手段として利用したり特殊化したり、そういった正しい手順を実際の知識と混同することで、みずからを窮地に追いやってきた。ここで文化史を手短かに紹介したが、データを知性に、デジタルネットワークを〝神経系統〟に、あるいは孤立した個人を生命の一単位に見なすのは、コンウェイのあるがままのシミュレーションにとっても、相容れないものだったことがわかる。

　目下のＡＩの頑ななまでの傲慢さは〝ライト・サイバネティックス〟だ、という烙印を押してもいい。現用の自動兵器システム、実際の仕事をする人間に対するUberのうまく隠されていない敵意、Googleの資本主義の夢へとつながる道だ。ここでわれわれは、レフト・サイバネティックスに立ち戻らなければならない——理論生物学者や文化人類学者が種を超えた知能システムを理解しようとしたところだ。企業は「より広範でより賢明な知性のパーツ」から遮断され、利益を最大化するための決断のもとに「人間の

パーツの集合体」を真似ているにすぎないというグレゴリー・ベイトソンの意見は、まさに今こそ時宜を得た言葉だ。(6)

ここで提示したサイバネティックな認識論は、あたらしいアプローチを示唆している。個人の知能は身体だけではなく、身体の外部にある経路にも内在している。そして、より大きな知能が存在し、そこでは個人の知能は下部組織にすぎない。このより大きな知能は神に匹敵するもので、ある人たちが〝神〟という言葉で意味するものかもしれないが、相互接続された社会制度やこの地球上の生態系にもやはり内在している、とベイトソンは考えている。これは、〝神〟は人間の意識を超えたところに存在して外から話しかけてくるという集合的な妄想ではない（この一神教的な根強い思い込みが、自然や環境も〝個々の〟人間の外側にあり、「好きなように搾取すべき贈り物だ」という見方につながっている、とベイトソンは示唆している）。ベイトソンの言う〝神〟はむしろ、世界における意識と作用し合うという、はかない経験を任された代理人だ。つまり、入力《インプット》された情報や作動の結果としてのより大きな知能は他の実在物と協力して、今度は他の作動のためのインプットとなる――われわれが感じ取って一体になるべきパターンを構成する共生関係が絡み合った、クモの巣状《ウェブ》の組織だ。(7)

一九七〇年代のツァイから九〇年代のハーシュマン・リーソン、二〇一四年のパレーノにいたるまで、芸術家たちはライト・サイバネティックスを批判し、オルタナティブで具現化された〝人工〟知能の環境

（5）Mary Catherine Bateson, 1999 foreword to Gregory Bateson, *Steps to an Ecology of Mind* (Chicago: University of Chicago Press, 1972), xi.
（6）*Steps to an Ecology of Mind*, 452.
（7）*Steps to an Ecology of Mind*, 467-68.

的体験に励んできた。彼らはサイバネティックな存在を芸術に利用して、この世で実現されうるポイエーシスのなかで体験できる共生者の知恵を提供する。すなわち、電気機械や電磁気の技術圏と提携して、生命の動きを生み出す信号や直感的な作動のリズムだ。生命とは、不可思議な負のエントロピーのなかで物質や知性と絡み合うものなのだ。

# 第25章　人工知能と文明の未来

**スティーヴン・ウルフラム**
科学者、発明家、そしてウルフラム・リサーチを創業したCEO。数式処理システムのMathematicaと、そのプログラム言語であるWolfram言語、質問応答システムのWolfram Alphaを考案した。著書に、*A New Kind of Science*がある。本章は、二〇一五年一二月におこなわれた彼とのインタビューをもとに編集を加えたものだ。

スティーヴン・ウルフラムはほぼ四〇年以上にわたり、コンピューター的思考の開発や応用のパイオニアとして科学やテクノロジー、ビジネスにおける数々の革新《イノベーション》に貢献してきた。

一九八二年、二三歳のときに書いた論文「自己組織化システムとしてのセルオートマトン」(Cellular Automata as Simple Self-Organizing Systems)は、自然界の複雑性の根元を理解することを目的とした、数々の重要な科学的貢献の第一歩であった。

スティーヴンが私の人生に現れたのはそのころだ。私はすでに〈リアリティ・クラブ〉を設立していた。知識人たちがニューヨークで会って、他の専門分野の人々の前でみずからの研究を発表する気軽な集まりだ(〈リアリティ・クラブ〉はEdge.org.として一九九六年にオンライン化された)。最初に招いた講演者は誰か？　プリンストン高等研究所にやってきた〝若き成功者〟、スティーヴン・ウルフラムだった。彼は私の家のリビングでソファに腰を下ろすと、集まった聴衆を前に一時間ほど、中断もなく話し続けた。その集中力を、私は今もはっきり覚えている。

それ以来スティーヴンは、世界の知識をコンピューターで容易に計算でき、誰もが利用できるものにしようと邁進してきた。彼が考案したMathematicaは、現代の技術のための決定的な数式処理システムだ。Wolfram Alphaは人工知能の技術を用いて、専門家レベルの回答を算出する。彼はプログラム言語のWolfram言語を、人間とAIのためのコンピューターを利用した真のコミュニケーション言語として、初めてのものだと考えている。

四年前、AIに関する自由気ままなトークのために、マサチューセッツ州ケンブリッジでふたたびスティーヴンと会った。彼は部屋に入ってきて挨拶をすると、Edgeにアップするために準備されたビデオカメラを見ながら話しはじめた。トークは二時間半続いた。

以下は、そのセッションに編集を加えたものだ。ウルフラムによる上級特別クラスとも言えるもので、本書を締めくくるのにふさわしい。ちょうど、彼が八〇年代に〈ザ・リアリティ・クラブ〉でおこなったトークが知識人による活動を起動するのにうってつけで、その結果が、思想家たちがみずからの研究を発表し合う豊かなコミュニティに、そして、本書において広く一般に知らしめることにつながったように。

テクノロジーは人間の目標を取り込み、それを機械が自動で実行できるものにすると、私は思う。過去における人類の目標には、みずからの手よりもフォークリフトを使うなどして物体をここからあそこへ移動することが含まれていた。だが今や、われわれが機械を用いて自動的にできる作業は、物理的ではなく知的なものだ。われわれ人間がみずからやるのを誇りに思ってきた作業の多くを自動化できたのは一目瞭然だが、そういった状況における人間の条件は、将来どんなものになるだろう？

人工的な知能をもつ機械の将来、そして、それが人間の代わりになるかどうか、また何をすべきか、われわれの代わりに自己決定するかどうかが、人々の話のタネになっている。だが、目標を思いつくことに自動化への道はない。機械の目的が何であるべきか――何を遂行しようとしているのか――は、誰かあるいは何かが定義してやらなければならない。目標は、どのように定義されるのか？　人間の場合は、個人の経歴や文化的環境、われわれの文明の歴史によって定義されることが多い。目標は、人間に特有のものだ。機械に関しては、われわれがそれを組み立てたときに目標を与えてやれる。

どういった類のものが、知能あるいは目標、目的をもつのだろう。現時点では、すばらしい例がひとつわかっている。それはわれわれ――われわれの脳、われわれ人間の知能だ。私はかつて、人間の知能とは世界に自然に存在するいかなるものをも、はるかに凌ぐと考えていた。複雑な進化のプロセスの結果生じたもので、ゆえにほかの存在物から超然としていると思っていたのだが、これまで携わってきた科学のおかげで、それは事実と異なると悟った。

たとえば、「天気はみずからの意志をもっている」と言う人がいる。精霊信仰《アニミズム》的な意見で、現代の科学的思考にはふさわしくないように思われるが、それほどばかげた考えではない。人間の脳は何をする？　あるインプットを受け取り、物事を計算し、ある行動を引き起こし、あるアウトプットを生み出す。天気と同じだ。つまるところ脳であれ、温度環境に反応する雲であれ、あらゆるシステムは計算をおこなっている。

われわれの脳は、大気中でおこなわれる計算よりずっと洗練された計算をしていると主張することもできるが、実は、性質を異にするシステムがおこなう計算には広範囲に及ぶ等価性があるとわかった。これにより、人間の条件という問題はいくらか厳しいものになる。なぜなら、われわれは思っていたほど特別ではないらしいからだ。自然界に存在する異なるシステムはどれも、コンピューターによる能力の観点からすれば、ほぼ同等なのだ。

こういった他のシステムすべてとわれわれとを区別するのは、われわれの歴史を形作る個々の項目で、それが、われわれに目的や目標という概念を与える。デスクの上にある箱は人間の脳と同じように考えるにもかかわらず、本質的にはいまだ目標や目的をもてずにいる、と言うのはまだ早い。目的や目標は、われわれの生態や心理状態、文化史といった個々の詳細によって定義されるものだ。

ＡＩの将来を考えるときは、目標について考えなければならない。目標は、われわれ人間が寄与するところ、われわれの文明が貢献するところだ。そういった目標を遂行することは、われわれが自動化をます進められるものだ。そんな世界において、人類の将来はどんなものになるだろう？　そこで人類がすることにはどんなものがあるだろう？　時が経つにつれて発展してきた人類の目的を理解することは私のプロジェクトのひとつである。こんにち、われわれにはあらゆる種類の目的がある。千年前を振り返ると、人間の目標はかなり違っていた。たとえば、どうやって食べ物を手にいれろ？　どうやって自分の身の安全を保てばいい？など。現代の西洋社会のほとんどの地域では、そんなことを考えながら人生の大部分を過ごしたりはしない。千年前の考え方からすると、今日の人間がもつ目標は――たとえばランニングマシンで走るなど――まったくもって奇妙に見えることだろう。千年前ならば、そんなことはひどくばかげて思えたはずだ。

将来、人々は何をしているだろう？　こんにちのわれわれの目的の多くは、なんらかの不足によって引き起こされている。世界には資源が乏しい。人々はもっと何かがほしい。時間そのものも、われわれの人生で不足している。だが、こういった種類の不足はそのうち解消される。最も劇的な不連続性はきっと、不死と呼んで差し支えない状態をわれわれが手に入れたときだろう。それが生物学的に達成されるのか、デジタル的な意味においてかははっきりしないが、その日は必ずやってくる。われわれの現在の目標の多くはある意味、死を免れ得ないことに突き動かされている。「あとこれくらいしか生きられないから、これやあれをやっておいたほうがいい」とか。では、われわれの目標の大半が自動的に達成されたらどうなるだろう？　今日もっているようなモチベーションはもてなくなるだろう。答えがほしいと私が思う問いは、未来における人類の派生物はどうふるまうことを選ぶはめになるのかということ。ろくでもない結果のひとつとして予想されるのは、四六時中ビデオゲームをするばかりという状態だ。

〝人工知能〟という言葉は専門用語として使われながら、徐々に発展してきた。このごろではAIの人気がとても高く、それが何を意味するのか、人々もある程度わかっている。コンピューターが開発されつつあった一九四〇年代や五〇年代には、コンピューターを扱った雑誌記事の典型的なタイトルは〝巨大な電子頭脳〟というものだった。ブルドーザーや蒸気機関が機械仕事を自動化したように、コンピューターが知的作業を自動化すると思われていたのだが、その見込みを実現するのは多くの人々が期待する以上に困難だとわかった。最初はきわめて楽観的な見方にあふれていて、一九六〇年代にはそういう目的達成のために政府の金が費やされたが、実際には、とにかくうまくいかなかった。

当時の映画には、愉快なＳＦっぽいコンピューターの描写がたくさん見られた。微笑ましいのは「おー！　ウーマンリブ」（*Desk Set*）で、放送局に導入された一台のＩＢＭタイプのコンピューターが、あらゆる人間の職を奪っていくというものだ。微笑ましいのは、このコンピューターが図書館司書にするような質問を山ほどされるところだ。私が同僚とともにWolfram Alphaを構築していた際に生まれたアイデアのひとつは、Wolfram Alphaに「おー！　ウーマンリブ」に出てきたような質問すべてに答えさせることだった。二〇〇九年には、Wolfram Alphaはすべてに答えを出すことができた。

一九四三年、ウォーレン・マカロックとウォルター・ピッツは、脳が概念的・形式論理的な意味でどう機能するのかというモデルを思いついた――ニューラル・ネットワークがそれだ。二人は、脳に近いそのモデルがチューリング・マシンと同じように情報処理をすると考えた。彼らの研究により、汎用コンピューターのように機能する、脳に近いニューラル・ネットワークをつくれることがわかった。実際、ＥＮＩＡＣの人々やジョン・フォン・ノイマン、そしてコンピューターに関わるほかの人々は、チューリング・マシンの方から直接きたのでなく、ニューラル・ネットワークという脇道を通じてやってきたのだ。

だが、単純なニューラル・ネットワークに、たいしたことはできなかった。フランク・ローゼンブラットは、ある学習デバイスを開発してパーセプトロンと名付けたが、これは単一層のニューラル・ネットワークだった。一九六〇年代後半、マービン・ミンスキーとシーモア・パパートは『パーセプトロン』（中野馨、阪口豊訳、一九九三年、パーソナルメディア）という書籍を執筆した。要するに、パーセプトロンには何もおもしろいことはできないと証明する内容だったが、それは正しい。パーセプトロンは物事をリニアにしか区別できないので、このアイデアは事実上諦められた。「ニューラル・ネットワークは何もおもしろいことができない、という証明をこの人たちがした。つまり、何かおもしろいことができるニューラル・ネットワークはない。だから、ニューラル・ネットワークなんてもう忘れよう」という考え方がしばらく居座りつづけた。

その一方、ＡＩへの取り組みはほかにもいくつかあった。ひとつは、この世界がどういう仕組みで動いているのかを秩序だったレベルで記号的に理解することを基にしていて、もうひとつは統計データや確率的な物事に基づくものだった。記号的なＡＩに関するテストケースのひとつは、コンピューターに積分のようなことを教えられるか、微分を解くよう教えられるか、というものだった。また、機械翻訳のようなタスクもあり、コンピューターにできる作業のいい例と考えられていたが、結局、そういった取り組みは一九七〇年代初めには失敗していた。

次に、エキスパートシステムと呼ばれるデバイスがもてはやされるようになった。一九七〇年代後半から八〇年代初めにかけて生まれ、専門家《エキスパート》が用いる原則をマシンに学ばせ、何をすべきかその原則によって答えを計算させるものだったが、次第に先細りになり、その後は、ＡＩに取り組むのはほぼ頭のおかしいやつとされた。

私は子供のころからずっと、ＡＩのようなマシンをどうやってつくるのかに興味があった。特に、われわれ人間が文明において蓄積してきた知識をどう受け取り、その知識を基に質問に答えることをどう自動化するのかという問題だ。私は、それを記号的におこなう方法を考えた。つまり、質問を記号的なユニットに分解して、それに答えるようなシステムを構築するというものだ。当時はニューラル・ネットワークに取り組んだが、あまり進展が見られなかったので、しばらく棚上げにした。

二〇〇二年なかばから二〇〇三年にかけて、私はその問題をふたたび考えた。コンピューターによるナレッジシステム〔知識を利用して意思決定や問題解決を支援するシステム〕をつくるには、何が必要だろう？それをどうするかについて、もともと考えていたことがまったく間違っていたのは、その時点までにおこなってきた研究でほぼ明らかだった。コンピューターを利用した本格的なナレッジシステムを構築するためには、脳に近いデバイスをまず開発して知識を与える――標準的な教育において人間が学んでいくように――必要があると思っていたが、高度な知的能力をもっていることと、コンピューターとを分ける明確な線はないとわかった。

単なるコンピューターよりも人間をはるかに有能なものにしている不思議なメカニズムがある、とかつては想定していたが、それは間違いだった。そう悟ったことで、Wolfram Alphaへの道が開かれた。私が発見したのは、本質的な意味ではただのコンピューター技術というものであっても、それを利用して世界の知識を大量に集め、その知識を基に自動的に回答するのは可能だということだ。これはエンジニアリングをする代わりの方法だった――生物学が進化において成したことにずっと類似したやり方だ。

実際、プログラムを構築する際は段階を追っておこなうのが普通だが、コンピューターの宇宙を探査して、その宇宙からテクノロジーを掘り出すこともできる。概して、実際に鉱物採掘をするときと同じ課題がある。つまり、なんらかの磁性物質をもつ鉄やコバルトあるいはガドリニウムに相当するものを発見して、その特別な能力を人間の目的に沿ったものに変える、テクノロジーにおこなわせたいことに変化させるといったことだ。磁性物質の場合、そうする方法は山ほどあるし、プログラムに関しても同じだ。世の中にはあらゆる種類のプログラムが存在し、ちっぽけなプログラムでさえも複雑なことをしている。それを、人間の有益な目的のために受け入れることはできないだろうか？

そして、ＡＩにあなたの目標を遂行させるにはどうしたらいいだろう？　答えのひとつとしては、人間が発話するような自然言語でＡＩにとにかく話しかければいい。相手がSiriなら、けっこううまくいく。しかし、少し長くてより複雑なことを言いたい場合はうまくいかない。漸進的に構築され、かつ自然言語では不可能な方法で、非常に高度なコンセプトを表せるコンピューター言語が必要となる。私の会社、ウルフラム・リサーチが多大な時間を費やしてきたのは、世界の知識を直接落とし込むような、知識ベースの言語の構築だ。コンピューター言語の開発の従来型アプローチは、メモリの確保や変数値の設定、プログラムカウンターの変更など、コンピューターがやり方をもともと知っているオペレーションを表現する言語をつくることだ。基本的には、あなたの流儀で物事をやるようコンピューターに命令する。だが私のアプローチは、コンピューターではなく人間に合わせた言語をつくること。人間が考えることはなんであれ、それをコンピューターが理解できる形態に転換するのだ。科学であれデータ収集であれ、われわれが蓄積してきた知識を、コンピューターとのコミュニケーションに使える言語にカプセル化することはできないか？　それが――それをできたのが――私のこれまでの三〇年間の大きな成果だ。

一九六〇年代は、「これこれのことをできるようになったら、ＡＩだと言える」とか「微積分のコースから積分ができたらＡＩだと言える」、あるいは「コンピューターと会話ができて、それを人間のように見せられたら……」などとよく言われた。大変なのは「やれやれ、まいったね、コンピューターはとにかく、世界のことを充分には知らないんだよ」という点だった。今日は何曜日かとコンピューターに尋ねたら、答えることはたぶんできるだろう。だが大統領は誰かと問えば、おそらく答えは返ってこない。その時点で、われわれが話しかけているのはコンピューターであって人間ではないことに気づく。だが、チューリング・テストに関して言うと、たとえばWolfram Alphaをチューリング・テストのボットと接続しようとした人は、ボットのほうが毎回負けるのを見るはめになる。なぜなら、機械に対して複雑な質問を始めさえすれば、機械は正しく答えるからだ。だが、人間にそれはできない。本質的に異なる質問を二、三すれば、そのすべてを理解して答えられる人間はいないが、システムはすべてを理解している。そういう意味では、そのレベルに達する優れたAIを、われわれはすでに世に生み出していると言える。

その次に、人間には容易だが機械には元来とても難しいとされるタスクがある。代表的なのは物体の視覚的識別だ。このオブジェクトは何？　人間はそれを認識して平易な言葉で説明できるが、コンピューターはこれに関してはからきしダメだ。しかし、二、三年前、われわれはちょっとした画像識別システムを世に出した。ほかにも多くの企業が似たようなものをやっているが、われわれのシステムのほうがいくぶん、性能がいいようだ。そのシステムに画像を見せると、一万種ほどの事物については何なのか見分けることができる。抽象画を見せたときの答えには笑えるものがあるが、システムはなかなか頑張っている。

これは、マカロックとピッツが一九四三年に構想し、われわれの多くが一九八〇年代初めに取り組んだのと同じ、ニューラル・ネットワーク技術を用いて機能している。一九八〇年代、人々は何の問題もなくOCR――光学文字認識――をやっていた。アルファベットの二六文字について「オッケー、これはA？　あれはB？　あれはC？」という具合だ。可能性が二六ならばできるだろうが、一万もあると、とても無理だ。現在の画像認識システムを可能にしたのは単に、システム全体の機能を高めたにすぎない。英語には、絵にして表せる普通名詞が五千個ほど、ある頻度で人間が認識できる特殊な植物や甲虫類も含めれば、一万個はある。われわれはこういった類いの画像三千万個を使ってシステムをトレーニングした。大きくて複雑で厄介なニューラル・ネットワークだ。おそらくネットワークの詳細はどうでもいいが、トレーニングするには、約一千兆ものGPU（画像処理ユニット）オペレーションが必要だ。

われわれが開発したシステムがすばらしいのは、人間ができることにほぼ匹敵しているからだ。トレーニングに必要なデータは人間とほぼ同じ——ヒトの幼児が生後二、三年のうちに見るであろう画像と同じ数だ。学習のプロセスにおいても、少なくともわれわれの一次視覚野にあるのと同数のニューロンを用いて、ほぼ同数の演算が必要となるが、詳細は異なる。こういった人工的なニューロンの機能のしかたは、脳のニューロンの機能のしかたとはほとんど関係ない。しかしコンセプトはよく似ていて、起こっていることにも、ある程度の普遍性がある。数学的レベルでは、これは多数の作用《ファンクション》から成るもので、解析法を用いて徐々にシステムをトレーニングする、ある種の連続性という特性を備えている。こういった特質を考えると、生理学的な識別において人間の脳がするのと同じように機能する何かを手に入れることができる。

だが、これをＡＩと呼べるだろうか？　確かに、基本的な構成要素はいくつか見られる。生理学的な認識、音声テキスト変換、言語変換——難しさの度合いはいろいろあれど、人間がなんとかやってのけている事柄だ。これらは基本的には、人間のように機能するマシンをつくる方法に関連している。私が興味深く思った事柄のひとつは、こういった性能の数々を正確な記号言語に落とし込んで実社会を表現させることだ。「これは水の入ったコップだ」と言えるシステムは現在、存在する。水の入ったコップの画像から、水の入ったコップの概念に進むこともできる。今度は、こうした概念を表す実際の記号言語を考案しなければならない。

私は、数理的で技術的な類の知識を表す試みから始めて、次にその他の知識へと広げていった。この世界における客観的な知識を表すことは、かなりうまくいった。問題は、記号的に正確な方法で人間の日常会話を表現することだ——人間とマシン間のコミュニケーションを意図した知識ベースの言語があれば、人間がそれを読めてマシンも理解できる。たとえば「Xは五より大きい」と言ったら、それは叙述関数だ。「わたしはチョコレートをひとかけらほしい」と言ったら、それもまた叙述関数だ。ここには「わたしは～ほしい」という部分がある。われわれは、人間の自然言語で表される欲求を正確に表す記号を見つけなければならない。

一六〇〇年代後半、ゴットフリート・ライプニッツやジョン・ウィルキンス、その他の人々は、彼らが哲学的言語と呼んだものに関心を向けた。これは、この世における物事を記号で完全に、普遍的に表すものだ。ジョン・ウィルキンスの哲学的言語を見ると、彼が当時の世界で重要なものをどう分類したのかがわかる。一六〇〇年代以来、人間の条件として変わらない側面もあれば、まったく異なる側面もある。死や人間が抱えるさまざまな苦悩に関してウィルキンスは莫大な項目をあてているが、今日の存在論ではもっとずっと少ない。今日の哲学的言語が一六〇〇年代なかばの哲学的言語とどのように違うのかを見ると、興味深い。それは、われわれ人類の進歩を測る基準だ。時代を経るとともに、形式化を目指すそういった試みがいろいろなされてきた。たとえば哲学においては、一九一〇年に刊行されたアルフレッド・ノース・ホワイトヘッドとバートランド・ラッセルの著書、『プリンキピア・マテマティカ』がそれを最大限に誇示するものだった。それに比べると、その少し前のゴットロープ・フレーゲとジュゼッペ・ペアノによる試みはやや控えめだった。結局のところ、彼らは何を形式化できると考えていたのかにおいて誤っていた。数学的証明のプロセスをいくらか形式化できると考えていたが、たいていの人にとって、そんなことはどうでもよかったのだ。

現代におけるチューリング・テストの類似物は、興味深い問題だ。その会話型ボットがいまだ存在するが、それはチューリングの着想だ。まだ解明されていないものの、そのうち解明されるだろう――唯一の問題は、それが解明されたとして、何に応用するのかということ。私はずっと前から、なぜ気にしなければならないのか不思議でならなかった。なぜなら、主たる使い道はカスタマーサービスで、それは私のなかでの優先順位は特に高くなかったからだ。しかし、カスタマーサービスは相互作用しようとする場で、まさにこの会話言語が必要とされるところだ。

チューリングの時代とわれわれの時代の大きな違いは、コンピューターとコミュニケーションする際の方法だ。チューリングの時代には何かを機械に打ち込むと、機械が返答を文字情報で返してきた。現在の世界では、機械は画面上で反応する――たとえば、映画のチケットを買おうとするときのように。機械を相手にした相互作用は、人間との相互作用とどう違うのだろう? 主な答えは、画像表示がある点だ。機械に何か尋ねられて、あるボタンを押せば、結果をすぐに目で見ることができる。たとえばWolfram Alphaでは、Siriのなかで使われていて回答が短いものなら、Siriが短い答えをあなたに返す。しかし、たいていの人が求めているのは画像表示で、インフォグラフィック〔情報、データ、知識を視覚的に表現したもの〕であれやこれやを示す。これは、口頭や、文字を打ち込んでのヒト・コミュニケーションよりも豊かだと判明した非ヒト・コミュニケーションだ。ヒトからヒトへのコミュニケーションの大半では純粋言語から逃れられないが、コンピューターとヒトとのコミュニケーションでは、ずっと処理能力の高い情報伝達経路がある――視覚伝達がそれだ。

この意思疎通の経路があらたに追加されると、チューリング・テストを最大限に応用したものの多くは消えていく。ちょうど今われわれが追いかけているものがある。プログラムを書くことについて意思疎通するボットだ。「プログラムを書きたい。こんなことをプログラムにさせたい」とあなたが言うと、ボットが「プログラムの一部となるこんなものを書きました。これで、こんなことができます。それはあなたの求めているものですか？」とかなんとか答える。やりとりで行きつ戻りつするボットだ。そういったシステムを考案するのは興味深い。なぜなら、あなたに何か説明しようとすれば、そのシステムは人間のひな型をもっていなければならないから。人間がどんなことに困惑するのか、システムは知っていなければならないのだ。

私にとってずっと理解しがたかったのは、従来のチューリング・テストにどんな意味があるのかという点だ。何がモチベーションとなるのだろう？　おもちゃとしてなら、人間とおしゃべりできるちょっとした会話型ボットを作ることは可能だ。それが次のものになるだろう。現在の一連のディープ・ラーニング――特に回帰型ニューラル・ネットワーク――は、人間の話し言葉と書き言葉をかなり上手く真似ている。たとえば「今日の気分はどう？」とタイプしてやると、大抵の場合はどんな反応をすればいいのかわかっている。しかし私は、自分のところに来たeメールへの返信を自動化できるかどうかを解き明かしたい。答えがノーであることはわかっている。私にとってすぐれたチューリングテストとは、私のところにきたeメールの大半にボットが返信できたときだ。それはなかなか難しい。ボットは、そのeメールと関係がある人間から、その返事を学習しなければならないだろう。約二五年にわたって自分自身のデータを集めてきたので、私は少しだけ有利かもしれない。この二五年間のeメールはひとつ残らずとってあるし、キーストロークも二〇年分をすべてとってある。アバターやＡＩを教育して、私にできることをさせられるようになるはずだ――もしかしたら、私よりもそっちのほうがうまくできるかもしれない。

人々はＡＩに乗っ取られるシナリオを心配しているが、ある意味ではもっと愉快なことが、まず起こると思う。ＡＩは人間の意図するところを理解し、どうやってそこに到達するか見つけ出すのも得意になる。

私は、特定の目的地へ行きたいと車のカーナビに伝える。自分がどこにいるのかまったく見当もつかないので、とにかくカーナビの道順に従う。ごく初期のカーナビ――「この道を曲がれ、あの道を曲がれ」というようなタイプ――を手に入れたころ、ボストン・ハーバーに突き出る桟橋のひとつに最終的に行き着いたことがあり、子供たちによくからかわれる。

さらに重要なのは、あなたの歴史を知っているAIが出てくることだ。そのAIは、あなたがオンラインでディナーを注文するときはおそらくこれこれをほしがっているとか、この人にeメールを出すときはこんな話をしたはずだ、とか知っているわけだ。AIはますます、われわれがすべきことをわれわれに提案してくるようになるし、たいていの場合、人々はとにかくそれに従うだろう。AIはいいアドバイスをする――あなたが自分で考えついたことよりもいいアドバイスだ。

乗っ取りのシナリオに関するかぎり、人間はテクノロジーを用いてとんでもないことができるし、テクノロジーを用いてすばらしいこともできる。テクノロジーを用いてとんでもないことをしようとする人もいるし、テクノロジーを用いてすばらしいことをしようとする人もいる。今日のテクノロジーで私が好きなことのひとつに、平準化がある。私もかつては、知人の誰よりも優れたコンピューターをもっているのが自慢だったが、いまや、誰もが同じようなコンピューターをもっている。同じスマホをもっているし、地球全体の七〇億人の相当数が利用しているのは、だいたい同じテクノロジーだ。王様のテクノロジーがはかのみんなのものと違う、ということはない。これは重要な前進だ。

五〇〇〇年前、まだ開拓されていない最大領域は識字能力だったが、こんにちはなんらかのプログラミングをすることだ。今のプログラミングは、そう長くないうちに時代遅れとなる。たとえば、アセンブリ言語を学ぶ人はもういない。コンピューターのほうが人間よりアセンブリ言語を書くのがうまいし、言語をどのようにしてアセンブリ言語にコンパイルするかを詳細まで知っていなければならない人間はごく少数で十分だからだ。現在、大勢のプログラマーがやっていることはどれもこれも平凡なものだ。JavaやJavaスクリプトを人間が書く理由はない。プログラミングのプロセスを自動化したいと思うのは、それによって重要なことが、やってほしいと人間が思っていることから、それをできるだけ自動的に機械にやらせることになるからだ。そうすれば平準化が推し進められる。平準化には私も関心をもっている。以前は、本格的なコードあるいは重要でまともなもののためのプログラムを書きたいと思ったら、かなりの作業が必要だった。ソフトウェア工学についてかなりの知識が必要だったり、それを学ぶのに何カ月かの時間を費やさなければならなかった。また、知識のあるプログラマを雇うか、自分で学ぶかするしかなかった。かなりの投資が必要だったのだ。

しかし、もはやそうではない。たった一行のコードでもすでに、興味深くて役立つことができる。そのおかげで、コンピューターに仕事をさせられないさまざまな人々も、コンピューターに言うことを聞かせることが可能だ。私は、世界中の大勢の子供たちが知識ベースのプログラミングの新たな可能性を理解し、トップにいる人なら誰でも制作できるものと同じくらい効果的で複雑なコードを生み出すのを見たいと思っているが、これは充分実現可能だ。誰でも知識ベースのプログラミングのやり方を学べるし、さらに重要なことに、コンピューターを用いて問題解決を図るという考え方も身につけられる。いまや、プログラミングの実際の手順は簡単だ。難しいのは、コンピューターを用いた問題解決法で物事を想像することだ。

コンピューター的思考をどうやって教えるのか？　プログラミングのやり方という観点からすると、これは興味深い問題だ。ナノテクノロジーを例に挙げよう。われわれはどうやってナノテクノロジーを獲得したか？　答え：大規模なテクノロジーを理解して、それを極小化したのだ。原子レベルのCPUチップはどうつくる？　根本的に、われわれが熟知して愛しているCPUチップと同じ構造を用いるが、それが唯一のアプローチではない。単純なプログラムにできることを見れば、適切なコンパイラさえあれば単純で貧弱な部品であっても、それにおもしろいことをさせられるのがわかる。われわれはまだ、分子レベルのコンピューティングはしていない。なぜなら、アンビエント・テクノロジーを確立するには十年はかかるだろうからだ。しかし、普遍的なコンピューターをつくるのに十分な部品はすでにある。そういった部品を用いてプログラムする方法もわかっているかもしれないが、実行可能なプログラムという空間を検索することによって構成要素を集めはじめ、それ用のコンパイラを開発することができる。驚くべきことは、その貧弱な部品にも複雑なことができる性能があり、コンパイルする手段も想像するほど大変ではないという点だ。

とにかくコンピューターの宇宙を探索して、おもしろいプログラム――構成要素――を見つけるのも、いいアプローチだ。普遍的なコンピューターの構築法を純粋思想を通して見つけ出そうとする、より従来型のエンジニアリング的手法のほうがもっと困難だ。それは無理だと言うわけではないが、コンポーネントを見つけて、それでつくれる実行可能なプログラムを検索するほうが、何かすばらしいことができるのではないだろうか。そこで、人間の目的を、システムから得られるものと結びつけるという問題をやり直すことになる。

私が関心をもっているのは、ほとんどの人たちがコードを書けるようになったらこの世界はどうなるかという問題だ。おそらく五〇〇年ほど前に、移行期があった。自然言語の読み書きができるのが写字生《スクライブ》やごく少数の人に限られていたころだ。こんにちではコードを書けるのはごく一部の人たちだけで、彼らが書くコードの大半はコンピューターのためだけのものだ。コードを人間が読んでも、何も理解できない。だが、あなたがやろうとしていることを最小限に記述したものでも十分コードは機能するという日が、私が試みてきたことを受けて、いつかやってくる。それは人間にとって理解可能だが、機械にとっても実行可能なコードだろう。

自然言語において書くこと《ライティング》が表現形式のひとつであるのと同じく、コーディングもまた、表現形式のひとつだ。私にとって、単純なコードのなかには詩的なものがある——着想を実に巧みに表していて、自然言語における表現と同じく、そこには美的な側面がある。コードの特徴として即座に実行可能だという点があり、そこがライティングとは違う。あなたが何かを書いたら、誰かがそれを読まなければならない。それを読んだ脳は、書いた人間に由来する思考を取り込んで理解しなければならない。世界の歴史において、知識がどのように伝えられてきたかを見るといい。レベルゼロでは、知識の伝達は本質的には遺伝子による——つまり、有機的組織体が存在し、その後継者はそれと同じ特性をもっている。一方、生理的認識などとともに起こる知識の伝達もある。生まれたばかりの動物のニューラル・ネットワークにはランダムな接続しかないが、その動物はこの世界を動き回るにつれて、さまざまな物体を認識するようになり、その知識を蓄えていく。次にわれわれ人類にとって大きな獲得と言っていいレベルのものが、自然言語だ。知識を抽象的に表す能力のおかげで、いわば脳から脳へと意図を伝達できるようになった。議論の余地はあるかもしれないが、自然言語はわれわれ人類の最大の発明物だ。多くの点で、われわれの文明へと導いたものだ。

さらにもうひとつ別のレベルがあり、より興味深い名称が、いつかはそれにもつくはずだ。知識ベースのプログラミングがあれば、この世にある物体を、正確で記号的な方法で実際に表現できる。脳によって理解することが可能で、ほかの脳やコンピューターにも伝達可能なだけではなく、即座に実行可能でもある。

自然言語がわれわれに文明を与えたのと同じように、知識ベースのプログラミングはわれわれに——何を与えてくれるだろう？　悪い答えは、ＡＩの文明が与えられるというものだ。だが、そんなことは起こってほしくない。なぜなら、ＡＩはすぐれたレベルでお互いの意思伝達をおこない、われわれを疎外するからだ。そしてそれは、ＡＩとのあいだには中間言語もなければ、われわれの脳とのインターフェースも存在しないためだ。この四番目のレベルの知識伝達が行き着く先はなんだろう？　あなたが石器人オグ〔アメリカの子供向けアニメ「Cro」に出てくるネアンデルタール人〕で、言語が起こりつつあることにようやく気付いたとしたら、文明の到来を想像できるだろうか？　今だったら、われわれは何を想像すべきだろう？

これは、大半の人々がプログラムのコード化ができたらどんな世界になるかという問題に関係がある。言うまでもなく、些細なことがたくさん変わるだろう。契約書がコード化され、レストランのレシピもコード化され、といった具合に。そういった単純なことが変わるが、もっと深遠な事柄もまた変わるだろう。たとえば、識字率の上昇によって官僚主義が生まれた。それ以前にも制度は存在していたが劇的に流れが加速して、よくも悪くも統治制度がより深まったのだ。コード化された世界は、文化の世界とどのように関係しているだろう？

高校教育を例にとってみよう。コンピューター的思考を身につけていると、われわれの歴史の学び方にどう影響するだろうか。言語の学び方、社会科の学び方にどんな影響が出るだろう？　大きな効力がある、というのが答えだ。小論文を書いていると仮定しよう。今日では、高校生が書く典型的な小論文のための一次素材はすでに書かれたものだ。生徒はたいてい、新たな知識をそう簡単には生み出せないからだ。しかし、コンピューター的思考の世界においては、それはもはや間違いだ。生徒がコードを書くことについて少しでも知っていれば、デジタル化された過去のデータすべてにアクセスして、何か新しいことに気づく。それから、自分が発見したことについて小論文を書くだろう。知識ベースのプログラミングが達成したことは、それがもはや想像力に欠けるのではないということ。なぜならそれは、われわれがコードを書くのに用いている言語に世界の知識を編み込んだからだ。

コンピューターは世界中にあふれている。かき乱すような複雑な流れのパターンを生み出している液体や、惑星の相互作用における天体力学、脳内でも。しかし、コンピューターは目的をもっているだろうか？　その問いは、どんなシステムに対してもすることができる。天気は目標をもっているか？　気候に目標はあるのか？

宇宙から地球を見ている誰かは、そこに目的をもった何かを見いだせるだろうか？　そこに文明があるのか？　ユタ州のグレートソルト湖には、まっすぐな線がある。これは湖を一つにわける土手道で、水域のそれぞれで藻の色が異なるため、とても印象的なまっすぐな線だ。オーストラリアには長くてまっすぐな道路がある。シベリアには長い鉄道があり、列車が駅に停まると明かりがつく。というわけで、宇宙からはまっすぐな線やさまざまな模様を見ることができる。

しかし、これらは宇宙から地球上に見られる明らかな目的のはっきりとした例と言えるだろうか？　そのことについて言えば、われわれは地球外生物をどう認識するのだろう？　われわれが受け取っている信号が目的をもっている、とどうやってわかるのだろうか？　パルサーは一九八七年、一秒ごとくらいに定期的にはためく光を検知したときに発見された。最初、これはビーコンなのかと疑問に思われた。だって、周期信号を発するのにそれ以外の目的があるだろうか？　だが結局、それは回転する中性子星だった。

しっかりした目的があるかもしれない事象にあてはまる基準のひとつは、それが目的を達成する最小かどうかということだ。しかしこれは、その事象がその目的で形成されたということなのだろうか？　ボールは引力のために坂を転げ落ちる。あるいは、ボールは最小作用の原理を満たしているから坂を転げ落ちる。目的があるかもしれない行動《アクション》に対する説明として代表的なものは、この二つ。つまり、機械論的説明と目的論的説明だ。本質的に、われわれの現存するテクノロジーはすべて、この目的を達成することにおいて最小か否かというテストに落第する。われわれがつくり上げてきたものの大半は技術史に深く浸み込んでいて、まったく信じられないが、その目的を果たすことのためには最小ではないだ。CPUチップを見ればいい。一個のCPUチップが達成したことを達成するのに、それが最低限の方法だということはあり得ない。

明確な目的をもっている状態をどうやって特定するか、というこの問題は難しいが、重要だ。なぜなら宇宙からやってくる電波ノイズは、携帯電話が発するCDMAの送信信号と非常に似ているからだ。これらの送信信号は、擬似ノイズシーケンスを利用しているが、それは特定の再現性という属性を持つ。だが、それらはノイズとして認識され、他の周波数帯と干渉しないよう、ノイズとして設定されている。問題はますます厄介になる。素数のシーケンスがパルサーから放たれるのを観測したら、何がそれを発生させたのかをわれわれは問うだろう。文明全体が成熟して素数を発見し、コンピューターや無線送信機を発明して、これをやったという意味なのだろうか？　それとも、素数を生成する自然現象があるだけなのだろうか？　素数を生成する、ちょっとしたセルオートマトンは存在する。その仕組みは、ばらばらにすると理解できる。小さなものがなかで跳ねると、素数のシーケンスが飛び出してくる。そこまで到達するのに、文明の歴史全体や生物学などは必要なかった。

本質的に、抽象的な〝目的〟は存在しないと私は思う。抽象的な意味も存在しないと思う。宇宙は目的をもっているか?という問いにとなると、ある意味では神学をやることになる。目的という抽象的な概念をもつ有意義な感覚などない。目的とは、歴史によってもたらされるものなのだ。

われわれの世界に関して真実かもしれない事柄のひとつは、この歴史や生物学、文明をすべて経てきて最終的に得る答えが「42」〔イギリスの作家、ダグラス・アダムズの『銀河ヒッチハイク・ガイド』で語られる、生命、宇宙、そして万物についての究極の疑問の答え〕とかということだ。さまざまな進化や発展に彩られた四〇億年もの歴史をくぐり抜けて、われわれは「42」という答えに到達した。

だが、そんなことは起こらない。なぜなら、コンピューター的非簡約性のためだ。計算プロセスのなかには、その過程を簡約化する方法がないものがある。科学の大部分は、自然によってなされる計算を簡約化すること。たとえば天体力学をやっていて、今から百万年後に惑星の位置がどうなっているか予測したいなら、方程式を地道にひとつひとつ解いていくしかない。だが科学における大きな功績は、われわれがそれを簡約化して計算を減らせるということだ。われわれが宇宙より賢くなり、すべての段階を踏まなくても終点を予測することは可能だ。しかし、じゅうぶんに賢いマシンと数学をもってしても、段階を踏まずに終点に到達することはできない。個々の要素のなかには、簡約化できないものがある。そういった段階は簡約化せずに、ひとつひとつ従わなければならない。だからこそ、歴史にはなんらかの意味があるのだ。もし、われわれが段階を踏むことなく終点に到達したら、歴史など、考えようによっては無意味だ。

というわけで、われわれだけが知性をもち、世界中のその他すべてのことは知性をもっていないというのは事実と異なる。われわれと雲、あるいはわれわれとセル・オートマトンのあいだに概念上の大きな違いはない。脳に近いこのニューラル・ネットワークがこのセル・オートマトン・システムと定性的に違う、とは言えない。その違いは、細部の違いだ。脳に近いこのニューラル・ネットワークは長い文明の歴史によって生み出されたのに対して、セル・オートマトンは私のコンピューターによって、直前のマイクロ秒のうちに生成されたものなのだ。

概念上のＡＩの問題は、地球外文明を認識する問題に似ている。それが目的をもっているのかいないのか、どうやって見極めるのだろう? これは、答えられるとは思えない質問だ。「うん、これこれができるようになったら、ＡＩは知能をもつようになったと言える」というふうなことをわれわれは言う。素数を見つけられるようになったら。これやあれなどを作れるようになったら、などなど。だが、そういう結果に至る方法は、ほかにもたくさんある。繰り返しになるが、知性と単なる計算とを分ける明確な線はないのだ。

これは、コペルニクスのストーリーの別な面だ。われわれは、地球が宇宙の中心だとかつては考えていた。だが今や、われわれには知性があるが、ほかに知性をもつものが存在しないから、自分たちは特別だと考えている。残念ながら、それは区別ではないというのが悪い知らせだ。

私の考えるシナリオのひとつはこんなものだ。たとえば、人間の意識がデジタル化されて容易にアップロードでき、バーチャル化されるなどして、一兆もの魂がひとつの箱に詰め込まれるときがやってきたとしよう。箱のなかには一兆の魂があり、すべてバーチャル化されている。箱のなかでは、分子レベルの計算が進行中だ——生物学から生成されたものかもしれないし、そうではないかもしれない。だが、その箱はさまざまな種類の複雑で入り組んだことをするだろう。箱の隣には、岩がひとつころがっている。岩のなかでは常に、さまざまな種類の複雑で入り組んだことが進行中で、さまざまな種類の亜原子粒子がさまざまな種類のことをしている。この岩と、一兆の魂が入った箱の違いはなんだろう？　箱のなかで起こっていることの詳細は、人々が前日にYouTubeで観たものがなんであれ、それも含めて人間の文明の長い歴史から生じたもの、というのが答えだ。一方、岩には長い地質学上の歴史はあっても、われわれの文明という特定の歴史はない。

知能と、単なるコンピューターのあいだに真の差異はないと認識すると、ある将来が推測される――われわれの文明の終点は一兆もの魂が入った箱で、その魂はそれぞれ、要するにビデオゲームを延々とやっているだけというもの。それの〝目的〟とは、いったいなんだろう？

# 訳者あとがき

本書*Possible Minds: Twenty-Five Ways of Looking at AI*は、編者ジョン・ブロックマンが序文で述べているように、〈ポッシブル・マインド・プロジェクト〉と彼が名付けた〝運動〟の産物である。本当の知性（マインド）となる可能性（ポッシビリティ）を、見識のある思索家たちがプレゼンテーションしていくプロジェクトとでも言おうか。

いわゆるＡＩ、人工の知能または知性についての論議や説明は、今やメディアのいたるところに見られるが、それのもつ意味がプラスであるという論旨とマイナスであるという論旨の振れ幅があまりにも広いのは、ご存じのとおりだ。だが、未来を確実に予測することなど誰にもできないし、人間と脳に関する事実を私たちはまだまだ解明できてはいない。

だからと言って、議論を止めたら発展はあり得ない。ひとつの考えに凝り固まる前に、ブロックマンの言うように、「さまざまな考えを示して、この急速に出現しつつある分野に関する理解を深める助けになる」ものが必要なのだ。サイエンス関係の著者エージェントとしては、当代随一のブロックマン。その彼ならではの最先端寄稿者が集まり、ノーバート・ウィーナーのサイバネティックスと『人間機械論』に立ち返った論議を基礎とする本書は、そのための理想のツールと言えよう。

なお、訳出に際しては次の方たちに協力をいただいた。記して感謝したい。安齋奈津子、飯嶋貴子、飯原裕美、佐藤満里子、佐野恵美子、下田明子、皆川由美、安田章子。

二〇一九年一二月

日暮雅通

POSSIBLE MINDS

Twenty-Five Ways of Looking at AI

Edited by JOHN BROCKMAN



ディープ・シンキング
知のトップランナー25人が語るAIと人類の未来

2020年 1 月20日　第一刷印刷
2020年 1 月30日　第一刷発行

編　者　ジョン・ブロックマン
訳　者　日暮雅通

発行者　清水一人
発行所　青土社

〒101-0051　東京都千代田区神田神保町1-29　市瀬ビル
［電話］03-3291-9831（編集）　03-3294-7829（営業）
［振替］00190-7-192955

印刷・製本　ディグ
装丁　大倉真一郎

ISBN978-4-7917-7230-8　Printed in Japan